(suite en fin d'ouvrage)

Danielle Steel

LA MÉDAILLE

Roman

Traduit de l'anglais (États-Unis)
par Hélène Colombeau

PRESSES
DE LA CITÉ

Titre original : *The Award*
L'édition originale de cet ouvrage a paru chez Delacorte Press, Penguin
Random House, New York.

Ce livre est une œuvre de fiction. Les noms, les personnages, les lieux
et les événements sont le fruit de l'imagination de l'auteur ou sont
utilisés fictivement. Toute ressemblance avec des personnes réelles,
vivantes ou mortes, serait pure coïncidence.

© Danielle Steel, 2016
© Presses de la Cité, 2019, pour la traduction française
ISBN 978-2-258-13514-7
Dépôt légal : janvier 2019

Presses
de   un département **place des éditeurs**
la Cité

place
des
éditeurs

À mes enfants chéris, si courageux :
Beatrix, Trevor, Todd, Nick, Sam,
Victoria, Vanessa, Maxx et Zara,

Nous avons chacun nos combats à mener,
nos propres façons de survivre,
nos pertes à endurer et à accepter.
Il nous arrive à tous d'être accusés à tort,
et de devoir renaître de nos cendres.

Soyez aussi courageux que possible,
battez-vous avec gentillesse, compassion et indulgence.
Aimez de toutes vos forces,
soutenez-vous les uns les autres,
et rappelez-vous, toujours,
combien je vous aime,
et comme je suis fière de vous.
Avec tout mon amour,
Maman/D.S.

A TOUS LES FRANÇAIS

La France a perdu une bataille!
Mais la France n'a pas perdu la guerre!

Des gouvernants de rencontre ont pu capituler, cédant à la panique, oubliant l'honneur, livrant le pays à la servitude. Cependant, rien n'est perdu!

Rien n'est perdu, parce que cette guerre est une guerre mondiale. Dans l'univers libre, des forces immenses n'ont pas encore donné. Un jour, ces forces écraseront l'ennemi. Il faut que la France, ce jour-là, soit présente à la victoire. Alors, elle retrouvera sa liberté et sa grandeur. Tel est mon but, mon seul but!

Voilà pourquoi je convie tous les Français, où qu'ils se trouvent, à s'unir à moi dans l'action, dans le sacrifice et dans l'espérance.

Notre patrie est en péril de mort.
Luttons tous pour la sauver!

VIVE LA FRANCE !

18 JUIN 1940

C. de Gaulle

GÉNÉRAL DE GAULLE

« Le courage, c'est la force
de surmonter le danger, le malheur,
la peur, l'injustice, tout en continuant
d'affirmer que la vie, malgré tous
les chagrins, est belle et bonne. »

DOROTHY THOMPSON

1

Dans son appartement de la rue du Cherche-Midi, à Paris, Delphine Lambert lisait *Le Figaro* avec la plus grande attention. Ses longs cheveux bruns masquaient en partie son visage sérieux. Historienne et journaliste politique, elle écrivait régulièrement des articles pour la presse et avait déjà, à vingt-neuf ans, publié deux ouvrages salués par la critique.

Georges Poitier, son compagnon, l'observait en souriant.

— Qu'est-ce que tu cherches ? s'enquit-il, alors même qu'il connaissait la réponse.

On était le 1er janvier. Or, chaque année, à l'occasion du nouvel an et du 14 Juillet, une liste paraissait dans le journal. Et, chaque année, Delphine la consultait scrupuleusement.

— Tu sais bien... ma grand-mère, répondit-elle sans relever les yeux, par crainte de perdre le fil.

Il n'y avait pas moins de cinq cents noms sur cette page. Découvrirait-elle enfin parmi eux celui qu'elle rêvait d'y voir depuis ses dix-sept ans, et qui n'y avait jamais figuré malgré tous ses efforts ?

— Combien de temps vont-ils attendre encore ? maugréa-t-elle.

Sa grand-mère, Gaëlle de Barbet Pasquier, avait quatre-vingt-quinze ans. Et la liste qui intéressait tant Delphine recensait les futurs récipiendaires de la Légion d'honneur.

Gaëlle n'avait jamais demandé à être décorée ; cela lui semblait parfaitement inutile. C'était sa petite-fille qui en avait fait une cause sacrée, « une question de justice », comme elle aimait à le répéter. Dans la famille, tout le monde savait avec quelle énergie elle s'était battue pour que sa grand-mère soit enfin innocentée et ses mérites reconnus. Gaëlle, de son côté, était en paix avec son passé. Les événements pour lesquels elle aurait pu être récompensée avaient eu lieu pendant la guerre... Autant dire il y a une éternité ! Elle n'y pensait presque jamais, sauf lorsque Delphine abordait le sujet – ce qu'elle ne faisait que rarement aujourd'hui. La jeune femme connaissait l'histoire par cœur. Le courage de sa grand-mère avait été pour elle une source inépuisable d'inspiration et de motivation. Gaëlle incarnait à ses yeux le parfait exemple de ce qu'un être humain devrait être. Et, quelle que soit la décision du gouvernement, de réparer ou non les injustices du passé en distinguant la vieille dame, celle-ci resterait pour Delphine une véritable héroïne, comme elle l'avait été pour de nombreuses personnes durant l'Occupation, soixante-dix-neuf ans plus tôt.

Alors qu'elle continuait d'éplucher la liste, Delphine se figea, les yeux écarquillés. Elle relut le nom pour s'assurer qu'elle ne s'était pas trompée, puis elle regarda Georges avec stupéfaction.

— Elle y est ! Elle est dans la liste ! C'est incroyable...

Son vœu se réalisait. Toutes ces années de recherches, toutes ces lettres envoyées, tout ce temps passé à harceler les membres de la grande chancellerie – cela avait porté ses fruits : sa grand-mère allait recevoir la médaille de chevalier de la Légion d'honneur.

Delphine avait les larmes aux yeux et les mains qui tremblaient lorsqu'elle tendit le journal à Georges. Gaëlle de Barbet Pasquier... le nom était bien là, écrit noir sur blanc. Georges se pencha au-dessus de la table du petit déjeuner pour embrasser sa compagne. Il était fier d'elle.

— Bravo, chérie. Tu as réussi.

Gaëlle était sans conteste une femme formidable. Le monde entier allait bientôt le savoir – à commencer par ses compatriotes.

Impatiente de lui annoncer la nouvelle, Delphine se leva pour lui téléphoner. À tous les coups, sa grand-mère n'avait pas pris la peine de lire le journal ce matin... Gaëlle n'avait jamais été très optimiste à ce sujet, considérant les tentatives de sa petite-fille aussi futiles qu'illusoires. Celle-ci venait de prouver le contraire. Sa persévérance avait payé.

Elle tenta d'abord de la joindre sur le portable qu'elle lui avait offert. Comme souvent, l'appel bascula directement sur la boîte vocale.

— Elle ne l'allume jamais, cet appareil ! bougonna-t-elle.

La vieille dame prétendait qu'il était trop compliqué à utiliser et qu'elle n'en avait pas besoin. Elle préférait se servir de son téléphone fixe. Delphine l'appela donc sur ce dernier et laissa sonner longtemps, au cas où sa grand-mère serait occupée ou dans son bain. Mais elle n'eut pas plus de succès sur cette ligne, et le répondeur était débranché. Frustrée, elle rejoignit Georges à la table de la cuisine.

— Elle est peut-être à l'église, suggéra-t-il.

— Ou en train de promener sa chienne... Je réessaierai dans un moment.

Une demi-heure plus tard, cependant, Gaëlle restait injoignable. N'y tenant plus, Delphine appela sa mère, laquelle éclata en sanglots en apprenant la nouvelle. Que Gaëlle obtienne cette récompense avait été leur désir le plus cher à toutes les deux, même si l'intéressée était trop modeste pour penser la mériter. C'était si contrariant de ne pas réussir à la contacter ! Mais Gaëlle était encore en pleine forme, et elle ne manquait pas d'idées pour occuper ses journées et ses soirées. Elle adorait voir ses amis, visiter des musées, aller au théâtre, ou faire de longues promenades avec sa chienne dans son quartier ou sur les quais de Seine.

Delphine raccrocha, puis retourna vérifier dans le journal que le nom de sa grand-mère figurait bien sur la liste, qu'elle n'avait pas été victime d'une illusion. Cette nomination était la concrétisation d'un immense rêve.

Ce jour-là, comme à son habitude, Gaëlle Pasquier s'était levée tôt. Elle avait fait ses étirements, avant de savourer ses tartines grillées accompagnées d'un bol de café au lait – son petit rituel du matin. Elle avait ensuite pris un bain et brossé ses cheveux d'un blanc de neige, coupés en un carré chic qui encadrait son visage aristocratique. Puis elle s'était habillée pour aller voir son amie Louise. Celle-ci habitait comme elle dans le septième arrondissement ; cela faisait malgré tout une petite trotte, de la place du Palais-Bourbon à la rue de Varenne...

16

Situé dans un quartier prisé, l'immeuble de Gaëlle n'avait cependant rien de tape-à-l'œil. L'appartement était petit mais élégant, décoré de tableaux magnifiques et de beaux meubles anciens. Il s'en dégageait une atmosphère chaleureuse et accueillante.

Gaëlle appela sa chienne, Joséphine, un teckel marron à poils longs qui lui avait été offert par ses petits-enfants. Elles étaient devenues inséparables, toutes les deux. Dès qu'elle vit sa laisse, Joséphine bondit de joie, et Gaëlle lui passa le collier autour du cou en lui parlant de la belle promenade qu'elles allaient faire.

Malgré son grand âge, la vieille dame vivait seule et s'en sortait très bien. En semaine, une aide à domicile venait dans la journée, mais elle se préparait elle-même ses repas du soir et allait au restaurant avec ses amis le plus souvent possible. Sept ans auparavant, à quatre-vingt-huit ans, elle s'était résolue à prendre sa retraite. Gaëlle avait été conservatrice d'un petit musée réputé, qu'elle avait aidé à fonder et auquel elle avait consacré presque cinquante ans de sa vie.

Aujourd'hui, elle continuait de visiter toutes les expositions importantes qui se tenaient à Paris. Elle s'y rendait la plupart du temps avec Louise, de dix ans sa cadette et elle aussi en excellente forme physique. Les deux femmes s'étaient connues cinquante-sept ans plus tôt, quand Gaëlle était revenue habiter en France après avoir passé seize ans aux États-Unis. Louise avait été un des mécènes du musée. Elles se vouaient depuis une amitié sans faille.

Si Gaëlle avait la chance d'avoir une partie de sa famille auprès d'elle, Louise ne voyait la sienne qu'une fois par an – et c'était elle qui se déplaçait. Sa fille s'était installée en Inde et son fils au Brésil... Malgré

17

tout, elle n'avait rien perdu de son caractère enjoué. Veuve d'un diplomate, Louise avait vécu à l'étranger dans sa jeunesse.

L'aînée de Gaëlle, génie de la finance comme son défunt père, travaillait dans une banque d'investissement à New York. Son autre fille, Daphné – la mère de Delphine – était obstétricienne à Paris, où elle avait épousé un cardiologue. Bien qu'ils fussent très pris par leur travail, ils l'invitaient régulièrement chez eux. Néanmoins, Gaëlle ne voulait pas s'imposer et faisait en sorte d'avoir ses propres activités, ses propres amis. La plupart de ces derniers étaient plus jeunes qu'elle : à son âge, peu de personnes se montraient aussi actives et aussi impliquées dans le monde.

Delphine, sa petite-fille, était journaliste. Un de ses frères suivait des études de médecine, comme ses parents, tandis que l'autre était inscrit à HEC, la meilleure école de commerce du pays. Gaëlle était fière d'eux.

Elle passait de bons moments avec Louise. Ensemble, elles organisaient des sorties, et il leur arrivait même de partir en week-end pour voir une exposition à Rome ou un opéra à Vienne, assister à quelque événement culturel à Londres ou à Madrid, ou se promener sur les planches de Deauville. Ainsi Gaëlle menait-elle une existence trépidante, parfois bien plus que certains de ses amis plus jeunes.

C'est d'un pas assuré qu'elle se dirigea vers la maison de Louise rue de Varenne, avec Joséphine trottinant à ses côtés. Gaëlle aimait les 1ers janviers. Entamer une nouvelle année lui faisait miroiter de multiples perspectives. Depuis longtemps, elle avait adopté une attitude positive face à la vie : elle préférait se tourner vers l'avenir plutôt que s'appesantir sur le passé.

Physiquement, Gaëlle était restée mince. Elle avait également conservé son sens de la mode, même si elle portait des tenues classiques qui seyaient à son âge. Il y avait quelque chose de résolument français dans sa façon de s'apprêter ; elle avait beau avoir vécu presque deux décennies aux États-Unis, Gaëlle était une Parisienne dans l'âme.

Après avoir dépassé le musée Rodin et l'hôtel Matignon, elle s'arrêta devant de lourdes portes peintes d'un vert sombre et brillant. Louise vivait dans une majestueuse demeure du dix-huitième siècle comme on en trouve à Paris, avec cour intérieure, remises transformées en garages et jardin soigneusement entretenu. Lorsqu'elle actionna le heurtoir de cuivre, le gardien lui ouvrit et la salua poliment. Elle monta les marches du perron pour sonner à la porte, où une domestique vint l'accueillir. Gaëlle pendit son manteau dans le hall d'entrée, puis elle détacha Joséphine, qui se précipita dans le salon. Louise était assise au coin du feu avec à ses pieds Fifi, son pékinois blanc impeccablement toiletté. Tout excités de se retrouver, les deux chiens se mirent aussitôt à jouer.

— Bonne année, ma chère ! lança Gaëlle en se penchant pour embrasser son amie.

Elle se laissa tomber dans son fauteuil habituel, arborant un grand sourire. Elles en avaient passé, des après-midi et des soirées, à parler du musée, de leurs enfants ou de leurs derniers projets, confortablement installées devant cette cheminée...

— Félicitations ! s'exclama alors Louise avec un plaisir sincère.

Gaëlle parut surprise.

— Félicitations pour quoi ? Pour être encore vivante à quatre-vingt-quinze ans en ce jour de nouvel an ? Dans ce cas, je te félicite aussi, répliqua-t-elle en riant.

Plus petite et plus ronde que Gaëlle, Louise avait un bon visage de grand-mère et paraissait presque aussi vieille que son amie malgré leur différence d'âge. Mais elle était, elle aussi, pleine de vie, ce qui expliquait sans doute pourquoi elles s'entendaient si bien. Pendant ce temps, les chiens se pourchassaient autour du salon : Joséphine s'était enfuie avec un jouet de Fifi.

— Tu n'as pas lu le journal, ce matin ? demanda Louise.

C'était pour sa part ce qu'elle faisait en premier dès le réveil. Les deux amies aimaient se tenir informées de l'actualité. Elles dévoraient par ailleurs un grand nombre de romans, qu'elles s'échangeaient ensuite. Daphné disait toujours que sa mère lui donnait des complexes, elle qui n'avait le temps de se plonger que dans des revues médicales.

— Je déteste lire le journal pendant mon petit déjeuner, répondit Gaëlle. Ça me déprime, toutes ces tragédies, ces crimes contre l'humanité, ces catastrophes naturelles... Je n'ai pas pris la peine de l'ouvrir ce matin.

— Tu aurais dû, rétorqua Louise d'un air énigmatique.

— Pourquoi, le président a une autre aventure ? J'ai raté un scandale ?

Louise regarda son amie avec tendresse.

— Non, ma chère. Si tu n'es pas au courant, alors je suis particulièrement honorée d'être la première à te féliciter, Madame la Chevalière.

Gaëlle la dévisagea, incrédule.

— Tu plaisantes ? C'est impossible... Ça fait des années que cette pauvre Delphine harcèle la chancellerie, je ne pensais pas qu'elle parviendrait à son but.

Louise savait que Gaëlle avait accompli des actions héroïques dans sa jeunesse au sein de la Résistance, et qu'elle avait par la suite été accusée à tort d'avoir collaboré avec les Allemands... Cette rumeur l'avait poursuivie toute sa vie, et sa petite-fille s'était battue pour la faire taire une bonne fois pour toutes. Elle avait enfin réussi.

— Eh bien, apparemment, Delphine a fini par les convaincre, répondit Louise. Tu vas obtenir les honneurs et la reconnaissance que tu mérites.

Elle était fière de son amie, et imaginait sans peine combien Delphine devait se réjouir.

— Comment peux-tu être sûre que ce qu'on a dit sur moi est faux ? demanda tristement Gaëlle en repensant à ce lointain passé. Et si je t'avais menti ?

— Je n'ai jamais douté de ta parole. Je te connais, Gaëlle. Ce n'est que justice, pour tout le bien que tu as fait.

Pendant un moment, Gaëlle contempla le feu en silence.

— C'était il y a si longtemps, murmura-t-elle. Quelle importance, aujourd'hui ? Moi, j'ai toujours su la vérité, c'est ce qui compte. Et il y a tant de vies que je n'ai pas pu sauver...

Comme celle de Rebecca, songea-t-elle. Tout avait commencé avec elle, cette amie qu'elle avait perdue l'année de leurs dix-sept ans. Gaëlle conservait, dans une petite boîte en cuir rangée dans son bureau, un morceau d'un ruban qui lui avait appartenu. Elle le regardait encore de temps en temps. Rebecca, sa chère amie...

2

En décembre 1940, alors que les Allemands occupaient les deux tiers nord de la France depuis six mois, Gaëlle de Barbet venait de fêter ses seize ans. Le sud du pays était encore aux mains des Français, sous l'autorité du régime de Vichy. Gaëlle vivait avec ses parents dans leur château familial de Valencin, un petit village au sud de Lyon. Son frère Thomas, de deux ans son aîné, étudiait à l'École polytechnique de Paris.

Depuis que la guerre avait éclaté, quinze mois plus tôt, le quotidien était difficile ; la nourriture commençait à manquer, et la population souffrait de l'Occupation. D'après Thomas, les soldats et les officiers allemands étaient partout dans Paris. Ils imposaient des règles strictes aux Parisiens, tel que le couvre-feu à partir de vingt heures. Des postes de contrôle avaient été érigés, et toute personne âgée de plus de seize ans devait obligatoirement posséder une carte d'identité. Deux mois auparavant, en octobre, la loi sur le « statut des Juifs » avait levé toute ambiguïté sur la position du gouvernement français à leur égard. Étonnamment, elle se révélait encore plus dure et plus restrictive que les mesures prises par les Allemands eux-mêmes. Les citoyens français d'origine juive, exclus des fonctions administratives, de l'armée et de tous les métiers où ils pouvaient exercer une influence sur l'opinion publique, avaient pour bon nombre d'entre eux, sinon pour la plupart, perdu leur emploi. Des étudiants juifs avaient été renvoyés de leur université et de nombreuses personnes arrêtées sans raison, comme des indésirables. Des camps d'internement avaient poussé un peu partout à la campagne, et l'on y enfermait des familles juives pendant que les Allemands confisquaient leurs commerces et leurs maisons. La peur et l'agitation régnaient dans les villes.

Même si ses papiers d'identité la désignaient comme catholique, Gaëlle avait reçu l'interdiction formelle de ses parents de traîner sur le chemin du lycée et de s'adresser aux soldats allemands. Mais ces derniers ne leur cherchaient pas querelle : les Barbet appartenaient à une famille d'aristocrates présente dans la région depuis trois cents ans. Ainsi, le père de Gaëlle continuait de superviser le domaine et ses métairies. À Lyon, les Juifs les plus riches n'avaient pas été inquiétés jusque-là, ni aucune des familles que les Barbet fréquentaient. Mais Gaëlle avait entendu son père affirmer qu'ils feraient mieux de fuir avant qu'il ne soit trop tard. Tout cela semblait tellement irréel…

La meilleure amie de Gaëlle, Rebecca Feldmann, était la fille d'un riche banquier très respecté dans la région. Originaires d'Allemagne, les Feldmann vivaient là depuis trois générations ; ils ne risquaient rien, pensaient-ils. Quand Gaëlle avait rapporté à Rebecca les propos de son père, son amie lui avait répondu que le sien, quoique conscient du danger, se montrait rassurant. De fait, plusieurs officiers allemands avaient déposé leur argent dans sa banque. Pour l'heure, les deux filles ne connaissaient personne qui ait été arraché à sa maison et envoyé dans un camp, malgré les rumeurs qui circulaient.

La fortune des Feldmann était bien plus considérable que celle des Barbet, laquelle n'avait cessé de fondre ces dernières années. Gaëlle avait surpris dans la bouche de son père l'expression « riches en terres, mais pauvres en argent »... Néanmoins, ils ne manquaient de rien, et leur château comptait parmi les plus beaux des environs. Malgré la guerre, les parents de Gaëlle n'avaient pas restreint ses activités. Elle continuait de se rendre au lycée à vélo tous les matins et passait prendre Rebecca en chemin. Gaëlle partait assez tôt de manière à pouvoir s'attarder chez les Feldmann, où les domestiques leur donnaient des croissants et des brioches tout juste sortis du four, ainsi que des petits pains fourrés de chocolat fondant. C'était le moment de la journée que Gaëlle préférait. La cuisinière leur donnait toujours quelques viennoiseries à emporter à l'école. Les deux filles étaient amies depuis la maternelle.

Rebecca avait deux frères âgés de douze et quatorze ans qui fréquentaient le même établissement, et une petite sœur de cinq ans, Lotte – une vraie peste, disait-elle, mais Gaëlle l'adorait et Lotte le lui rendait bien. La demeure des Feldmann, quoique moins grande que le château des Barbet, était meublée et décorée de façon beaucoup plus luxueuse. La mère de Rebecca achetait de riches vêtements à Paris et se parait de bijoux et de fourrures. Gaëlle adorait aller chez eux. Elle s'y sentait tellement bien accueillie !

Sa propre mère était une femme réservée et quelque peu austère. Elle s'amusait bien plus chez Rebecca...

Avant de partir à l'université, Thomas les taquinait beaucoup, toutes les deux. Mais la guerre l'avait rendu sérieux. À présent, quand il rentrait, il parlait pendant des heures de l'Occupation avec son père et ne passait que peu de temps avec sa sœur, qu'il traitait comme une enfant.

Quinze jours avant Noël, alors qu'elle se rendait au lycée, un matin, Gaëlle aperçut deux camions de police garés devant la maison des Feldmann. Des hommes attendaient à côté. Elle mit pied à terre, n'osant pas s'approcher plus près. Soudain, deux policiers surgirent de la maison, tirant derrière eux le père de Rebecca, suivis de deux autres qui encadraient sa femme. Celle-ci tenait Lotte par la main, et la fillette hurlait de terreur. Les deux frères furent poussés sans ménagement et récupérés en bas des marches du perron par des agents qui les jetèrent dans un des camions. Alors, Gaëlle vit Rebecca. Ses longs cheveux blonds, qu'elle n'avait pas eu le temps de tresser, flottaient derrière elle... Un policier la balança dans le véhicule telle une poupée de chiffon. C'était une jeune fille menue, comme Gaëlle, et elles avaient la même couleur de cheveux – on leur disait souvent qu'elles se ressemblaient comme deux sœurs, même si Gaëlle était plus grande. L'espace d'un instant, leurs regards se croisèrent, juste avant que Rebecca ne disparaisse dans le camion. Un homme arracha le feutre élégant de la tête de M. Feldmann, le jeta par terre et l'écrasa sous sa botte.

— Tu n'en auras pas besoin là où tu vas, cracha-t-il.

Gaëlle était pétrifiée. Son cœur cognait dans sa poitrine tandis qu'elle regardait les camions s'éloigner, suivis de la voiture du commissaire de police. Elle aurait voulu courir derrière eux, mais cela n'aurait servi à rien. Pourquoi les policiers français venaient-ils d'arrêter ses amis, de les traîner de force hors de chez eux ? Ce n'étaient pas des soldats allemands, mais leurs compatriotes ! Les larmes coulaient sur son visage pendant qu'elle pédalait jusqu'à la demeure des Feldmann et se précipitait dans la cuisine. La cuisinière et les deux domestiques avaient l'air terrifiées. Une odeur de brûlé s'échappait du four, mais personne ne semblait s'en rendre compte.

— Que s'est-il passé ? leur demanda Gaëlle, la voix entrecoupée de sanglots. Où les emmènent-ils ?

— Va-t'en ! cria la cuisinière en lui montrant la porte. Tu n'as rien à faire ici. Va-t'en vite !

Elle ne lui avait jamais parlé sur ce ton... Gaëlle s'aperçut que les deux autres femmes pleuraient. Les gendarmes les avaient menacées de les arrêter elles aussi pour avoir travaillé chez des Juifs si elles ne quittaient pas immédiatement la maison – ils les avaient prévenues qu'ils reviendraient plus tard. On entendait des bruits de pas précipités à l'étage : les autres domestiques se hâtaient de rassembler leurs affaires.

— Où les emmènent-ils ? répéta Gaëlle, au désespoir.

— Je ne sais pas. Dans un camp, sans doute... Mais tu dois partir, maintenant, ajouta la cuisinière, et surtout, ne remets pas les pieds ici. Les policiers ont dit que les Allemands allaient s'installer dans la maison cet après-midi. Les Feldmann ne reviendront pas.

— Il faut que je la retrouve, insista Gaëlle.

L'imposante bonne femme lui saisit le bras et la secoua sans ménagement.

— Non. Fais-toi une raison, ma petite. Ils ne te laisseront jamais la voir.

— Pourquoi ont-ils fait ça ? sanglota Gaëlle tandis que la cuisinière la guidait vers la sortie.

— Ils sont juifs. Tu dois les oublier si tu ne veux pas avoir de problèmes. Va-t'en, maintenant.

Et elle la poussa dans le vestibule et referma la porte sur elle. Gaëlle descendit les marches du perron en trébuchant et repartit sur son vélo, choquée et folle d'inquiétude. Les policiers avaient jeté Rebecca et sa famille dans leurs camions comme de vulgaires sacs-poubelle. Où les conduisaient-ils ? Gaëlle était tellement ébranlée qu'elle tomba deux fois de son vélo et arriva en retard au lycée, la robe déchirée, un coude et un genou en sang. Elle faisait peine à voir.

— Qu'est-ce qui t'est arrivé ? lui demanda un garçon qu'elle n'avait jamais apprécié.

— J'ai eu un accident, répondit-elle d'un air absent.

Elle n'avait pas envie de lui raconter le drame dont elle venait d'être témoin. Dorénavant, elle ne ferait plus confiance à personne. Tout avait basculé en un instant.

— Où est Rebecca ? s'enquit le garçon alors qu'elle s'éloignait.

— Je ne sais pas, murmura-t-elle par-dessus son épaule. Elle est peut-être malade.

Ou morte, songea-t-elle avec terreur. Il fallait absolument qu'elle la voie, quoi qu'en dise la cuisinière. Non, elle n'oublierait pas Rebecca ni aucun membre de sa famille. Où qu'ils soient, elle les retrouverait.

Ce jour-là, au lycée, elle attendit que les heures passent, puis elle rentra chez elle et se mit aussitôt en quête de son père. Il venait de ramener un cheval boiteux à l'écurie. Sur le chemin du retour, Gaëlle avait vu un officier et des soldats allemands devant la demeure des Feldmann, en train de transporter des caisses et des valises à l'intérieur.

Quand elle raconta à son père la scène à laquelle elle avait assisté le matin, il fronça les sourcils.

— Quelqu'un t'a vue, là-bas ? demanda-t-il d'une voix sombre. Les policiers, je veux dire.

— Non, j'ai attendu qu'ils partent.

Elle ne précisa pas qu'elle avait en revanche croisé le regard de Rebecca, juste avant qu'ils ne l'emmènent.

— Ensuite, je suis entrée dans la maison pour parler à la cuisinière. Elle n'a pas su me dire où ils les avaient conduits.

— Dans un camp d'internement, répondit son père sans la moindre hésitation.

Lui aussi semblait choqué. Ce qu'il redoutait avait fini par se produire. Il avait entendu parler d'arrestations de ce genre à Paris, mais c'était la première fois à sa connaissance que cela arrivait dans la région. S'ils s'en prenaient à des gens comme les Feldmann, aucun Juif ne serait plus en sécurité nulle part.

— Je t'interdis de t'approcher de cette maison et d'essayer de revoir Rebecca, ordonna-t-il à sa fille. Tu as bien compris, Gaëlle ? De toute façon, ils ne te diront rien. Poser des questions, c'est déjà prendre un risque.

— Il faut que je la cherche, papa, protesta-t-elle.

— Non, tu n'en feras rien ! Maintenant, va dans ta chambre.

Gaëlle obéit et s'effondra sur son lit, en pleurs. Les images de la matinée repassaient en boucle dans son esprit. Ce soir-là, sa mère se montra tout aussi sévère avec elle. Elle savait à quel point les deux filles s'étaient aimées, mais c'était fini, à présent. Gaëlle ne ferait que leur attirer des ennuis si elle s'obstinait à vouloir retrouver Rebecca.

— Promets-moi de ne pas partir à sa recherche, lui dit-elle, la mine pâle et fatiguée.

Elle-même n'avait croisé les Feldmann que dans le cadre de l'école. De toute évidence, il était devenu dangereux de les connaître. Qui savait s'ils n'avaient pas été emmenés dans un camp de travail en Allemagne ou dans les pays de l'Est ? Pour l'instant, les Juifs arrêtés étaient détenus en France, mais le bruit courait qu'on leur réservait un sort bien pire.

Gaëlle refusa de descendre dîner. Ses parents insistèrent, mais elle ne put rien avaler. Le lendemain, il n'y avait pas école, et elle resta toute la journée dans sa chambre, allongée sur son lit, à penser à Rebecca. Deux jours plus tard, elle surprit une conversation entre des métayers qui parlaient des Juifs raflés la semaine précédente. Selon l'un d'eux, ils avaient été conduits au camp de Chambaran, non loin de Vienne, à une cinquantaine de kilomètres au sud de Lyon et dix-sept de Valencin. Fermé pendant les huit derniers mois, ce camp pour « indésirables » avait rouvert récemment afin d'accueillir les Juifs arrêtés. Gaëlle prit cela comme un signe du ciel... Le jour suivant, au lieu de se rendre au lycée, elle emprunta à vélo les petites routes de campagne et roula ainsi pendant une bonne heure, jusqu'à ce qu'elle aperçoive un campement qui lui était inconnu. C'était un vaste terrain entouré d'une immense clôture de bois et de métal. Il renfermait quelques tentes et baraquements ainsi qu'un bâtiment en dur qui ressemblait à une grange ou à une écurie. Des gens allaient et venaient, hommes, femmes et enfants de tous âges, serrant leurs affaires dans leurs bras. Ils étaient surveillés par des soldats armés, mais ces derniers étaient moins nombreux que Gaëlle ne l'avait craint, et elle fut soulagée de ne voir aucun chien de garde ni aucun mirador.

Personne ne remarqua sa présence tandis qu'elle longeait le camp sur un chemin défoncé. À un endroit, celui-ci se rapprochait de la clôture ; Gaëlle mit pied à terre et resta là un moment, à observer les prisonniers. C'est alors que, par miracle, elle repéra Michel, un des frères de Rebecca. Elle lui fit signe, et il la rejoignit.

— Qu'est-ce que tu fais là ? demanda-t-il, surpris.

— Je voulais voir comment vous alliez. Où est Rebecca ?

Michel sourit à la vue de ce visage familier, encadré de longues tresses blondes. Dans un autre contexte, il aurait volontiers taquiné la jeune fille.

— Elle est à l'intérieur avec maman et Lotte, répondit-il. Papa avait un peu d'argent sur lui – les policiers ne s'en sont pas rendu compte – et il a pu payer un type pour nous obtenir une place dans la grange. Il fait très froid, dehors, la nuit.

Noël approchait, et le sol était gelé.

— Je peux la voir ? s'enquit Gaëlle nerveusement.

— Tu es folle d'être venue ici. S'ils t'attrapent, ils te jetteront dans le camp avec nous.

— Ils ne le feront pas, répliqua-t-elle. Je ne suis pas juive.

Michel partit prévenir sa sœur. Dix minutes plus tard, alors que Gaëlle commençait à perdre espoir, elle vit Rebecca s'avancer vers elle en grelottant dans sa fine robe de laine. Elle n'avait pas eu le temps d'enfiler son manteau quand la police les avait embarqués. Seul Raphaël, son père, avait pris le sien et l'avait donné à sa femme à leur arrivée au camp. Celle-ci le portait en gardant Lotte blottie à l'intérieur. Les garçons, eux, se contentaient de leur pull.

Rebecca était stupéfaite de voir Gaëlle. Elle avait cru à une blague quand son frère lui avait annoncé sa présence.

— Tu n'aurais pas dû venir, dit-elle d'un air effrayé.

Gaëlle s'empressa de retirer son manteau et le passa par-dessus le grillage.

— Tu vas tomber malade, protesta son amie en le ramassant par terre.

— Ne sois pas stupide. Mets-le, tu en as plus besoin que moi.

Le vêtement était chaud, et Rebecca le revêtit avec une gratitude mêlée de culpabilité. Elles échangèrent un long regard où se lisait toute l'affection qu'elles éprouvaient l'une pour l'autre.

— Je reviendrai demain, promit Gaëlle.

— Et si tu te fais prendre ?

— Ça n'arrivera pas. Je t'aime, bécassine.

Rebecca sourit.

— C'est toi, la bécassine : tu prends des risques en te pointant ici. Mais je t'aime quand même... Maintenant, va-t'en, avant de te faire repérer.

Emmitouflée dans le manteau de son amie, Rebecca frissonnait déjà moins.

— À demain ! lança Gaëlle en enfourchant son vélo.

— Je ne t'en voudrai pas si tu ne viens pas, lui assura Rebecca, même si, en son for intérieur, elle espérait que Gaëlle tiendrait sa promesse.

Cette dernière s'éloigna sur sa bicyclette le plus naturellement possible. Par chance, les soldats du camp ne s'étaient aperçus de rien.

Elle mit plus d'une heure pour rentrer chez elle, où elle arriva transie de froid. Elle monta bien vite dans sa chambre avant qu'on ne remarque qu'elle n'avait plus son manteau. Le soir, elle se glissa discrètement dans le grenier pour fouiller dans ses vieux vêtements. Elle trouva une veste en velours noir à col d'hermine qui lui semblait correspondre à la taille de Lotte. Elle se souvenait de l'avoir portée à Noël il y avait très longtemps, à l'époque où sa grand-mère était encore en vie et venait passer les fêtes au château.

Gaëlle fut bien silencieuse pendant le dîner, mais ses parents ne s'en étonnèrent pas. Ces jours-ci, il n'y avait pas de quoi se réjouir. Toutes les nouvelles étaient mauvaises. Sa mère avait reçu une lettre de Thomas qui avait été en grande partie censurée ; il semblait toutefois aller bien.

Le lendemain, Gaëlle manqua de nouveau l'école pour retourner voir Rebecca. Son amie l'attendait dehors et la rejoignit à la clôture, sous l'arbre où Gaëlle avait appuyé son vélo. Cette dernière avait roulé en boule le petit manteau qu'elle destinait à Lotte pour qu'il tienne dans son panier. Elle le remit à Rebecca, avec quelques pommes, des tablettes de chocolat et des quignons de pain enveloppés dans une serviette. Elle n'avait pas osé emporter plus de vivres, mais Rebecca lui était déjà reconnaissante d'y avoir pensé.

Cette dernière ne quittait plus le manteau de Gaëlle, même s'il était trop long pour elle. Les conditions de vie au camp étaient affreuses, confia-t-elle. Les gens avaient froid, tombaient malades et n'étaient pas assez nourris. On leur servait uniquement de la soupe, du pain rassis et quelques légumes, et ils se battaient pour avoir leur part. Quant aux toilettes, elles étaient à l'extérieur, en nombre insuffisant... Les Feldmann avaient retrouvé plusieurs familles de leur connaissance, ainsi que deux employés de la banque qui avaient été choqués de voir leur directeur en ces lieux. Cela montrait à quel point la situation était désespérée.

Dès lors, Gaëlle se rendit au camp tous les jours en sortant du lycée. Elle cessa de manger son déjeuner pour pouvoir l'apporter à Rebecca. Le soir, elle rentrait juste avant l'heure du dîner, et expliquait à ses parents qu'elle avait été retenue à l'école pour aider les plus jeunes à faire leurs devoirs ou pour nettoyer les salles de classe. Ils la croyaient. Gaëlle ne dérogea à ses visites quotidiennes que le jour de Noël, et une semaine au mois de février : elle avait attrapé la grippe. Miraculeusement, aucun soldat ne repéra son manège. Ils n'étaient pas nombreux, et très jeunes pour la plupart. Comme la population des détenus se composait essentiellement de familles avec enfants, ils ne surveillaient pas particulièrement la grille, se concentrant surtout sur les allées et venues à l'intérieur du camp.

En mai, alors que Gaëlle rendait visite à son amie depuis cinq mois déjà, un garde l'aperçut. Elle venait de donner un ruban bleu pâle à Rebecca à travers la clôture – du même bleu que leurs yeux. Au moment où Rebecca l'attrapait, un petit morceau resta accroché sur le fil barbelé. Gaëlle le récupéra, et elle le fourrait dans sa poche quand la voix du soldat la figea sur place.

— Hé ! Qu'est-ce que tu fais là, toi ? cria-t-il d'un ton qu'il voulait féroce, son fusil pointé vers le sol.

Il était à peine plus âgé qu'elles.

— Je me suis juste arrêtée pour demander à cette jeune fille ce qu'était cet endroit, répondit Gaëlle avec un sourire innocent.

Son cœur battait si fort qu'il semblait vouloir s'échapper de sa poitrine.

— C'est un camp de vacances, expliqua le soldat en souriant à son tour.

Gaëlle était une jolie fille – tout comme Rebecca, mais cette dernière ne l'intéressait pas : elle était juive.

— Tu habites dans le coin ? s'enquit-il.

Gaëlle acquiesça. Il montra le chemin du bout de son arme.

— Alors rentre chez toi. Ce n'est pas un endroit pour toi, ici. On fait venir les familles pauvres des grandes villes pour qu'elles puissent respirer le bon air de la campagne.

Gaëlle fit semblant de le croire. Elle repartit sur sa bicyclette sans demander son reste, prenant garde de ne pas se retourner. Derrière elle, elle entendit le soldat ordonner brutalement à Rebecca d'aller rejoindre les autres dans la grange. Lorsqu'elle s'arrêta pour reprendre son souffle, le camp était hors de vue. Elle sortit le morceau de ruban de sa poche et le contempla un moment. Elles l'avaient échappé belle...

Il lui paraissait incroyable que les Feldmann aient déjà passé cinq mois ici. De nouveaux prisonniers arrivaient tous les jours ; pour l'instant, on les gardait au camp, mais Rebecca avait entendu dire qu'ils seraient bientôt déportés. Son père avait tenté de rencontrer le commandant pour en savoir plus ; celui-ci avait refusé de le recevoir.

Au mois de juin, le nombre de détenus avait atteint plusieurs milliers. Certains élèves du lycée de Gaëlle s'étaient volatilisés. Les familles juives disparaissaient les unes après les autres, sans que l'on sache vraiment où elles étaient emmenées. Personne n'osait poser de questions.

Cet été-là, les Barbet subirent un revers inattendu. Le père de Gaëlle n'avait pas hésité à critiquer ouvertement les Allemands ; à la demande des pouvoirs locaux, un commandant de l'armée d'occupation réquisitionna le château avec ses soldats pour surveiller la famille. Ils ne furent que trop heureux de leurs nouveaux quartiers... La mère de Gaëlle, Agathe, tomba aussitôt malade. Les Barbet durent déménager à l'étage, dans les chambres de bonnes, pendant que les officiers s'installaient chez eux. La famille n'avait le droit de descendre en cuisine que le soir pour se préparer à manger – les domestiques travaillaient à présent pour l'occupant. Agathe ne quitta presque plus sa chambre. Se voir contrainte de cohabiter avec l'ennemi, en plus de vivre constamment dans la peur, avait eu raison de ses nerfs.

Sur les instructions de son père, Raphaël, qui l'avait une fois de plus exhortée à éviter les soldats allemands, Gaëlle restait à l'étage quand elle n'était pas au lycée ou au camp. Avec l'arrivée des beaux jours, elle avait apporté quelques robes en coton à son amie, pour elle et pour sa sœur. Aux dires de Rebecca, leur mère pleurait continuellement et traînait une mauvaise toux depuis l'hiver. Quant à leur père, on lui faisait servir les repas et nettoyer les latrines au même titre que les autres hommes. C'était inconcevable. Et pendant ce temps, des officiers allemands occupaient leur maison...

Au moins, ceux qui s'étaient installés chez les Barbet se montraient corrects. L'un d'eux avait un jour laissé du chocolat à la cuisine pour Gaëlle, mais son père avait refusé qu'elle le prenne. À présent, Raphaël passait le plus clair de ses journées dans les métairies. Les fermiers étant à court de main-d'œuvre, il n'avait pas d'autre choix que de les épauler, disait-il. Par ailleurs, cela le rassurait de voir que le commandant, qui était quelqu'un de très poli, parvenait à contrôler ses hommes. Jusque-là, aucun n'avait importuné sa fille.

L'été fut long et chaud. Gaëlle continua de rendre visite à son amie quand elle ne devait pas aider sa mère souffrante. La maman de Rebecca était toujours malade, elle aussi, comme beaucoup de prisonniers. Il y avait plusieurs médecins dans le camp, mais que pouvaient-ils faire, sans médicaments ? De son côté, Rebecca n'avait plus que la peau sur les os. Malgré tout, elle ne se séparait jamais du ruban que Gaëlle lui avait apporté, et dont celle-ci avait conservé le petit morceau déchiré dans un tiroir. Elle lui en avait offert un autre, rouge, mais Rebecca préférait le bleu.

En septembre, Gaëlle entama sa dernière année de lycée. Une fois son baccalauréat en poche, elle souhaitait s'inscrire à l'université à Paris, mais son père l'avait déjà prévenue qu'elle n'irait pas. Il rechignait à l'envoyer seule dans cette grande ville envahie de soldats allemands. C'était déjà assez dur de savoir Thomas là-bas, alors une fille… Gaëlle attendrait la fin de l'Occupation pour reprendre ses études. En outre, il avait besoin d'elle à la maison, pour s'occuper de sa mère.

Thomas n'était revenu à Valencin que quelques semaines au mois d'août, avant de repartir à Paris, où il avait trouvé un petit boulot dans un restaurant. Les Barbet ne gagnaient plus d'argent : toutes leurs récoltes étaient réquisitionnées par les Allemands, si bien qu'ils n'avaient plus rien à vendre et à peine de quoi se nourrir. Leur ancienne gouvernante, Apolline, leur prélevait parfois quelques vivres sur les repas des officiers, mais cela ne suffisait pas à les rassasier. Tous avaient beaucoup maigri.

Les conditions de vie au camp se dégradèrent encore avec l'arrivée de l'hiver 41, particulièrement rude et précoce cette année-là. Le mois de décembre marqua le premier anniversaire de l'arrestation des Feldmann, qui avaient le sentiment d'être enfermés dans cette prison depuis une éternité. La rumeur d'une déportation imminente des prisonniers continuait de circuler, et pourtant rien ne se passait. Cinq mille personnes étaient alors détenues à Chambaran. Certaines y avaient été envoyées depuis Paris et Marseille. Des camps similaires surgissaient de terre partout en France à mesure que les Juifs étaient arrachés par milliers à leurs foyers. Leur destination finale restait inconnue, et source d'une grande angoisse.

Les deux amies avaient maintenant dix-sept ans. Un jour, Rebecca demanda à Gaëlle s'il existait une chance qu'elles retrouvent une vie normale. Gaëlle répondit qu'elle en était certaine. Il ne pouvait en être autrement : cette folie ne durerait pas indéfiniment ! Rebecca voulait y croire, elle aussi. Elle se rassurait en se disant qu'aucun membre de sa famille n'était tombé gravement malade jusque-là, ni n'avait été déporté. Gaëlle commençait à penser que les autorités se contenteraient peut-être de les garder ici, finalement. Au moins, elle pouvait voir son amie presque tous les jours... Le camp était tellement surpeuplé que les soldats surveillaient à peine la clôture. Pendant l'été, lorsqu'il faisait beau, Gaëlle s'était parfois assise par terre pour bavarder avec son amie, tout en lui tenant la main à travers le grillage. Les frères

38

de Rebecca étaient venus la saluer à l'occasion. En revanche, les parents ignoraient qu'elle continuait de se rendre au camp régulièrement. Ceux de Gaëlle n'en savaient rien non plus, évidemment. De toute façon, sa mère ne se souciait plus de ce qui se passait en dehors de sa chambre, et son père était toujours occupé quelque part sur le domaine. Gaëlle était libre de ses mouvements.

En mars 1942, quinze mois après l'arrestation des Feldmann, il faisait un froid glacial. Rebecca attrapa un mauvais rhume, et Gaëlle la trouva un jour grelottante de fièvre. Quand elle lui fit la bise à travers le grillage, sa joue était brûlante. Quarante-huit heures plus tard, Gaëlle tomba malade à son tour... Sa mère l'obligea à garder le lit pendant une semaine ; la gouvernante lui apportait de la soupe directement dans sa chambre sous les toits.

Lorsqu'elle put enfin enfourcher son vélo pour aller voir Rebecca, Gaëlle se sentait encore bien faible. Ses jambes lui semblaient lourdes comme du béton tandis qu'elle pédalait, et elle mit plus de temps que d'habitude à atteindre le camp. De loin, elle eut l'impression que quelque chose avait changé... Ce n'est que quand elle atteignit la clôture qu'elle comprit pourquoi : le camp était désert. Les prisonniers avaient disparu, et il n'y avait personne à qui demander où ils avaient été emmenés. Comment allait-elle les retrouver ? Épuisée par le trajet à bicyclette, Gaëlle resta plantée devant le grillage, à contempler la grange et les baraquements vides. Que leur était-il arrivé, à tous ? Elle repartit, le visage baigné de larmes, en repensant à la dernière fois qu'elle avait vu Rebecca et qu'elle l'avait embrassée. Elle n'imaginait pas alors qu'il s'agissait d'un baiser d'adieu.

Gaëlle s'arrêta dans le premier village qu'elle traversa pour prendre une boisson chaude dans un petit café. Il faisait froid, elle frissonnait. En apprenant qu'elle se remettait à peine d'une grippe, la patronne lui offrit le thé. Gaëlle en profita pour lui demander, l'air de rien, ce qui était arrivé aux prisonniers du camp. La femme fronça les sourcils.

— Tu ne devrais pas poser ce genre de questions, la réprimanda-t-elle à voix basse. Après tout, ce ne sont que des Juifs... Ils les ont mis dans des trains la semaine dernière. Apparemment, ils ont commencé à les envoyer dans des camps de travail à l'est, et ils les déportent aussi de Paris. Moi je dis bon débarras... Ces gens ne nous ont causé que des problèmes ! Il paraît qu'il y en a d'autres qui vont arriver, mais ils ne les garderont pas longtemps. Je ne sais pas pourquoi ils ont construit ce camp ici, de toute façon. Ils sont trop nombreux, et ils transportent plein de microbes.

Sur ces mots, elle regagna sa place derrière le comptoir : un soldat venait d'entrer d'un pas nonchalant dans le café pour commander une bière. Quelques instants plus tard, Gaëlle rapporta sa tasse vide à la patronne, qu'elle remercia, avant de s'éclipser.

Elle pleura pendant tout le trajet du retour. Dans sa chambre, elle ressortit le morceau de ruban qui s'était accroché au grillage quand elle l'avait offert à Rebecca, l'été précédent. C'était tout ce qui lui restait d'elle, ce petit bout de satin de la couleur de ses yeux. Les larmes roulaient sur ses joues tandis qu'elle le reposait dans le tiroir. Elle priait pour que son amie soit saine et sauve, et pour qu'elles se revoient un jour... Gaëlle ne le savait pas encore, mais elle vivait là un moment décisif qui changerait sa vie à jamais.

3

Les jours qui suivirent passèrent dans une sorte de brouillard. Prétextant une rechute de la grippe, Gaëlle resta une semaine de plus alitée, à prier pour Rebecca. Chaque soir, elle s'endormait en pleurant. Quand elle se releva enfin, on eût dit qu'elle sortait d'une longue maladie. Sa mère n'allait pas mieux : incapable de faire face à l'effondrement du monde tel qu'elle l'avait connu, elle souffrait de terribles migraines et quittait rarement le lit. Les Allemands la terrifiaient, tout comme les histoires qu'Apolline lui racontait lorsqu'elle lui montait ses repas.

À la demande insistante de son père, Gaëlle retourna en cours : elle avait un baccalauréat à préparer. Mais à quoi bon se donner la peine de le passer, puisqu'il ne voulait pas la laisser poursuivre ses études ? D'après son frère, rien n'était plus comme avant à l'université. De nombreux professeurs avaient été arrêtés en même temps que des milliers d'autres Juifs partout en France. Ils ne restaient plus très longtemps dans les camps d'internement, à présent. Ils étaient rapidement transférés en Allemagne ou dans les pays de l'Est. Au lycée de Gaëlle, on ne comptait plus aucun élève juif. Seuls les chrétiens étaient autorisés à y étudier. De même, les entreprises et commerces juifs avaient tous fermé à mesure que leurs propriétaires avaient disparu. Il n'y avait plus de pharmacie dans leur village : Gaëlle était obligée de parcourir de longues distances à bicyclette pour trouver les médicaments de sa mère, et les seuls qu'elle parvenait à se procurer étaient de vieux remèdes naturels qui ne faisaient aucun effet. Agathe souffrait en permanence de ses migraines, et devenait de plus en plus faible et pâle à force de ne jamais sortir. D'après le docteur, c'était à cause de ses nerfs.

Le commandant installé au château proposa de faire venir un médecin qui était de passage dans la région pour soigner ses hommes, mais le père de Gaëlle refusa. Hors de question qu'un Allemand touche à sa femme, si bien intentionné fût-il. Quand le commandant demandait à Gaëlle des nouvelles de sa mère, ou quand il lui adressait simplement la parole, elle répondait à peine et filait bien vite à l'étage. Parfois, il leur offrait des bonbons ou des chocolats, mais Agathe prétendait que cela aggravait ses migraines. Gaëlle, pour sa part, était incapable de les avaler après ce qui était arrivé à Rebecca et à sa famille. Elle ne s'attendait pas à avoir de leurs nouvelles ; elle espérait juste qu'ils étaient encore en vie, et détenus dans de meilleures conditions que dans le camp surpeuplé où ils avaient séjourné quinze mois. Son amie lui manquait cruellement.

En juin, Gaëlle passa ses examens et obtint des résultats convenables. Quand Thomas revint au mois d'août, il leur raconta les rafles à Paris, celles, encore plus odieuses, où l'on embarquait seulement les enfants, le défilé des déportés qui se rendaient à pied jusqu'aux gares, traînant leurs affaires derrière eux sous l'œil vigilant des soldats. Ces derniers n'hésitaient pas à abattre les hommes qui se montraient irrespectueux ou qui tentaient de protéger leurs femmes et leurs enfants. Gaëlle fondit en larmes en entendant son récit. Thomas était soulagé de rentrer chez lui pour quelques semaines et de revoir ses amis. Comme ses parents et sa sœur, il se tenait à l'écart des Allemands qui habitaient chez eux. En revanche, malgré les mises en garde, il lui arrivait de ressortir après le couvre-feu pour boire un verre avec ses copains ou retrouver une amie dans un autre village. Son père lui avait pourtant dit d'être prudent, de se méfier. Sans compter que les soldats étaient parfois turbulents, le soir, et s'en prenaient régulièrement à la population locale… Mais Thomas avait l'habitude de gérer ce genre de situations, à Paris. Comme tout le monde, il avait appris à faire profil bas, à passer inaperçu. Gaëlle adoptait la même attitude quand elle rentrait au château après être allée faire une course : elle gardait les yeux baissés et montait directement dans sa chambre. C'était une fille sage, ses parents n'avaient jamais eu à se plaindre de son comportement. S'ils avaient découvert ses visites au camp de Rebecca pendant plus d'un an, ils auraient été horrifiés… Par chance, elle n'avait pas eu d'ennuis. Les villages étaient plus sûrs que les villes, du moment qu'on n'était pas juif.

Le père de Gaëlle travaillait avec les fermiers jusque tard le soir et s'assurait que leurs récoltes étaient bien remises aux Allemands. Parfois, il gardait quelques fruits et légumes pour sa famille, une salade ou des pommes de terre, qu'ils mangeaient rapidement pour que les soldats ne se rendent compte de rien. Le lendemain, Apolline jetait les épluchures.

Si elle se voyait obligée de servir les Allemands, qu'elle détestait passionnément, la gouvernante était restée fidèle à ses employeurs et à la France. Son fils faisait partie de la Résistance. Personne ne le savait chez les Barbet, jusqu'à ce qu'il soit fusillé, quelques jours après l'arrivée de Thomas. Les deux garçons se connaissaient depuis l'enfance. Apolline fut inconsolable : elle venait de perdre son fils unique. Cependant, elle était fière de lui, fière de ce qu'il avait accompli pour son pays avant de mourir. D'autres avaient capitulé, mais Apolline résisterait toujours, au moins dans son cœur. Quand les Allemands l'interrogèrent, elle réussit à les convaincre qu'elle ignorait les activités clandestines de son fils. Ce n'était pas tout à fait vrai, mais le commandant témoigna en sa faveur, et ils la laissèrent pleurer en paix la mort de son enfant.

Un soir, Gaëlle entendit son frère sortir discrètement de sa chambre. Par l'entrebâillement de sa porte, elle le vit passer avec une bouteille de vin ; il lui lança un clin d'œil et porta l'index à ses lèvres. À dix-neuf ans, Thomas était resté à certains égards le gamin espiègle d'autrefois. Plus jeune, il avait fait les quatre cents coups avec ses copains ; aujourd'hui, ils se contentaient de boire des verres en s'échangeant les dernières nouvelles de la région. Ce soir-là, Thomas allait justement retrouver ses amis. Gaëlle le comprenait... Elle n'avait plus personne depuis que Rebecca était partie et qu'elle n'allait plus au lycée. Elle employait ses journées à s'occuper de sa mère et à lire dans sa chambre, loin des soldats. Elle n'aurait jamais osé s'échapper la nuit comme il le faisait. Mais son frère était plus âgé, et surtout, c'était un homme. Il courait moins de risques.

Gaëlle lut à la lueur d'une bougie, et s'endormit après que celle-ci se fut éteinte. Elle n'avait pas entendu son frère rentrer. Le lendemain matin, elle fut réveillée en sursaut par des cris. Elle se précipita dans la chambre de ses parents, où son père était en train de consoler sa mère, effondrée dans ses bras.

— Que s'est-il passé ? s'écria Gaëlle.

Un frisson de terreur lui parcourut l'échine. Elle sut tout de suite qu'il était arrivé quelque chose à Thomas.

— Ton idiot de frère est sorti après le couvre-feu, souffla Raphaël, le visage ruisselant de larmes. Il était à vélo et il devait être soûl, parce qu'il a percuté de plein fouet un camion de l'armée qui patrouillait. Les soldats n'ont même pas eu le temps de le voir. Il a été tué sur le coup.

Gaëlle resta incapable de toute réaction pendant plusieurs secondes. C'était une mort tellement stupide... Non pas celle d'un héros, mais celle d'un jeune garçon insouciant qui avait voulu faire la fête avec ses amis. Le commandant avait annoncé la nouvelle à Raphaël tôt le matin, lui présentant avec une émotion sincère ses excuses et ses profonds regrets. Ayant lui-même perdu sa femme, sa fille et son fils lors d'un bombardement dans son pays, il comprenait sa douleur.

Les jours suivants furent bien sombres. Gaëlle aida son père à laver le corps de Thomas et à le mettre en bière. L'officier allemand les avait autorisés à célébrer une messe dans l'église du village avant de l'inhumer sur le domaine. Pendant les obsèques, Agathe tenait à peine debout ; Gaëlle et son père durent presque la porter pour sortir de l'église. Apolline sanglota tout au long de la cérémonie pour ce garçon dont elle s'était occupée alors qu'il n'était qu'un bébé, et qui avait perdu la vie seulement quelques jours après son propre fils. Thomas venait grossir la liste des victimes inutiles de l'Occupation...

La question se posa de savoir si les soldats à bord du camion – qui avaient tous à peu près le même âge que Thomas – n'étaient pas ivres eux aussi la nuit de l'accident. Après avoir mené l'enquête, le commandant n'en trouva aucune preuve – et, quand bien même il en eût trouvé, cela n'aurait rien changé. Thomas était mort. À compter de ce jour, Agathe ne quitta plus jamais sa chambre. Le médecin ne pouvait rien faire pour elle. Elle n'était pas assez solide psychologiquement pour supporter le malheur qui s'abattait sur eux. Par moments, elle délirait, demandant à Gaëlle où était son frère, s'il était rentré à la maison. La jeune fille renonça à la ramener à la réalité, se contentant de lui répondre que Thomas était sorti. Ce fut l'été le plus éprouvant de sa vie.

Le coup de grâce lui fut porté un jour de septembre. Entendant des éclats de voix dans la cour, Gaëlle regarda par la fenêtre de sa chambre ; là, elle vit son père et deux autres hommes escortés par des soldats qui leur hurlaient d'avancer en les menaçant de leurs fusils. Son père avait sa tenue et ses bottes de travail, et le visage hâlé de ceux qui passent leurs journées dans les champs. Il prononça une phrase que Gaëlle ne comprit pas. Dévalant à toutes jambes l'escalier de service, elle se posta derrière une petite fenêtre munie de barreaux. Alors, sous ses yeux horrifiés, les soldats abattirent son père, qui s'écroula dans une mare de sang. Quelques secondes plus tard, les deux hommes qui l'accompagnaient subissaient le même sort. D'autres militaires accoururent tandis que leurs compagnons dégageaient les trois corps.

Gaëlle resta pétrifiée. Allaient-ils s'en prendre à sa mère et à elle, maintenant ? Valait-il mieux se précipiter au grenier pour tenter de la protéger, ou bien dans la cour, au cas où son père pouvait encore être sauvé ? Mais elle comprit qu'il n'y avait plus d'espoir quand les soldats chargèrent son corps à l'arrière d'un camion... C'est à cet instant qu'elle entendit le mot « Résistance », prononcé avec un lourd accent allemand.

Ce devait être une erreur... Son père leur avait tellement répété de baisser la tête, de ne pas provoquer les soldats ni se mêler de ce qui se passait. Non, il n'avait rien à voir avec la Résistance, c'était impossible. Elle se rappela alors toutes les fois où elle ne l'avait pas vu rentrer, le soir, au cours de la dernière année. Se pouvait-il que cette accusation fût fondée ?

Gaëlle n'osa pas descendre dans la cour, de peur d'être abattue à son tour. Elle remonta l'escalier sur la pointe des pieds et alla jeter un coup d'œil sur sa mère : grâce à un somnifère en poudre que le médecin lui avait prescrit, celle-ci dormait et ne s'était aperçue de rien. Gaëlle retourna dans sa chambre, s'allongea sur son lit et attendit. Elle n'arrivait pas à croire qu'elle venait de perdre son père. C'était l'horreur la plus totale.

Quelques instants plus tard, Apolline se glissa dans la pièce, les yeux embués de larmes. Elle s'assit à côté de la jeune fille et la serra dans ses bras.

— Ton père faisait partie du même groupe que mon fils, chuchota-t-elle entre deux sanglots. C'était un homme courageux.

Gaëlle s'écarta d'Apolline, sidérée. Aucun doute, à présent : sa mère et elle seraient les prochaines sur la liste. C'était aussi ce que craignait la gouvernante, mais il lui semblait que ce serait encore pire si elles tentaient de fuir et se faisaient prendre.

— Qu'est-ce que tu me conseilles, alors ? demanda Gaëlle à voix basse.

Sa mère était bien trop malade, physiquement et mentalement : elle ne pouvait pas plus prendre la route qu'être laissée seule. Et Gaëlle ne connaissait personne qui accepterait de les héberger. Conscient des risques, son père lui avait caché son engagement dans la Résistance, si bien qu'elle n'avait aucun contact dans le milieu. Seule Apolline avait eu connaissance des activités illégales de son employeur, à travers ce que son fils lui en avait dit. Femme d'honneur, elle n'aurait jamais rien fait qui eût pu mettre en danger Raphaël, sa famille, ou son propre enfant.

— Ils vous laisseront peut-être rester ici, lâcha-t-elle avec espoir.

Elle savait combien la mère de Gaëlle était désorientée. Ses moments de lucidité se faisaient de plus en plus rares, et elle ne désirait qu'une chose : dormir. La réalité était trop dure à affronter.

— Je ne suis pas sûre qu'ils accepteront, répondit pensivement Gaëlle.

En tout état de cause, elle ne pouvait pas abandonner sa mère. Elle devait rester auprès d'elle jusqu'au bout.

Apolline redescendit en cuisine pour qu'on ne la soupçonne pas de s'être entretenue avec la jeune fille. Quelques heures plus tard, elle lui monta son déjeuner et, ensemble, elles annoncèrent la terrible nouvelle à Agathe. Cette fois-ci, cette dernière ne cria pas. Elle les écouta, le regard vitreux, encore à moitié abrutie par les somnifères. Gaëlle lui en administra une autre dose, pensant qu'il valait mieux pour elle qu'elle dorme si les Allemands venaient la tuer. Agathe sanglota doucement et replongea dans le sommeil en murmurant le nom de son mari.

L'après-midi, Gaëlle fut convoquée dans le bureau du commandant. Deux autres officiers étaient également présents. Bien que terrorisée, elle se força à soutenir le regard de leur supérieur.

— Vous avez sans doute appris ce qui s'est passé ce matin, commença-t-il sombrement. Votre père a été impliqué dans un incident malheureux : les paysans d'une des fermes du domaine cachaient une famille juive... Mes hommes sont convaincus que M. de Barbet le savait. Je n'en suis pas certain quant à moi, mais nous fouillons actuellement les autres fermes et avons débusqué une deuxième famille il y a une heure. Nous ignorons si les paysans ont agi de façon indépendante ou si votre père dirigeait un réseau clandestin qui aidait les Juifs à quitter le pays. Si tel est le cas, il a commis un crime très grave contre l'armée d'occupation et contre la France. Au regard de la loi, il s'agit de trahison.

Gaëlle garda le silence et attendit la sentence. Elle était persuadée qu'ils allaient la traîner dehors pour la fusiller, comme ils l'avaient fait avec son père le matin. Elle ne savait même pas où ils avaient emmené son corps...

— Étiez-vous au courant des agissements de votre père, mademoiselle de Barbet ? s'enquit le commandant en la fixant intensément.

Elle paraissait si jeune, si frêle, avec ses grands yeux bleus et ses nattes blondes... Chaque fois qu'il la regardait, il repensait à sa fille disparue et cela lui déchirait le cœur. Les autres officiers n'en étaient pas conscients, mais cette ressemblance le rendait plus enclin à faire preuve d'indulgence. En outre, il avait apprécié le père de Gaëlle. À une autre époque, Raphaël et lui auraient pu être amis.

— Non, commandant, je n'étais pas au courant, répondit-elle d'une petite voix.

Elle avait beau lui faire face avec courage, ses épaules tremblaient. Les deux autres officiers l'observaient, à l'affût du moindre signe de culpabilité. Pour eux, les Français s'étaient révélés d'incroyables menteurs, capables de commettre les pires actes de destruction et de trahison malgré leurs dénégations – y compris de toutes jeunes filles comme Gaëlle. La Résistance prenait une ampleur inquiétante, et ils essayaient par tous les moyens de l'écraser. Si le gouvernement français avait cédé facilement, les citoyens s'acharnaient à saper l'autorité des Allemands et à contrarier leurs projets.

Le commandant réfléchit un long moment, puis hocha la tête. Il était convaincu que Gaëlle disait la vérité. Ce n'était pas la culpabilité qui la faisait frissonner, mais le choc et la peur.

— Je sais que votre mère n'est pas en état de partir, déclara-t-il.

Il doutait qu'Agathe puisse survivre à un tel déracinement. De toute évidence, elle ignorait tout des activités de son mari – cela aurait fini de lui faire perdre la raison. Malheureusement, c'était ce qui risquait de se produire avec la mort brutale de Raphaël...

— Par compassion pour elle, je vous autorise à rester ici, poursuivit le commandant. Mais je vous préviens, au moindre soupçon d'agissements criminels de votre part, vous serez toutes les deux immédiatement arrêtées et déportées. Je reconnais que nous sommes ici chez vous, et que nous y sommes à notre aise. Mais vous devez nous respecter, nous obéir, et vous plier aux nouvelles lois de votre pays.

Gaëlle acquiesça. Pour le bien de sa mère – et aussi pour le sien –, elle était plus que disposée à accepter ces conditions. Envoyer Agathe dans un camp ou en prison équivaudrait à signer son arrêt de mort, et Gaëlle n'avait pas envie non plus de connaître ce sort. Les chambres qu'elles occupaient sous les toits étaient le lieu le plus sûr pour elles : son père aurait sans doute voulu qu'elles y demeurent. Sans lui et sans Thomas, elles n'avaient plus personne pour les protéger. Elles se retrouvaient à la merci des forces d'occupation, et plus particulièrement des soldats qui avaient élu domicile chez eux.

— Cet arrangement vous convient-il ? demanda le commandant.

— Oui, monsieur, répondit Gaëlle, le visage blême et les yeux agrandis par la peur.

Ces gens avaient tué son père, mais sa mère et elle n'avaient nulle part où aller.

— Très bien. Vous pourrez enterrer votre papa dans le cimetière du domaine, ajouta-t-il.

Les deux autres officiers protestèrent en allemand. Raphaël de Barbet était un criminel, un ennemi du Reich : il ne méritait pas d'être traité en héros. Le commandant leur répondit sèchement, avant de se tourner de nouveau vers Gaëlle.

— Faites une cérémonie rapide et discrète. Votre mère est-elle en état d'assister à l'enterrement ?

— Je ne le pense pas.

Il opina, avant de la congédier. Gaëlle avait la nausée lorsqu'elle remonta l'escalier obscur, jadis réservé aux domestiques, qu'elle était obligée d'emprunter désormais. Le commandant avait fait preuve de bienveillance en les épargnant. Gaëlle ne souhaitait qu'une chose à présent : qu'on laisse sa mère en paix. Agathe avait suffisamment souffert.

Elle s'assit sur son lit et s'autorisa enfin à pleurer. Des larmes de soulagement, et des larmes de chagrin. Elle venait de perdre son père, son frère était mort un mois plus tôt, sa chère amie avait disparu, et sa mère n'était plus qu'un fantôme... Elle était seule au monde.

Dans l'après-midi, elle alla voir le prêtre, qui avait appris l'exécution de Raphaël – les nouvelles circulaient vite. D'autres fermiers du domaine avaient payé le prix fort pour avoir eu le courage et la compassion de cacher des Juifs. Ces derniers avaient aussitôt été envoyés en camp de concentration, et leurs bienfaiteurs fusillés... Le mal ne pouvait être endigué.

Le prêtre accepta d'enterrer Raphaël le lendemain, lors d'une courte messe au cimetière à laquelle Gaëlle assisterait seule, selon la requête du commandant.

Le soir, pendant que sa mère dormait, elle fit le tri dans les affaires de son père. C'est ainsi qu'elle découvrit une enveloppe contenant une lettre et un peu d'argent qu'il avait mis de côté au cas où il lui arriverait quelque chose. Cela ne les mènerait pas bien loin, mais c'était mieux que rien... Raphaël avait rédigé cette missive un mois plus tôt. Conscient qu'il serait déjà mort quand Gaëlle la lirait, il lui enjoignait de prendre soin d'elle et de sa mère, et de se montrer prudente. Il ne faisait aucune allusion à la Résistance – sans doute pour ne pas les compromettre. Néanmoins, à présent, Gaëlle savait. Et malgré sa peine, elle était fière de lui. Elle regrettait juste qu'il ne lui en ait pas parlé de son vivant... Aurait-il pu agir pour les Feldmann, si elle le lui avait demandé ? C'était peu probable. Dès lors qu'ils avaient été conduits dans ce camp, personne ne pouvait plus rien pour eux.

S'il y avait eu quelques évasions, la grande majorité des détenus étaient bien trop terrorisés pour tenter de s'enfuir. Les rares qui avaient essayé, de jeunes hommes pour la plupart, avaient presque tous été rattrapés et fusillés pour l'exemple. Les camps étaient remplis de femmes et d'enfants, de vieillards et de pères de famille qui pensaient protéger leurs proches en opposant le moins de résistance possible. Après tout, ils étaient français, pas étrangers. C'étaient des citoyens comme les autres. Ils avaient été dépossédés de leurs biens et de leurs métiers alors même qu'ils n'avaient rien fait de mal. Comment leur propre pays pouvait-il se retourner contre eux de cette façon et les livrer aux forces d'occupation ? Des gens respectables, qui pour nombre d'entre eux avaient un bon travail, de l'argent et une belle maison, et menaient une vie exemplaire. Des avocats, des médecins, des banquiers comme M. Feldmann, des professionnels engagés au sein de leur communauté... Mais ils étaient juifs, et c'était là le plus grand crime de l'époque. Personne n'avait compris jusqu'alors à quel point la haine dont ils faisaient l'objet avait pris des proportions colossales. Il fallait fuir les Juifs, il fallait en avoir peur... C'était inconcevable.

Gaëlle glissa l'enveloppe qui contenait l'argent sous son matelas, bien décidée à ne l'utiliser qu'en cas d'urgence ou pour acheter des médicaments à sa mère. C'était tout ce qu'elles avaient à présent.

Quand Apolline vint la voir ce soir-là, Gaëlle ne mentionna pas la lettre. Elle ne faisait plus confiance à personne, pas même à leur fidèle servante : sa vie et celle de sa mère étaient en jeu. Le lendemain, elle rejoignit le prêtre devant la petite chapelle du cimetière. Ils enterrèrent son père dans une tombe marquée d'une simple croix en bois. Gaëlle se jura de lui offrir des funérailles dignes après la guerre, ainsi qu'une vraie pierre tombale. Au moins, les soldats avaient accepté de leur rendre le corps, et Raphaël reposait chez lui, auprès de son fils... L'été avait charrié son lot de malheurs.

Deux mois plus tard, Gaëlle fêta ses dix-huit ans. Apolline lui cuisit un petit pain – c'était devenu un produit de luxe – et planta une bougie dessus. En dehors de cela, la journée ressembla à toutes les autres. Gaëlle ne prit pas la peine de rappeler la date à sa mère. Celle-ci ne s'était pas relevée depuis la mort de son mari.

Dorénavant, Gaëlle ne s'absentait jamais longtemps. Elle se promenait dans le domaine, rendait visite aux fermiers à l'occasion. Elle allait au village faire quelques courses pour sa mère et récupérer leurs rations de nourriture. Et elle parcourait des kilomètres à vélo pour se procurer en pharmacie le somnifère en poudre de sa mère. Ainsi, Agathe pouvait fuir la réalité et se réfugier dans son monde où rien de grave ne se passait jamais.

C'était une vie bien solitaire, pour Gaëlle... Elle pensait souvent à son père et à son frère, qui lui manquaient terriblement. Mais elle était consciente de la chance qu'elle avait dans son malheur : grâce à la clémence du commandant, sa mère et elle avaient un toit et de quoi se nourrir.

Un jour, alors qu'elle rentrait du village à bicyclette, elle repéra au loin un camion de police garé devant une maison. Avant que les hommes ne la remarquent, elle ralentit et s'écarta de la route. Elle n'avait pas envie qu'ils l'interrogent. La scène qui se déroula bientôt sous ses yeux lui rappela de douloureux souvenirs. Un homme et une femme avec leurs trois jeunes enfants... La mère, en pleurs, portait un bébé de quelques mois dans ses bras, tandis que les policiers les forçaient à monter dans le camion sous la menace de leurs pistolets. Ils semblaient plus modestes que les Feldmann, leur maison était plus petite, mais c'était bien le même cauchemar qu'ils étaient en train de vivre.

Soudain, Gaëlle perçut un mouvement du coin de l'œil. Un petit garçon venait de sortir de la maison par une fenêtre latérale ; sitôt dehors, il se tapit derrière un tas de tuyaux rouillés tandis que le camion des policiers s'éloignait.

Gaëlle l'observa un moment. En culotte courte et sans manteau, il grelottait. Les militaires allaient-ils revenir le chercher ? Lorsqu'elle estima avoir attendu suffisamment longtemps, elle sauta sur son vélo et se dirigea vers l'enfant. Celui-ci se figea, terrorisé. Il avait à peine quatre ans. Gaëlle lui tendit la main, mais il se recroquevilla dans l'ombre.

— Viens, lui dit-elle doucement. Je ne vais pas te faire de mal.

— Tu vas m'emmener jusqu'à ma maman ?

Elle acquiesça, estimant que lui mentir était la seule solution pour le moment. Quand il se décida à sortir de sa cachette, elle le prit dans ses bras et l'installa dans le panier de sa bicyclette, ôta bien vite son manteau et l'en recouvrit complètement. Puis elle jeta un coup d'œil autour d'elle : personne ne les avait vus.

— Ne parle pas, ordonna-t-elle, assez fort pour qu'il l'entende. Et ne fais aucun bruit !

Le petit garçon resta silencieux. Il s'était roulé en boule dans le panier, tout juste assez grand pour l'accueillir. Sur le trajet du retour, Gaëlle pédala aussi vite que possible pour se réchauffer, se demandant ce qu'elle allait bien pouvoir faire de son précieux chargement. Dès l'instant où elle l'avait vu s'échapper de cette maison, la décision de l'aider s'était imposée à elle. Mais où le cacher ? Elle pensa alors à la vieille cabane des vergers du domaine, sur un chemin reculé que personne n'empruntait jamais. Elle l'avait revue récemment en allant entretenir la tombe de son père. La cabane disposait d'une cave minuscule où l'on entreposait le cidre avant la guerre. C'était, à sa connaissance, le seul endroit où l'enfant serait en sécurité – pour l'instant du moins.

Gaëlle contourna le château par-derrière et fila en direction du cimetière. Personne ne la vit passer. Lorsqu'ils arrivèrent à la cabane, il faisait déjà nuit. Elle rentra sa bicyclette à l'intérieur, où flottait une odeur de pommes. Le sol en terre battue était gelé. Au centre de l'unique pièce, une trappe menait à la cave. Cela faisait des années qu'elle n'avait pas mis les pieds là. Enfant, elle s'amusait à s'y cacher avec Thomas...

Quand elle souleva le petit garçon du panier pour le poser par terre, il fixa sur elle ses grands yeux qui lui mangeaient tout le visage. Dans la lueur de la lune, il paraissait tout pâle. Ses vêtements étaient propres, ses cheveux coiffés – de toute évidence, sa mère l'aimait et s'occupait bien de lui. Était-ce elle qui lui avait dit de s'enfuir par la fenêtre, ou bien avait-il eu l'idée tout seul ? Des quatre enfants du couple, il était clairement l'aîné.

— Comment t'appelles-tu ? lui demanda-t-elle doucement, se penchant pour se mettre à sa hauteur.

— Jacob, répondit-il dans un souffle.

Il avait encore peur d'elle : il ne savait pas ce qu'elle comptait faire de lui. Elle n'en était pas sûre non plus, d'ailleurs...

— Moi, c'est Gaëlle, déclara-t-elle d'un ton solennel.
Elle lui ébouriffa les cheveux et l'embrassa sur la
joue.

— Où est ma maman ?

— Je ne sais pas... Écoute, Jacob, je vais te demander d'être très courageux : il faut que je te laisse
un moment, mais je reviendrai, je te le promets. En
attendant, tu ne dois surtout pas sortir. Tu ne risques
rien, ici. Est-ce que tu es prêt à faire ça pour moi ?
Rester dans cette petite maison, dans le noir ?

Pour un enfant de son âge, c'était une perspective
terrifiante. Mais sa sécurité en dépendait. Jacob réfléchit, puis il acquiesça.

— Est-ce que les méchants policiers vont revenir
avec leurs pistolets ? s'enquit-il.

— Pas si tu m'attends ici sans faire de bruit. Je
vais te chercher quelque chose à manger, d'accord ?

De nouveau, il opina. Gaëlle sourit, lui caressa la
tête et repartit sur son vélo. Elle lui avait laissé son
manteau au cas où il aurait froid. Tandis qu'elle pédalait, les joues en feu, elle pria pour que personne ne le
trouve. D'une manière ou d'une autre, elle protégerait
cet enfant. Elle sauverait cette vie pour compenser
toutes celles qu'elle ne pourrait sauver. Elle le ferait
pour Rebecca, pour sa famille, et pour tous les autres.

Arrivée au château, elle abandonna sa bicyclette
dans la cour et grimpa au grenier. Sa mère dormait,
comme d'habitude. Très amaigrie, elle ressemblait à
un cadavre dans son sommeil. Gaëlle posa les somnifères à côté de son lit et s'isola dans sa chambre
pour réfléchir à la marche à suivre. Il fallait qu'elle
descende à la cuisine, qu'elle vole de la nourriture,
puis qu'elle retourne à la cabane installer Jacob pour
la nuit. Et, au matin, elle chercherait une solution

durable. Elle n'avait personne à qui demander conseil, elle ne savait pas où aller, ni comment cacher un enfant sur une longue période, comme d'autres le faisaient. Une chose était certaine : elle ne pourrait pas le garder très longtemps dans cette cabane... Alors qu'elle se creusait les méninges, Apolline lui apporta le dîner : une soupe et un quignon pour Agathe, et, pour elle, un autre morceau de pain récupéré sur la table du commandant, de la viande séchée, un peu de ragoût et une fine tranche de fromage. Après avoir remercié la gouvernante, Gaëlle emballa le pain, la viande et le fromage dans une serviette et alla remplir d'eau la bouteille Thermos qu'elle gardait dans sa chambre. Comme elle n'avait aucun moyen de transporter le ragoût, elle s'autorisa à le manger. Puis elle ressortit avec son panier de victuailles et une couverture.

De retour à la cabane, elle craignit un instant que les soldats n'aient déniché Jacob : elle ne le voyait nulle part, n'entendait pas le moindre bruit, et n'obtint pas de réponse en l'appelant. Elle commençait à paniquer quand elle l'aperçut enfin qui l'observait dans le clair de lune.

— Me revoilà, dit-elle. Je t'ai apporté de quoi manger.

Elle lui tendit le petit baluchon. D'abord hésitant, Jacob finit par tout dévorer. Gaëlle resta une heure avec lui, puis elle l'enveloppa dans la couverture et lui expliqua qu'il lui faudrait descendre dans la cave le lendemain matin, au cas où quelqu'un viendrait. Elle lui montra comment ouvrir la trappe.

— Je reviens demain à la première heure, lui promit-elle.

Alors qu'elle s'apprêtait à partir, il lui glissa quelque chose dans la main – un morceau de papier, sur lequel une adresse avait été griffonnée à la hâte.

— Qu'est-ce que c'est ?

— Je ne sais pas. Maman m'a dit d'aller là.

C'était donc bien sa mère qui avait orchestré son évasion à l'arrivée des policiers...

— On ira là-bas demain, alors, répondit Gaëlle calmement, tout en se demandant dans quoi elle s'était engagée.

Mais il était trop tard à présent pour faire machine arrière. Et, quoi qu'il en soit, elle avait envie d'aider ce petit garçon.

— Est-ce que mon papa et ma maman seront là-bas ? demanda-t-il avec un regard qui lui serra le cœur.

— Je ne crois pas, Jacob. Mais si ta maman t'a dit d'y aller, je suis sûre que tu y seras en sécurité.

Il acquiesça, satisfait de sa réponse. Gaëlle l'installa sur la couverture à même le sol, puis elle rentra au château. Elle avait la certitude d'avoir pris la bonne décision.

Conduire Jacob en lieu sûr était devenu sa mission ; elle la mènerait à bien pour cette femme qu'elle ne connaissait pas. Cela lui semblait la moindre des choses. Quant aux risques qu'elle encourait, elle s'en fichait. Quelle différence cela faisait-il ? Quel avenir avait-elle, de toute façon ? Et quel genre d'êtres humains étaient-ils s'ils n'essayaient même pas de s'aider les uns les autres ? Cette nuit-là, elle dormit tout habillée pour ne pas perdre de temps le lendemain, et elle rêva de Rebecca ; debout à côté de Jacob, celle-ci lui souriait en lui murmurant qu'ils l'attendaient.

4

Quand Gaëlle se faufila dans la cabane juste après le lever du jour, Jacob dormait. Avant de partir, elle avait volé quelques croûtons de pain dans le garde-manger. Dans l'éventualité où quelqu'un croiserait sa route et s'enquerrait de sa destination, elle avait emporté des outils de jardinage pour pouvoir répondre qu'elle allait entretenir la tombe de son père. Mais elle n'avait pas vu âme qui vive en chemin.

Elle réveilla le petit garçon en douceur. Il parut d'abord surpris de la voir, puis la mémoire lui revint. Gaëlle le laissa faire pipi dehors avant de lui donner le pain. Elle n'avait pas osé consulter une carte routière, mais elle savait que l'adresse griffonnée sur le morceau de papier se trouvait dans une bourgade située à deux villages de là. Elle connaissait la route pour s'y rendre.

— Est-ce que je dois retourner dans la cave, maintenant ? demanda Jacob.

— Non, on va partir tout de suite chez les amis de ta maman.

Elle l'aida à monter dans le panier de la bicyclette et disposa la couverture sur lui. Les outils de jardinage resteraient dans la cabane. Elle avait décidé de faire le trajet en plein jour, pour ne pas éveiller les soupçons. Cela lui prendrait un peu plus d'une heure, probablement. Bien sûr, elle avait sur elle sa carte d'identité et son autorisation de circuler dans le département ; tant que Jacob se faisait discret, ils avaient toutes les chances d'arriver à bon port. Les soldats du coin n'importunaient jamais Gaëlle, aussi jolie fût-elle : ils avaient reçu l'ordre de traiter les femmes avec respect. Le commandant était très strict sur ce point, n'ayant aucune envie que des histoires d'abus reviennent aux oreilles des généraux de Paris. En outre, il était évident que Gaëlle appartenait à une famille respectable, et son adresse, le château de Mouton-Barbet, était celle où le commandant était cantonné : ce dernier l'apprendrait tout de suite si elle était victime de quelque violence.

Après avoir vérifié que Jacob était bien installé, elle enfourcha son vélo et quitta le domaine par les petites routes. Bientôt, elle rejoignit une voie plus fréquentée, où elle put se fondre parmi les gens qui se rendaient à leur travail ou au marché. Au bout d'une heure, elle croisa des soldats, mais ils se contentèrent de lui faire signe d'avancer, sans prendre la peine de lui demander ses papiers. Elle était trop « aryenne » pour être inquiétée.

Finalement, il leur fallut presque deux heures pour atteindre l'adresse indiquée sur le papier de Jacob. Gaëlle sonna au portail. Quelques minutes plus tard, un grand jeune homme s'approcha.

— C'est pour quoi ? s'enquit-il, méfiant.

Gaëlle hésita. Qu'était-elle censée répondre ? Elle n'avait aucune instruction, aucun mot de passe, aucun nom de personne. Juste une adresse.

— J'ai un paquet pour vous, dit-elle simplement, montrant d'un regard le panier de sa bicyclette.

— Quel genre de paquet ?

Elle sortit le mot de sa poche et le lui tendit. L'homme lui ouvrit aussitôt le portail.

— Entrez.

Il la conduisit jusqu'à un garage adossé à l'arrière de la maison. Tout en espérant qu'elle ne s'était pas trompée en amenant Jacob ici, Gaëlle retira doucement la couverture du panier. Alors, le petit garçon se redressa et les fixa de ses grands yeux apeurés. Un large sourire éclaira le visage du jeune homme qui avait eu l'air si farouche quelques secondes plus tôt.

— Bienvenue, mon gamin, dit-il à Jacob en le soulevant dans ses bras. On va prendre soin de toi, ne t'inquiète pas.

— Est-ce que mon papa et ma maman sont là ? demanda anxieusement le petit garçon.

— Non, mais tu vas te faire des amis ici.

— Il s'appelle Jacob, précisa Gaëlle en souriant à l'enfant qu'elle venait de sauver.

— Moi, c'est Simon, répondit le jeune homme.

Gaëlle le suivit au fond du garage, où il frappa à une porte. Une jolie jeune femme apparut dans l'entrebâillement.

— Je te présente Jacob, annonça Simon.

Elle lui prit l'enfant des bras, visiblement ravie de l'accueillir. Gaëlle eut le temps d'apercevoir d'autres enfants derrière elle avant que la porte ne se referme.

— Vous arrivez au bon moment, lui expliqua Simon. On en emmène cinq au Chambon ce soir. Il pourra venir avec nous.

Gaëlle savait que Le Chambon-sur-Lignon se trouvait en Auvergne, plus exactement en Haute-Loire ; en dehors de cela, elle ignorait tout de ce qui s'y passait.

— On a conduit plus de deux mille enfants juifs là-bas au cours des deux dernières années, précisa Simon. Les habitants les cachent dans les maisons, les hôtels, les fermes et les écoles.

Trois mois après le début de l'Occupation, Le Chambon et les villages alentour avaient pris l'engagement de protéger les enfants juifs. Le mouvement avait été lancé par le pasteur huguenot André Trocmé, que tout le monde considérait comme un saint. Il existait à présent des « planques » un peu partout en France, où des gens comme Simon accueillaient les petits en attendant de les conduire en lieu sûr. Par miracle, la mère de Jacob avait entendu parler d'eux et avait eu le temps de noter leur adresse avant de se faire arrêter.

— On les emmène à la frontière suisse quand c'est possible, et sinon, on les cache chez l'habitant, et on les change régulièrement de lieu, poursuivit Simon. On leur fournit aussi de nouveaux papiers, de nouvelles identités.

Quelques mois plus tôt, le pasteur Trocmé avait prononcé un discours à Paris dans lequel il accusait ses concitoyens de faire preuve de lâcheté en cédant à l'antisémitisme. C'était un fervent pacifiste, déterminé à contrecarrer les plans des autorités locales. Jusque-là, il n'avait pas été inquiété. Trocmé travaillait avec les quakers de l'American Friends Service Committee et leur leader Burns Chalmers, qui négociait depuis deux ans la libération de détenus juifs. Seulement, personne ne voulait les héberger à leur sortie... Trocmé avait donc transformé son village en un véritable réseau d'accueil clandestin, et deux ou trois bourgs voisins suivirent son exemple. D'après Simon, ces gens étaient les Français les plus courageux qu'il ait jamais connus. La Croix-Rouge suisse leur apportait son soutien, ainsi que le gouvernement suédois, lequel avait commencé récemment à participer au financement des projets de Trocmé.

— Et vous, vous faites partie d'un groupe religieux ? demanda Gaëlle, déroutée par ce qu'elle venait d'apprendre.

— Nous militons à l'OSE, l'Œuvre de secours aux enfants. On nous amène des petits, et nous les conduisons au Chambon. Nous travaillons main dans la main avec le pasteur Trocmé, les quakers américains et toutes les personnes qui veulent bien nous aider. Seriez-vous prête à transporter d'autres « paquets » pour nous ? lui demanda-t-il sans détour.

Gaëlle n'hésita pas longtemps avant d'acquiescer. Elle n'y avait jamais réfléchi, mais il lui sembla juste et nécessaire de contribuer à leurs efforts. Rebecca aurait approuvé, sans nul doute. Gaëlle s'en voulait tant de n'avoir rien pu faire pour la sauver ; ce serait une façon pour elle de se racheter...

— Jacob sera entre de bonnes mains, lui assura Simon en la raccompagnant au portail.

— Je l'ai découvert par hasard. Il s'échappait par une fenêtre de sa maison alors que les policiers embarquaient ses parents et leurs trois autres enfants.

— Il a eu une sacrée chance que vous passiez par là, juste au bon moment. Dès demain, il aura une nouvelle identité.

— Et sa famille ? demanda Gaëlle, tout en craignant de connaître la réponse.

— Une fois qu'ils sont entre les mains de la police, c'est beaucoup plus difficile. Burns Chalmers a réussi à faire libérer quelques détenus juifs, mais à présent ils envoient les familles dans des camps en Allemagne, et aucune n'en revient jamais. La plupart des enfants que nous cachons seront orphelins d'ici la fin de la guerre, s'ils ne le sont pas déjà.

Gaëlle songea à Rebecca, envoyée Dieu sait où avec les siens. Eux non plus n'avaient quasiment aucune chance de revenir.

— On vous recontactera, promit Simon tandis qu'elle montait sur son vélo.

Il lui rappelait son frère... Elle s'efforça de ne pas s'attarder sur cette pensée.

— J'habite au château de Mouton-Barbet, l'informat-elle timidement. L'ennui, c'est qu'un commandant allemand s'est installé chez nous avec ses hommes. Il nous a autorisées, ma mère et moi, à rester dans les chambres de bonnes.

Simon hocha la tête. Il leur faudrait donc être extrêmement prudents lorsqu'ils chercheraient à l'approcher. Mais visiblement la jeune fille ne manquait pas de courage.

— Ce que vous avez fait aujourd'hui, c'est remarquable, la complimenta-t-il.

— Ce n'est pas grand-chose, répliqua-t-elle tristement. J'ai sauvé un seul enfant, alors qu'ils en ont pris des milliers.

Et, parmi eux, des amis de son école, des familles de son village, les Feldmann, et tous les autres dont elle avait entendu parler...

— Dans le Talmud, il est écrit que celui qui sauve une vie sauve le monde entier, souligna Simon. Vous avez sauvé Jacob. C'est un miracle pour lui.

— Vous êtes juif ? s'enquit Gaëlle avec intérêt.

— Non, protestant. Huguenot, comme le pasteur Trocmé. Mais cela n'a pas d'importance. Protestants, catholiques, juifs, huguenots... Nous voulons tous aider ces enfants. Ils le méritent. Ce que les Allemands sont en train de faire est abominable. Retourner tout un pays, et même toute l'Europe, contre une communauté entière. On ne pourra pas les arrêter, mais on peut essayer de sauver un maximum d'enfants. Je vous souhaite la bienvenue à l'OSE. Faites bonne route.

— Embrassez Jacob pour moi, répondit Gaëlle avant d'enfourcher son vélo.

En chemin, elle médita sur le hasard extraordinaire qui l'avait fait passer devant la maison du petit garçon à l'instant même où il s'en échappait. Ce que Simon lui avait raconté sur son association, sur le village du Chambon-sur-Lignon et sur le pasteur Trocmé l'avait stupéfiée. Difficile d'imaginer toute une communauté défiant ainsi les Allemands... André Trocmé devait être un sacré personnage pour avoir réussi à convaincre les habitants de se rallier à sa cause, et à s'assurer l'aide d'organisations et de gouvernements étrangers. Cela faisait du bien de savoir qu'il existait des personnes comme lui dans le monde. Gaëlle rentra au château avec le sourire, et la vue des soldats qu'elle croisa sur la route ne suffit pas à ébranler son assurance. Cette fois-ci, elle n'avait rien à cacher.

Les semaines suivantes furent particulièrement difficiles. C'était le premier Noël que Gaëlle et sa mère passaient toutes les deux, seules. La santé d'Agathe ne cessait de se dégrader ; elle se gavait de sédatifs, si bien que c'était presque comme si elle n'eût pas été là. Gaëlle n'avait personne à qui parler. Elle tenta d'occuper son temps en entretenant les tombes de son père et de son frère.

Un après-midi, alors qu'elle revenait du cimetière, Gaëlle eut la sensation d'être suivie. Craignant qu'il ne s'agisse d'un soldat allemand, elle pédala plus vite. Quelques minutes plus tard, un homme surgissait devant elle sur la route, lui bloquant le passage. Son allure menaçante, avec sa tignasse brune, sa grosse barbe et son regard farouche, l'effraya grandement. Mais il déclara alors :

— Je viens de la part de Simon, de l'OSE. On a une livraison pour vous. Une fillette de neuf ans. Qu'il faudrait conduire à Saint-Chef. Vous pouvez vous en charger ?

— Oui, répondit Gaëlle sans la moindre hésitation. Où est-elle, actuellement ?

— Dans une ferme des environs, mais elle ne peut pas y rester. Ils ont eu des problèmes hier.

Elle se demanda si la ferme en question se trouvait sur les terres de son père...

— Il y a une cabane, près du cimetière du château, avec une trappe qui donne accès à une petite cave, expliqua-t-elle en sentant un flot d'adrénaline déferler dans ses veines.

— Hum... Si je vous la dépose là-bas, vous pourrez l'emmener demain ? s'enquit l'homme.

Gaëlle acquiesça. Le village qu'il avait mentionné se trouvait cependant à trois heures de route. Et une petite fille de neuf ans ne tiendrait jamais dans le panier de son vélo...

— Vous pensez que votre fermier accepterait de me prêter son tracteur ? demanda-t-elle.

— Peut-être. Je vais voir avec lui, promit-il, visiblement surpris par sa requête. Vous comptez faire le trajet en tracteur ?

Gaëlle sourit. Personne n'avait jamais tenté cette méthode, mais parfois, plus c'était gros, plus cela passait.

— Garez-le près du verger, se contenta-t-elle de répondre.

— Bon... Je vous amène la fillette dans la soirée.

— Et moi, je la récupérerai à l'aube. Dites-leur de l'habiller en tenue de travail.

Ils se saluèrent, puis repartirent dans des directions opposées. Gaëlle avait toute la nuit devant elle pour peaufiner son plan – et s'inquiéter de son audace.

Le lendemain matin, elle se rendit à la cabane juste avant le lever du jour et trouva dans la cave une petite fille très jolie, vêtue d'une salopette et d'un gros pull. La pauvre grelottait sous la couverture laissée là après le passage de Jacob. Par chance, elle avait les cheveux d'un blond pâle, comme Gaëlle. Elle s'appelait Isabelle. Après s'être présentée, Gaëlle lui exposa son plan : elles étaient sœurs et aidaient leur père fermier. Leur frère était parti à Paris et ne pouvait plus participer aux travaux agricoles.

— Qu'est-ce que tu en penses ? demanda-t-elle à sa protégée, qui avait le regard vif mais l'air effrayé.

— Je ne connais rien aux fermes, répondit-elle nerveusement. On habite en ville.

— Ne t'inquiète pas, ils ne vont pas nous demander de labourer un champ, lui assura Gaëlle.

Toute la famille d'Isabelle avait été déportée. Lorsque les policiers étaient venus les chercher, la fillette se trouvait chez une copine. Des amis de ses parents l'avaient cachée dans leur cave pendant cinq mois, mais c'était devenu trop risqué. Ils avaient eu peur que la police ne se doute de quelque chose. L'OSE voulait conduire Isabelle au Chambon le plus vite possible.

Le trajet en tracteur ne fut pas des plus confortables. Isabelle resta silencieuse pendant une grande partie du voyage. À trois reprises, elles croisèrent un groupe de soldats ; chaque fois, ils leur accordèrent à peine un regard et leur firent signe de poursuivre leur route, les prenant pour des petites fermières du voisinage. Quand elles arrivèrent à destination, Gaëlle n'en revenait pas que cela ait été si simple. Isabelle la remercia poliment et disparut à l'intérieur de la maison, où l'attendait l'homme barbu qui avait abordé Gaëlle la veille.

— Tout s'est bien passé ? s'enquit-il.

— Parfaitement bien, répondit-elle en souriant. Si un jour vous voulez faire quelque chose d'illégal, prenez un tracteur. Personne ne vous accordera la moindre attention.

C'était d'autant plus vrai qu'Isabelle et Gaëlle respiraient l'innocence – et qu'elles n'avaient pas l'air juives. Aux yeux des Allemands, elles étaient aryennes.

— J'essaierai de m'en souvenir, dit l'homme avec un petit rire.

Il reprit aussitôt son sérieux.

— On a un autre paquet pour vous. Par contre, on ne pourra pas vous le livrer avant plusieurs jours. Il est malade.

— Malade à quel point ?

Gaëlle semblait soucieuse. Elle n'était pas infirmière... Mais, après tout, elle n'avait pas d'expérience non plus dans le convoyage d'enfants ; peut-être cela ne faisait-il aucune différence.

— On pensait qu'il avait une pneumonie, mais d'après le médecin il s'agit seulement d'une bronchite, expliqua-t-il. On vous recontactera quand il sera prêt à voyager.

Gaëlle acquiesça. Après avoir pris congé, elle repartit pour son long trajet en tracteur. De retour à la cabane juste avant la nuit, elle laissa le véhicule à l'endroit où elle l'avait trouvé et rentra au château à bicyclette. Elle monta directement dans sa chambre et s'effondra sur son lit, exténuée. La journée avait été éprouvante : six heures de route au volant d'un tracteur, l'angoisse de se faire prendre... Heureusement, l'expédition s'était déroulée sans encombre.

Deux semaines s'écoulèrent sans que Gaëlle ait de nouvelles de l'OSE. Elle en vint à se demander ce qui était arrivé au petit garçon qui souffrait d'une bronchite... Bien qu'elle n'eût transporté jusque-là que deux enfants, cela avait donné un nouveau sens, un nouveau but, à sa vie ; il lui tardait de recommencer. Savoir que toute une bourgade s'était engagée à sauver ces innocents l'encourageait encore plus à se joindre aux efforts de ses habitants.

Un jour, l'homme à la grosse barbe passa à côté d'elle à vélo alors qu'elle se rendait au village.

— Demain matin, six heures, même lieu, lui glissa-t-il discrètement.

Gaëlle continua son chemin jusqu'à la boulangerie, mine de rien. Les rayons étaient presque vides. Elle acheta quand même un demi-pain noir, et l'artisan lui offrit un roulé à la cannelle pour sa mère, pris sur une commande passée par le commandant. Agathe ne mangeait presque plus rien, ce qui inquiétait fort Gaëlle et Apolline. Elle était trop faible pour quitter le lit. Les somnifères lui coupaient l'appétit, mais sans eux ses migraines devenaient insupportables. Et parfois, c'était pire quand elle les prenait...

Le lendemain, Gaëlle se leva à cinq heures trente pour retrouver l'enfant malade à la cabane. Il faisait encore nuit, le temps était morne et froid. Peu après son arrivée, Simon apparut. Gaëlle le regarda, surprise. Il tenait un panier à provisions d'où s'échappaient comme de petits miaulements. Gaëlle se demanda un instant s'il lui avait amené un chaton... Lorsqu'il souleva la couverture qui recouvrait le panier, elle sursauta en découvrant un nouveau-né à l'intérieur.

— Seigneur... Quel âge a-t-il ? s'enquit-elle.

— Huit semaines. David est notre plus jeune client à ce jour. Sa mère l'a caché dans une poubelle quand la police est venue les arrêter, il y a un mois. Elle avait épinglé un mot sur sa couverture suppliant la personne qui le trouverait de le conduire à notre adresse. C'est leur domestique qui l'a trouvé et l'a d'abord confié à des fermiers des environs. David est tombé malade presque tout de suite, mais il va mieux, maintenant.

Le bébé se mit à pleurer. Gaëlle sentit son cœur se serrer à l'idée qu'il ait déjà perdu sa mère si jeune.

— Son père est médecin, poursuivit Simon. Il l'a mis au monde lui-même, chez eux. Les Allemands n'ont pas voulu que la mère accouche à l'hôpital sous prétexte qu'ils étaient juifs... Pourtant, le père y avait travaillé pendant vingt ans.

Les histoires de ces familles étaient toutes plus tragiques, plus choquantes les unes que les autres. Gaëlle prit le bébé dans ses bras. Aussitôt, il enfouit son visage contre sa poitrine, cherchant à téter.

— Comment voulez-vous que je le transporte ? Et si jamais il se met à pleurer ?

71

— Vous devriez peut-être le porter en écharpe et faire comme si c'était le vôtre. Vous n'aurez qu'à dire qu'il n'a pas encore de papiers d'identité. En tout cas, je ne pense pas que ce soit un bon candidat pour le tracteur...

Ni pour le panier de la bicyclette, songea Gaëlle. Elle réfléchit un moment, tentant de trouver une solution. Cette mission n'était pas simple.

— Je dois l'emmener loin d'ici ? s'enquit-elle.

— À deux heures de route, à peu près.

Simon venait de récupérer David chez les fermiers, mais il ne se voyait pas le conduire lui-même jusqu'à la maison d'accueil. Il aurait bien plus de mal que Gaëlle à expliquer aux soldats allemands ce qu'il faisait avec un bébé de deux mois. Quant à compter sur David pour rester discret, c'était sans espoir : il pleurerait sitôt qu'il aurait faim, qu'il serait fatigué ou mouillé. En outre, il avait une mauvaise toux, même s'il paraissait bien portant par ailleurs.

Simon remit à Gaëlle le lait en poudre que la Croix-Rouge leur avait fourni. Une fois qu'il fut parti, elle donna le biberon à David, l'installa dans son cache-col en laine qu'elle avait noué autour d'elle, puis grimpa sur son vélo. En chemin, elle lui chanta des berceuses pour l'apaiser. Il était calme, comme hypnotisé par sa voix. Une heure plus tard, alors qu'elle atteignait la route principale, elle dut s'arrêter à un poste de contrôle. Ses papiers étaient en règle, et on ne lui demanda pas ceux du bébé. En revanche, le soldat voulut savoir où elle allait.

— Chez ma grand-mère, répondit Gaëlle. Elle n'a encore jamais vu son petit-fils. Il a été malade.

À cet instant, David émit une horrible toux, comme pour appuyer ses propos.

— Vous ne devriez pas le sortir par ce froid, la réprimanda le soldat. Je sais de quoi je parle, j'ai moi-même trois enfants. C'est votre premier, non ?

À l'évidence, il supposait qu'elle avait eu un bébé hors mariage et il n'approuvait pas ce genre de conduite... Cela ne l'empêcha pas de sourire à David et de lui chatouiller la joue, tout en sommant Gaëlle de l'emmener bien vite au chaud. On était en janvier et il faisait un froid glacial... Gaëlle fut soulagée lorsqu'il la laissa partir, et encore plus quand elle remit David aux bénévoles de l'OSE, une heure plus tard. Heureusement, David avait bien supporté le voyage.

Gaëlle apprit qu'il passerait la frontière le soir même. Un couple de Suisses avait accepté de le recueillir. David rejoindrait les sept autres enfants qu'ils avaient secourus depuis un an. Partout, des gens faisaient preuve d'un courage admirable...

En repartant, Gaëlle croisa les doigts pour ne pas tomber sur le même soldat, lequel ne manquerait pas de lui demander ce qu'elle avait fait de son bébé. Au besoin, elle prétendrait l'avoir laissé chez sa grand-mère. Il la considérait déjà comme une mauvaise mère qui soumettait son nouveau-né malade aux frimas de l'hiver. Elle n'était plus à cela près... Mais, par chance, le soldat avait été relevé entre-temps, et Gaëlle n'eut même pas à présenter ses papiers.

Après cette mission, elle resta un moment sans nouvelles de l'OSE. Puis, au mois de février, elle apprit que les Allemands avaient arrêté le pasteur Trocmé, ainsi que son assistant, le pasteur Theis, et le directeur de l'école du Chambon-sur-Lignon. Ils avaient été envoyés dans un camp d'internement à Limoges. Que des chefs religieux soient ainsi jetés en prison provoqua une telle indignation qu'on les libéra un mois plus tard, sur la pression de la Croix-Rouge suisse, des quakers américains et du gouvernement suédois. Quand Gaëlle fut de nouveau contactée par Simon, il lui assura que les trois hommes, loin de se laisser intimider, avaient repris leurs opérations de sauvetage à travers toute la France. Ces militants étaient vraiment des saints.

Cependant, l'armée allemande et la Gestapo intensifièrent leur répression après cet épisode. Au mois de juin, ils procédèrent à une rafle dans une école du Chambon. Découvrant que cinq des dix-huit élèves étaient juifs, ils les déportèrent dans un camp de travail, où ils furent tués à leur arrivée. Le cousin du pasteur Trocmé, Daniel, connut le même sort au camp de Lublin-Majdanek. C'était un message clair envoyé aux membres de l'OSE qui œuvraient en Auvergne et ailleurs en France : le Haut Commandement allemand ne tolérerait pas longtemps leur désobéissance, quels que soient les soutiens dont ils bénéficiaient à l'étranger. Les différentes cellules de l'OSE durent redoubler de prudence et s'enfoncer encore un peu plus dans la clandestinité.

Dès lors, Gaëlle multiplia les missions auprès d'eux, en dépit des risques que cela représentait pour elle. Sauver des enfants juifs était devenu son unique raison de vivre. À l'automne 1943, elle en avait déjà escorté plusieurs dizaines, qui devaient tous gagner l'Auvergne ; de là, on en conduisait le plus grand nombre possible en Suisse, via Annemasse, l'itinéraire le plus sûr.

L'antenne de la Gestapo à Lyon fit preuve d'une vigilance et d'une intransigeance accrues à l'égard des « convoyeuses ». Néanmoins, malgré quelques frayeurs, Gaëlle réussit à mener à bien tous les sauvetages qu'elle entreprit. Ses collègues de l'OSE en vinrent à dire qu'elle était bénie des dieux ; ils lui donnèrent comme nom de code Marie-Ange. Elle avait alors dix-neuf ans, et Rebecca avait disparu depuis presque deux ans – une éternité. Chaque fois qu'elle remettait un enfant entre de bonnes mains, Gaëlle priait Dieu pour qu'en échange son amie tant aimée lui revienne un jour saine et sauve.

5

Au printemps 1944, la chance commença à tourner pour l'armée allemande. La Résistance gagnait du terrain et causait des ravages un peu partout en France. Les Alliés bombardaient l'Allemagne sans relâche, et le nombre de morts et de blessés ne cessait de grimper dans un camp comme dans l'autre.

En juin, sentant venir le moment où ils seraient contraints de se retirer de Paris, les officiers allemands se livrèrent à un pillage en règle des musées. Sur les quatre ans qui venaient de s'écouler, le Haut Commandement et son unité spéciale avaient déjà confisqué de manière officielle quantité d'œuvres exposées au Louvre. Hermann Göring, commandant en chef de la Luftwaffe et grand collectionneur, s'était rendu à Paris pas moins de vingt fois pour choisir les pièces qu'il avait rapportées chez lui par trains entiers. Hitler, lui, n'était venu qu'une seule fois.

Bien sûr, les maisons des Juifs avaient depuis longtemps été dévalisées, leurs biens spoliés, leur fortune saisie au nom du gouvernement allemand. À présent, les officiers s'emparaient de tout ce qui leur tombait sous la main. Mais les Français, même s'ils étaient révoltés par la perte de ces trésors nationaux, déploraient surtout celle en vies humaines, particulièrement lourde au cours des derniers combats.

De son côté, Gaëlle n'avait qu'une seule préoccupation : continuer de confier aux huguenots, à la Croix-Rouge et à la Suisse un maximum d'enfants juifs. Depuis le premier petit garçon qu'elle avait transporté un an et demi plus tôt, elle était devenue un membre important de la Résistance ; elle ne comptait plus le nombre d'innocents qu'elle avait amenés à bon port. Les différentes organisations impliquées avaient, disait-on, réussi à en sauver plusieurs milliers – on citait même le chiffre de cinq mille.

Gaëlle venait de convoyer une fillette de huit ans qui avait vécu cachée dans une cave pendant deux ans. Craignant qu'elle ne soit débusquée avant la fin de l'Occupation, ses bienfaiteurs avaient sollicité l'aide de l'OSE et contacté les quakers du Chambon. Tout s'était bien passé ; jusque-là, Gaëlle n'avait jamais perdu un seul enfant, ni ne s'était fait prendre. Alors qu'elle se reposait sur son lit, Apolline vint la prévenir que le commandant demandait à la voir. Soucieux de respecter son espace privé, il n'envoyait jamais ses soldats porter ses messages et se montrait toujours aussi poli avec Gaëlle. Régulièrement, il s'enquérait de l'état de santé de sa mère. Celle-ci n'était plus que l'ombre d'elle-même. Quant à Gaëlle, malgré sa maigreur due aux privations, elle n'avait fait qu'embellir. Elle se savait chanceuse de n'avoir jamais subi le moindre comportement déplacé de la part du commandant ou de ses hommes. D'après ce qu'elle avait entendu dire au village, ce n'était pas le cas de toutes les jeunes femmes... Elles étaient plusieurs à avoir eu des relations avec des officiers ou des soldats. Certaines étaient même tombées enceintes, suscitant l'indignation de leurs concitoyens, qui leur crachaient dessus et les traitaient de traîtresses.

— Tu sais ce qu'il veut ? chuchota Gaëlle à Apolline tandis qu'elle la suivait dans l'escalier.

— Non, il ne m'a rien dit. Il a juste demandé que tu le rejoignes au salon.

En entrant dans la pièce, Gaëlle trouva le commandant perdu dans ses pensées. Comme à son habitude, il commença par prendre des nouvelles de sa mère ; Gaëlle lui répondit que celle-ci n'allait pas mieux, et que la chaleur aggravait ses maux de tête.

— Je suis navré de l'entendre. La guerre a été très dure pour votre maman, dit-il avec compassion.

Elle l'avait été encore plus pour tous ceux qui étaient morts... Mais elle avait sans conteste éprouvé les nerfs d'Agathe et détruit sa santé en lui arrachant son fils et son mari.

— Et vous, comment allez-vous ? s'enquit le commandant, en posant sur Gaëlle un regard qu'elle ne lui avait jamais vu auparavant.

Elle eut la sensation gênante qu'il la considérait soudain comme une femme.

— Votre père et votre frère doivent beaucoup vous manquer, j'imagine, ajouta-t-il.

Gaëlle toussota. Elle était de plus en plus mal à l'aise. Pour la première fois, elle ne se sentait pas en sécurité avec lui. Qu'avait-il en tête, exactement ? Avait-il des vues sur elle ? Il n'allait tout de même pas la violer, si ? Elle s'efforça de paraître tout à la fois distante et respectueuse, mais elle ne pouvait rien changer à sa jeunesse et à sa beauté. Elle savait que le commandant était devenu veuf au tout début de la guerre. Cependant, contrairement à beaucoup d'autres officiers, il n'avait rien d'un coureur de jupons et ne s'amusait pas à courtiser les femmes du coin.

— Ils me manquent, c'est vrai, se contenta-t-elle de répondre.

Hors de question qu'elle lui fasse des confidences. Ses émotions, son chagrin, ne le regardaient pas, et ce d'autant moins qu'il était directement responsable de la mort de son père et, indirectement, de la disparition des Feldmann et de tant d'autres personnes.

— Je crois que vous êtes fidèle à votre pays, avança-t-il prudemment.

L'espace d'un instant, un frisson de terreur la parcourut. Avait-il été informé de ses activités au sein de l'OSE ?

— En effet, dit-elle, le visage impassible.

— Et vous avez grandi entourée d'objets magnifiques, dans ce château, poursuivit-il. Vous avez de la chance que votre pays possède autant de richesses. L'Allemagne n'en manque pas, et pourtant, j'ai bien peur que mes compatriotes n'aient fait preuve de cupidité pendant leur séjour ici.

Il semblait le regretter amèrement. Il avait d'ailleurs beaucoup réfléchi avant de convoquer la jeune fille ; il n'avait pas trouvé de meilleure solution pour mettre à exécution le plan qu'il avait à l'esprit. Il ne faisait confiance à personne dans son état-major, et il avait pris garde de ne sympathiser avec aucun habitant de la région pour éviter qu'on l'accuse plus tard de trahison. Il avait beau être en désaccord avec de nombreux ordres de sa hiérarchie, il n'en restait pas moins allemand.

— Que pensez-vous des trésors nationaux de la France, toutes ces magnifiques œuvres d'art issues du passé ? demanda-t-il à Gaëlle, appuyant sur le mot « trésors ».

Gaëlle ne voyait pas du tout où il voulait en venir. En outre, elle n'avait pas mis les pieds dans un musée depuis le début de la guerre. L'avenir des trésors de son pays était bien le dernier de ses soucis...

La jeune femme se détendit un peu. Visiblement, ce n'était pas des enfants qu'elle convoyait qu'il voulait lui parler. Cela aurait été le préambule à son exécution, même si, ce risque, Gaëlle avait décidé depuis longtemps de le prendre. La vie des innocents qu'elle sauvait valait bien plus à ses yeux que la sienne.

— Je pense qu'on a de la chance d'avoir tout ce qu'on a en France, répondit-elle simplement.

— Je partage tout à fait votre avis, mademoiselle.

Le commandant souriait maintenant d'un air paternel, complice. Que mijotait-il donc ? Était-ce un piège ?

— Et contrairement à mes compatriotes, ajouta-t-il, j'estime que l'art français devrait rester en France.

Il déplorait grandement que des pièces inestimables aient été envoyées en Allemagne pour y être réparties entre les connaisseurs du Haut Commandement. Passionné d'art, le Führer prévoyait de faire construire un nouveau musée national à Linz, en Autriche.

— Quantité d'œuvres qui partent pour l'Allemagne en ce moment ont été saisies dans des musées, expliqua le commandant. D'autres proviennent de collections privées confisquées par le Reich. Je désapprouve ces méthodes. J'aimerais que vous m'aidiez, mademoiselle de Barbet. J'ai un ami haut placé dans la SS à Paris qui voudrait sauver un maximum d'objets d'art et les rendre à la France après la guerre. Seriez-vous d'accord pour nous donner un coup de main ?

Gaëlle le dévisagea, stupéfaite.

— Vous me demandez de voler des œuvres d'art ?
Mais je me ferais fusiller !

— « Voler » est un drôle de mot quand on parle simplement de mettre ces trésors à l'abri pour les rendre
ensuite à qui de droit... Non, je ne vous demande pas
de les voler. Ils l'ont déjà été une fois. Mon ami a reçu
l'ordre d'expédier par bateau en Allemagne un certain
nombre de tableaux célèbres. Il a réussi à en détourner
quelques-uns et à les placer dans une chambre forte.
Mais pour les autres, il cherche un abri temporaire
en France. Si vous acceptez de travailler avec moi, je
vous confierai ces toiles, en toute discrétion ; vous les
remettrez au Louvre après la guerre, et l'administra-
tion s'occupera de rendre à leurs propriétaires celles
qui faisaient partie de collections privées. Vous êtes
une jeune femme honnête, d'une grande moralité. Je
vous fais confiance. En revanche, personne ne doit
jamais avoir vent de notre petite combine, sans quoi
nous serions fusillés tous les deux, comme vous dites.

— Où voulez-vous que je les cache ? s'enquit
Gaëlle, encore sous le choc.

— Quelque part sur le domaine. Je vous laisse
le soin de trouver un lieu sûr. Je ne vous remettrai
que des toiles de petite taille, roulées. Pour les plus
grandes, mon ami s'est arrangé à Paris. Vous les ren-
drez après notre départ – car nous allons nous retirer dans les prochains mois, ce n'est un secret pour
personne. Ces œuvres d'art sont bien trop précieuses
pour servir de vulgaires souvenirs à des individus peu
scrupuleux. Nous, Allemands, n'avons pas le droit de
les considérer comme un butin de guerre. Êtes-vous
prête à m'aider, mademoiselle ?

Gaëlle le dévisagea un long moment. Il lui paraissait dangereux de refuser sa proposition, mais comment savoir s'il ne cherchait pas à la compromettre ? Son projet – s'il était sincère – était noble et courageux. Et parmi les toiles confisquées, beaucoup avaient appartenu à des Juifs déportés. Or le commandant semblait espérer que le Louvre les leur restituerait. Soudain, il remontait beaucoup dans l'estime de Gaëlle.

— Si jamais nous nous faisons prendre, je tâcherai de vous protéger et de porter le chapeau, ajouta-t-il.

Gaëlle sourit. Elle était déjà mouillée jusqu'au cou avec ses missions pour l'OSE, et cela ne lui faisait pas peur de prendre un risque supplémentaire en cachant des tableaux. Le commandant avait raison : les trésors nationaux français devaient rester en France. Tout le monde savait que les Allemands en avaient déjà volé une grande partie pendant l'Occupation. Au bout du compte, les œuvres qu'ils réussiraient à sauver ne représenteraient qu'une fraction de ce qui avait été perdu. Mais cela en valait la peine. Gaëlle accepta.

— Nous pourrions mettre en place un petit rituel, proposa le commandant, ravi de sa réponse. Nous nous retrouverions le soir pour prendre le café, entrevue au cours de laquelle je vous remettrais une baguette fraîche pour votre mère, en remerciement des quatre années que j'ai passées dans votre magnifique demeure.

Gaëlle était immensément soulagée. À double titre, d'ailleurs : il ne lui avait fait aucune avance sexuelle et il ne savait rien de son engagement auprès de l'OSE. En comparaison, cacher des tableaux lui semblait peu de chose. Par ailleurs, le pain était devenu une denrée rare ; avec le rationnement, il était quasiment impossible de se procurer des baguettes. C'était donc un immense privilège que lui octroyait le commandant…

— Je vous suis très reconnaissant de bien vouloir m'aider, reprit-il. Ce que nous allons faire est à mon sens primordial pour la France. J'aime ce pays ; j'ai envie de contribuer à réparer le mal que nous avons fait.

Il lui lança un regard appuyé, et Gaëlle comprit. Sauver ces œuvres d'art ne compenserait pas la mort de son père ni celle de tous les autres, mais c'était un début.

— Vous devez me promettre d'apporter ces toiles à un musée national – le Jeu de Paume ou le Louvre. Ils se chargeront de retrouver leurs propriétaires.

— Je vous le promets, répondit-elle.

Le commandant ne douta pas de sa parole. Après l'avoir observée pendant quatre ans, il estimait s'être fait une idée assez claire de sa personnalité et de son sens moral.

Lorsqu'elle prit congé, il lui tendit une baguette de pain, qu'elle emporta discrètement à l'étage. Une fois à l'abri des regards, dans sa chambre sous les toits, elle constata que la baguette avait été coupée en deux et creusée et qu'une petite toile était roulée à l'intérieur, emballée dans du papier spécial. Elle la déroula sur son lit. C'était un portrait d'enfant de Renoir. Après l'avoir admirée un long moment, elle l'enroula de nouveau et la déposa au fond d'un tiroir, tout en sachant qu'il lui faudrait rapidement trouver un meilleur endroit. L'espace d'un instant, elle se demanda ce que son père aurait pensé de ses actions. Quelque chose lui disait qu'il les aurait approuvées.

Ce soir-là, dans son lit, elle songea à son entrevue avec le commandant, à la confiance qu'il lui accordait, au Renoir qui attendait sagement dans le tiroir... Elle avait précieusement conservé la baguette creusée pour la donner à sa mère le lendemain.

Au matin, elle fit une longue promenade dans le domaine et s'arrêta devant la tombe de son père.

— Alors, qu'est-ce que tu en dis, papa ? murmura-t-elle.

Elle avait sauvé des dizaines d'enfants, et maintenant, elle ferait de même avec des œuvres d'art... Les premiers avaient bien plus d'importance à ses yeux : dans son esprit, ils étaient liés à Rebecca et à sa famille. Mais cacher des tableaux célèbres pour les remettre au Louvre après la guerre était aussi une noble cause. Après la guerre... Gaëlle aimait penser au jour où le château de Mouton-Barbet leur appartiendrait à nouveau. Qui sait, peut-être alors sa mère recouvrerait-elle la santé ? Peut-être Rebecca reviendrait-elle ? C'était bon de rêver ainsi.

En rentrant du cimetière, elle s'arrêta à la cabane du verger, où elle trouva une bonne cachette pour les prochaines toiles : un endroit frais et sec, derrière un meuble, où elle était certaine que personne n'irait regarder. Elle songea aux enfants qui étaient passés par ici ces dix-huit derniers mois, Jacob et ses successeurs. On leur avait confié tant de bébés que leurs mères, désespérées, voulaient à tout prix envoyer hors de France, sans même savoir dans quelles mains ils tomberaient... Quel que soit leur destin, celui-ci vaudrait mieux que d'être déporté dans un de ces lieux dédiés à l'élimination pure et simple des Juifs, ces lieux que l'on appelait à présent ouvertement « camps d'extermination ». Gaëlle priait pour que Rebecca et sa famille n'aient pas connu ce sort.

Pendant les mois de juin et de juillet, le commandant la fit venir régulièrement dans sa chambre, qui avait jadis été celle des parents de Gaëlle. Il ne pouvait pas lui donner rendez-vous au salon, car ses officiers risquaient à tout moment de faire irruption dans la pièce ; ces derniers ne devaient surtout pas découvrir la nature de leurs échanges. Pourtant, si l'un d'eux était entré, il n'aurait vu que du pain, parfois un peu de fromage, quelques fruits du verger ou de la viande séchée dont les soldats allemands raffolaient – et, à l'occasion, des chocolats. Le commandant faisait toujours quérir Gaëlle par Apolline. Cela lui semblait plus discret. Pourtant, au bout de deux mois, la gouvernante n'avait plus le moindre doute sur ce qui se passait derrière la porte close de la chambre. D'autant que Gaëlle ressortait de ces tête-à-tête les bras chargés de nourriture et une précieuse baguette de pain sous le coude, que le commandant faisait cuire spécialement, prétendument pour la mère de la jeune fille...

Un soir, alors que Gaëlle quittait la chambre du militaire, Apolline l'apostropha :

— Alors comme ça, tu vends ton corps pour un bout de pain et un morceau de fromage, maintenant ? Je n'aurais jamais cru que tu tomberais si bas.

Elle toisa avec dégoût la jeune fille qu'elle avait en partie élevée.

— Mon fils et ton père sont morts en héros, et toi, tu te prostitues pour les Allemands ! Heureusement que ta mère est trop malade pour comprendre ce qui se passe. De toute façon, elle ne le mange même pas, ton pain... Je ne sais pas pourquoi tu t'embêtes.

Évidemment, Gaëlle ne put se défendre. Elle avait juré de garder le secret et, même à sa fidèle gouvernante, elle n'aurait pas osé confier qu'il y avait plus de quarante œuvres d'art cachées dans la cabane du verger. Des Renoir, plusieurs Degas, des Corot, des Pissarro, deux petits Monet... Tous les grands maîtres de la peinture française étaient là. Gaëlle n'avait d'autre choix que de subir en silence les insultes d'Apolline, d'accepter qu'on la considère comme une prostituée.

Pour leur part, les officiers et les soldats du commandant s'amusaient de ce que leur chef ait entamé une liaison avec une petite Française de dix-neuf ans dans les derniers jours de la guerre. À leurs yeux, elle faisait partie du butin.

Les Américains avaient débarqué en Normandie au mois de juin, mais n'avaient pas encore atteint la région lyonnaise. À la fin du mois, ils libérèrent Cherbourg. Début juillet, les troupes britanniques et canadiennes s'emparèrent de Caen ; à la mi-juillet, les Américains prirent Saint-Lô, puis Coutances, dix jours plus tard. Les Alliés progressaient lentement mais sûrement, faisant battre en retraite les Allemands. Ils délivrèrent Avranches le 1er août et envahirent le sud de la France dans les deux semaines qui suivirent.

Gaëlle accomplit sa dernière mission pour l'OSE au milieu du mois d'août, en conduisant dans une planque un petit garçon de six ans. Quelques jours plus tard, le commandant lui annonça qu'ils partaient. Gaëlle avait alors stocké pas moins de quarante-neuf toiles dans la cabane. Il lui fit promettre à nouveau de les transporter à Paris dès qu'elle pourrait voyager sans danger. Il venait de réaliser un véritable exploit pour la France... Le temps que ses collègues s'aperçoivent que les tableaux avaient disparu, ils auraient bien d'autres problèmes à régler.

— Merci de m'avoir aidé, Gaëlle, lui dit-il.

— C'est moi qui vous remercie. C'est très bien, ce que vous avez fait, commandant, répondit-elle.

Il partait avec ses hommes le lendemain. Les Alliés libéreraient bientôt la région, et aucune unité allemande n'avait envie de se faire prendre. De plus, on parlait d'une insurrection à Paris menée par la Résistance.

Ils se serrèrent la main, et le commandant lui souhaita bonne chance. Apolline était toujours très loin de se douter que Gaëlle avait retrouvé cet homme dans sa chambre pour récupérer des œuvres d'art cachées dans des baguettes de pain. Son mépris à l'égard de la jeune femme était total.

Gaëlle tenta d'expliquer à sa mère que les Allemands étaient partis et que les Américains allaient bientôt arriver, mais Agathe s'en fichait. Elle n'attendait plus rien de la vie. Son mari et son fils étaient morts. Les années de l'Occupation avaient pesé trop lourd.

Les derniers jours de la guerre furent sinistres. Le pays était saccagé, et tant d'hommes, de femmes et d'enfants avaient été tués ou envoyés loin de chez eux. Tant de jeunes gens extraordinaires étaient morts dans la Résistance, leurs rêves envolés avec eux... Mais Gaëlle avait survécu, et cette épreuve l'avait rendue plus forte. Sans personne pour s'occuper d'elle et la protéger, elle était rapidement devenue adulte. Son rêve de partir étudier à la Sorbonne s'était évanoui – il n'avait plus aucun sens, à présent. Le soir, dans son lit, elle pensait aux enfants qu'elle avait sauvés et se demandait où ils se trouvaient aujourd'hui. Presque tous étaient orphelins, mais au moins ils étaient vivants.

À la fin du mois d'août, les Américains déferlèrent dans la campagne comme un torrent d'eau pure, apportant le goût de la victoire et de l'espoir tandis que les gens se jetaient dans leurs bras pour les embrasser. Le 25 août, Paris fut libéré ; on dansa au son de la musique, les GI's distribuèrent des bonbons et des chocolats aux enfants, et sourirent aux jolies filles. Puis toutes les villes furent délivrées une à une. La nation était épuisée, mais son peuple, dans un dernier sursaut d'énergie, célébrait l'arrivée de ses sauveurs. La France était libre, enfin !

6

Quand l'atmosphère de jubilation retomba, après les scènes de liesse et les parades militaires, l'heure de rendre des comptes sonna pour les habitants des villes et des villages français. Dans la majorité des cas, tout le monde connaissait les traîtres, mais il y eut quelques surprises, et certaines personnes se virent alors dénoncées par leurs proches.

À Valencin, le maire installé par le régime de Vichy fut chassé de la ville, et on nomma un nouvel édile. Celui-ci était resté loyal à la France et avait accompli de formidables actes de bravoure au sein de la Résistance. Très vite, les villageois se pressèrent aux portes de la mairie pour réclamer justice – et, bien souvent, ils la rendirent eux-mêmes.

Apolline fut parmi les premières à se présenter devant le nouveau maire, lequel avait appartenu au même réseau de résistants que son fils. Elle dénonça Gaëlle pour avoir vendu son corps à un Allemand contre de la nourriture, parfois une simple baguette de pain. Des citoyens avaient été chargés de recueillir les plaintes et de décider si les forfaits relevaient des crimes de guerre ou juste d'actes d'infidélité à la France. Pour une large part, les coupables étaient des femmes qui avaient couché ou vécu avec des soldats allemands, voire conçu un enfant avec eux. Ce n'étaient pas des espionnes : elles avaient simplement commis le délit d'adultère avec l'ennemi. Au bout du compte, elles s'étaient trahies elles-mêmes plus qu'elles n'avaient trahi leur patrie... Mais Apolline fut fière de donner le nom de Gaëlle. Elle voulait la voir punie publiquement.

Une bande de villageois indignés et excités alla chercher les accusées chez elles. Elles furent rudoyées, bousculées, parfois même tabassées. Puis ils leur rasèrent la tête et les firent défiler dans les rues pour exposer leur indignité à la vue de tous. Les gens huaient et sifflaient à leur passage, certains leur jetaient de la nourriture pourrie, des bouteilles vides, tout ce qui leur tombait sous la main. L'humiliation était totale. La plupart des femmes tentaient d'y faire face avec courage et ressortaient de ces séances infâmes couvertes de blessures.

Ils cueillirent Gaëlle dans la cour du château, la traînèrent et la poussèrent jusqu'à la grand-rue du village. Là, les hommes la giflèrent pendant que les femmes, armées de balais, la rouaient de coups. Quand ils en eurent terminé, Gaëlle avait le visage tuméfié, un œil au beurre noir, la tête tondue et une vilaine coupure au bras – quelqu'un lui avait lancé une bouteille cassée. Elle avait eu droit également aux détritus nauséabonds qui collaient maintenant à ses vêtements.

Ce que ces gens venaient de faire lui brisait le cœur. Elle avait été jugée sans procès et sans possibilité de se défendre. Les militants de l'OSE étaient tous rentrés au Chambon et à Marseille. Personne n'était là pour témoigner des missions de sauvetage qu'elle avait effectuées pendant presque deux ans. Personne ne savait qu'elle avait caché des toiles de maître. Elle avait promis de ne rien dire avant de les avoir remises au Louvre, au cas où quelqu'un serait tenté de les voler. Plusieurs millions de francs du trésor national étaient entre ses mains ; Gaëlle ne voulait pas les perdre. C'est pour cette raison qu'elle avait supporté, dans un silence stoïque, l'injuste humiliation. Même les soldats américains l'avaient sifflée en la voyant passer. Personne n'aimait les traîtres.

De retour au château, Gaëlle emprunta l'escalier de service, ne voulant pas être vue avec son crâne rasé. Elle croisa Apolline au pied des marches, et leva vers cette femme qui s'était occupée d'elle autrefois un regard où se lisait un profond accablement. C'était Gaëlle qui avait été trahie, pas la France... Mais alors qu'elles se fixaient sans rien dire, Apolline lui cracha au visage. Ce fut le coup de grâce, porté par une personne qu'elle avait aimée... Gaëlle monta lentement l'escalier, les joues ruisselantes de larmes. Elle occupait encore sa petite chambre sous les toits, car elle voulait rester auprès de sa mère, qui avait refusé de regagner la sienne après le départ des Allemands. Agathe affirmait qu'elle ne pourrait plus jamais y dormir.

Gaëlle attendit le lendemain pour aller voir sa mère. Quand elle entra dans la chambre, Apolline quittait justement la pièce ; elle lança à Gaëlle un regard haineux, comme si la punition de la veille ne suffisait pas. Agathe remarqua aussitôt la tête tondue de sa fille et son œil au beurre noir. Malgré son état, elle savait ce que cela voulait dire.

— Que s'est-il passé ? souffla-t-elle, horrifiée. Tu as trahi ta patrie ? Avec qui as-tu collaboré ?

Elle n'arrivait pas à croire que sa fille ait pu faire une chose aussi terrible alors que son père était mort dans la Résistance.

— Je n'ai pas collaboré, maman, répondit Gaëlle calmement. C'est une erreur. Je peux tout expliquer.

— Non, tu ne peux pas, répliqua sa mère d'un air outré. Ils ne se trompent pas sur ces choses-là. Ne me dis pas que tu as couché avec les Allemands pendant que je souffrais dans mon lit ?

— Je n'ai couché avec personne. Je suis encore vierge.

— Tu mens ! Tu nous as déshonorées, Gaëlle ! Comment allons-nous regarder les gens en face, maintenant qu'ils savent ce que tu es ? Tu as vu ta tête ? cria-t-elle.

Gaëlle sentit ses yeux s'emplir de larmes. Sa mère était trop hystérique pour l'écouter. Elle ne voyait que ses cheveux rasés.

Elle quitta la chambre en silence et alla retrouver Apolline à la cuisine.

— Je n'ai rien fait de mal. Je te le jure, lui dit-elle.

La gouvernante resta de marbre.

— Je ne te crois pas, et tout le monde pense comme moi. Tu t'es vendue pour quelques morceaux de pain.

Certaines femmes en étaient arrivées là, mais pas Gaëlle. Et si elle avait été réduite à cette extrémité, elle l'aurait fait pour sa mère.

— Tu as couché avec l'ennemi, insista Apolline. Personne ne l'oubliera jamais, ici. Tu t'es salie pour toujours. Tu es la honte de tes parents, de ta famille, et de tous ceux qui t'ont connue.

Gaëlle sut à cet instant que ces paroles la marqueraient à jamais, au même titre que la disparition de Rebecca et le meurtre de son père par les Allemands.

Quand elle remonta voir sa mère, elle la trouva tournée vers le mur. Agathe refusait de s'alimenter. Pendant trois semaines, elle n'avala rien d'autre que ses somnifères, quelques bouchées de pain et un peu d'eau. Trop faible pour parler, elle se contentait de regarder Gaëlle avec un mélange de haine et de honte chaque fois que celle-ci lui rendait visite. Gaëlle dut renoncer à lui révéler la vérité sur les peintures et les enfants juifs qu'elle avait cachés. Elle fit venir le médecin, qui se déclara impuissant : il ne pouvait pas obliger Agathe à se nourrir. À force de s'affamer et de ne jamais quitter le lit, cette dernière contracta une pneumonie. Un jour, alors qu'elle la veillait, Gaëlle voulut lui prendre la main, mais sa mère se dégagea aussitôt. La pauvre femme reniait sa propre fille, qu'elle considérait comme une traîtresse ; il n'y avait rien de pire à ses yeux après plusieurs années d'occupation allemande. Plus tard dans la journée, Gaëlle l'entendit murmurer le prénom de son mari, et ce fut son dernier souffle. Jamais elle ne s'était remise de la mort de Thomas et de Raphaël. La guerre avait eu raison d'elle.

Gaëlle lui ferma les yeux et remonta doucement le drap. En entrant dans la chambre, Apolline comprit tout de suite ce qui s'était passé.

— Tu as tué ta mère, dit-elle d'un ton glacial.

— Non, c'est la guerre qui l'a tuée, répliqua Gaëlle avec colère. Elle nous a tous tués, toi, moi, mon père, mon frère, ton fils et des milliers d'enfants juifs. Plus personne n'est comme avant. Et je ne suis pas celle que tu crois, Apolline. Mais peu importe ce que tu penses de moi : je sais qui je suis.

Deux jours plus tard, Gaëlle enterra sa mère – sans Apolline, à qui elle avait interdit d'assister aux funérailles. Elle souhaitait pouvoir se recueillir en paix. À dix-neuf ans, elle estimait avoir déjà traversé assez d'épreuves.

— Tu peux partir, maintenant, annonça-t-elle à Apolline en revenant du cimetière.

La vieille servante la dévisagea, choquée.

— Partir ? J'ai travaillé ici toute ma vie !

Gaëlle ne se laissa pas attendrir par son regard suppliant. Elle n'éprouvait aucune pitié pour elle.

— Tu aurais dû y penser avant de me dénoncer, de me jeter des ordures, et de m'accuser d'avoir tué ma mère.

— Mais tu... Je t'ai vue ! Tu allais dans la chambre du commandant presque tous les soirs...

— Oui, je suis allée dans sa chambre, mais ce n'était pas pour ce que tu crois. De toute façon, je ferme le château. Je n'ai plus rien à faire ici.

L'idée de rester dans ce village où on l'avait traînée dans la boue lui était insupportable.

— Où vas-tu aller ? lui demanda Apolline.

— Je ne sais pas encore. Je trouverai. Maintenant, fais tes valises et va-t'en.

Apolline n'insista pas. Elle continuait de croire qu'elle avait fait son devoir en dénonçant la jeune fille ; néanmoins, elle n'avait pas réfléchi aux conséquences que cela pouvait avoir pour elle. Elle n'avait pas imaginé non plus que la mère de Gaëlle mourrait si tôt, ni que cette dernière quitterait le domaine. Mais Gaëlle n'avait pas le choix. Elle ne pouvait pas continuer à vivre ici après avoir été accusée de collaboration.

Dans l'après-midi, la porte se referma sur Apolline et ses deux valises, mettant fin à vingt-cinq années de bons et loyaux services. La gouvernante, qui devait rejoindre sa sœur à Bordeaux, savait qu'elle ne reverrait plus jamais la jeune femme ni le château de Mouton-Barbet. Après son départ, Gaëlle s'assit dans le salon et pleura toutes les larmes de son corps. Cette fois-ci, elle était vraiment seule.

Il lui fallut attendre un mois pour que ses cheveux atteignent une longueur présentable. Ils étaient encore très courts, et tout le monde devinait pourquoi, mais elle les arrangeait au fur et à mesure le plus joliment possible. Malgré tout ce qui lui était arrivé, Gaëlle restait une très belle fille. Elle avait la résilience de la jeunesse.

Elle passa plusieurs heures dans la cabane à caser dans trois valises les quarante-neuf toiles roulées dans du papier de soie puis dans des linges propres en coton. On était fin octobre, l'air commençait à fraîchir. Gaëlle ne voulait pas assumer plus longtemps la responsabilité de tous ces chefs-d'œuvre.

Dans deux autres bagages, elle fourra sa maigre garde-robe et l'argent que son père lui avait laissé. Elle en avait assez pour tenir quelques semaines à Paris ; après cela, elle ignorait ce qu'elle ferait. Peut-être qu'Apolline avait raison, et qu'elle finirait par se prostituer... Non, elle n'en viendrait jamais là, mais il lui faudrait trouver un travail quelque part. Une chose était certaine : elle ne voulait pas rester dans son village, où elle était en disgrâce.

Un jour, peut-être, elle reviendrait au château. Ou bien elle le vendrait... En attendant, elle couvrit tous les meubles et les portraits de famille de housses de protection, puis demanda à un fermier de passer de temps en temps pour vérifier qu'il n'y avait rien de cassé, rien qui fuyait. Enfin, Gaëlle referma la porte derrière elle.

Elle prit le train jusqu'à Paris avec ses cinq valises. Arrivée en gare de Lyon, elle demanda à un taxi de la conduire à un hôtel bon marché à Saint-Germain-des-Prés. Là, depuis le téléphone du hall, elle appela le Louvre. Ne sachant pas comment procéder ni à qui s'adresser, elle sollicita un rendez-vous avec un des conservateurs du musée. On lui répondit de se présenter à l'accueil le lendemain. Le soir, quand elle voulut dîner dans un bistrot du quartier, elle s'aperçut que les clients la regardaient fixement. Des soldats américains se mirent à la railler, à lui faire des propositions indécentes. Pour eux, les cheveux courts étaient synonymes de femme facile, prête à coucher avec n'importe quel type en uniforme. Gaëlle rentra à l'hôtel en larmes.

Lorsqu'elle se rendit au Louvre le jour suivant avec ses trois valises, on la dirigea vers le bureau d'une jeune femme qui n'était que secrétaire. Cela ne la surprit pas : ils n'avaient aucune raison de penser que cette rencontre revêtait une quelconque importance. Néanmoins, elle tenait à être sûre qu'elle remettait les toiles à la bonne personne.

— Que puis-je pour vous ? lui demanda froidement l'employée.

Elle aussi avait remarqué les cheveux courts de Gaëlle. Comme tout le monde. Ces temps-ci, aucune Française n'avait envie d'être vue avec une coupe à la garçonne. Il fallait montrer au contraire qu'on avait les cheveux bien longs. Qu'on était restée fidèle à son pays.

— J'ai ici des peintures qui m'ont été remises par un officier allemand, commença Gaëlle d'une voix hésitante. C'était le commandant en poste dans ma région, près de Lyon. Un de ses amis lui avait envoyé ces toiles pour les soustraire aux mains des officiers qui les avaient volées en premier lieu. Avant que les troupes allemandes ne se retirent, le commandant me les a confiées et m'a demandé de les rapporter au Louvre. Ce que je fais aujourd'hui.

Même à ses propres oreilles, l'histoire semblait invraisemblable. C'était pourtant la vérité, qu'elle avait tenté de présenter le plus simplement possible.

— Hum, répondit la jeune secrétaire d'un ton dédaigneux. Vous n'avez qu'à me les laisser.

— Je suis navrée, mais ce sont des œuvres d'une très grande valeur, insista Gaëlle. Pourriez-vous appeler un conservateur, s'il vous plaît ?

Dans un premier temps, l'employée se contenta de la regarder avec condescendance. Puis, voyant que Gaëlle ne bougeait pas, elle se décida à décrocher son téléphone et expliqua à son interlocuteur qu'elle avait en face d'elle une femme qui prétendait posséder des peintures volées par les Allemands. Il y eut une pause – à l'autre bout du fil, la personne lui répondait qu'il s'agissait sans doute de contrefaçons.

— Elle ne veut pas partir tant que vous ne les aurez pas vues.

Une autre pause, puis la secrétaire raccrocha et lança un regard noir à Gaëlle. Pourvu qu'ils ne l'accusent pas de les avoir volées elle-même, songeait celle-ci nerveusement...

Cinq minutes plus tard, une femme aux cheveux gris pénétra d'un pas autoritaire dans le bureau.

— Qu'est-ce que c'est que cette histoire ? Où avez-vous trouvé ces toiles ?

Gaëlle reprit son explication en détail. Sa façon de s'exprimer, tout en retenue, incita la conservatrice à la croire. Après tout, il s'était passé des choses étranges durant l'Occupation.

— Voulez-vous les voir ? s'enquit Gaëlle.

La femme acquiesça, de plus en plus intriguée. Gaëlle déballa un des petits Renoir et le déroula délicatement sur le bureau. Suivirent un Degas et un Monet, puis tous les autres – quarante-neuf toiles en tout, comme elle l'avait annoncé. La conservatrice n'en croyait pas ses yeux. Elle appela par téléphone un de leurs spécialistes en contrefaçons, lequel arriva quelques minutes plus tard pour examiner les tableaux.

— Ce sont des vrais, déclara-t-il avec stupéfaction. Cela ne fait aucun doute.

La conservatrice se tourna vers Gaëlle.

— Savez-vous d'où ces toiles proviennent ? À qui les Allemands les ont-ils volées ?

— À des musées, peut-être à des familles juives... Je n'en ai aucune idée, répondit honnêtement la jeune femme. Tout ce que je sais, c'est que le commandant et son ami voulaient éviter que ces chefs-d'œuvre partent en Allemagne. L'officier me les a fait passer en les dissimulant dans des baguettes de pain, et il m'a demandé de vous les apporter une fois la guerre terminée. Je les ai cachés, et maintenant je vous les remets, comme promis.

Elle lui indiqua le nom et le rang du commandant, ainsi qu'il le lui avait conseillé ; elle précisa qu'il avait réquisitionné le château de sa famille pendant l'Occupation.

— Était-ce un ami, pour vous ? demanda la conservatrice, cherchant à comprendre l'origine de ses cheveux courts.

— Non, pas du tout. J'ai été très surprise qu'il me soumette cette requête.

Gaëlle n'avait rien à cacher. Cependant, son interlocutrice restait méfiante. L'histoire était tellement incroyable !

— Vous n'êtes pas en train d'essayer de nous les vendre ? s'enquit-elle.

Gaëlle parut choquée.

— Bien sûr que non. Par contre, je vous le répète, je ne sais pas à qui appartiennent ces toiles. Le commandant m'a dit que vous le sauriez, vous.

— Ça, je n'en suis pas aussi sûre, mais on parviendra peut-être à retrouver certains propriétaires. Pouvez-vous nous laisser votre nom ? demanda la conservatrice d'un ton nettement plus aimable.

Par une chance extraordinaire, cette jeune femme venait de leur apporter quarante-neuf toiles de maîtres... Cela tenait du miracle.

Gaëlle nota son nom, l'adresse de son hôtel et celle du château.

— Je ne sais pas où je serai si vous essayez de me contacter, dit-elle. Mes deux parents sont morts, mon frère aussi. Je suis venue à Paris pour essayer de trouver du travail. J'ignore combien de temps je resterai à l'hôtel, mais vous pouvez toujours m'écrire au château de Mouton-Barbet. Votre lettre finira bien par me parvenir.

Dès qu'elle serait installée, Gaëlle demanderait au fermier de lui faire suivre son courrier – même si elle n'attendait de nouvelles de personne.

La conservatrice lui serra la main.

— Je ne sais comment vous remercier, mademoiselle. Cette situation est pour le moins inhabituelle.

— Comme beaucoup de choses en temps de guerre, répondit Gaëlle. Je suis heureuse d'avoir réussi à vous confier ces toiles.

— C'est très honorable de la part de ces deux officiers, et de la vôtre, d'avoir fait en sorte qu'elles nous reviennent.

D'autres auraient été tentés de les vendre, mais jamais Gaëlle n'aurait trahi sa promesse.

La conservatrice griffonna un nom et une adresse sur une carte de visite et la lui tendit.

— Qu'est-ce que c'est ?

— Un travail, peut-être, répondit la femme en souriant.

Elle avait des enfants de l'âge de Gaëlle. Cette pauvre petite paraissait tellement innocente, tellement perdue... Après son départ, la conservatrice du musée se tourna vers la secrétaire.

— La prochaine fois qu'une personne vient vous voir avec quarante-neuf chefs-d'œuvre dans sa valise, inutile d'essayer de vous en débarrasser : appelez-moi tout de suite.

— Entendu, répondit la jeune fille nerveusement.

Mais qui aurait pu croire que ces toiles étaient authentiques ? De son côté, Gaëlle avait le sourire en ressortant du Louvre. Le commandant pouvait être satisfait : les peintures avaient été remises entre de bonnes mains. Restait à espérer que celles qui avaient été volées à des particuliers leur seraient bientôt rendues.

Gaëlle entreprit ensuite une autre démarche qui lui tenait à cœur : elle se rendit au bureau de la Croix-

Rouge, dont elle s'était procuré l'adresse le matin à l'hôtel. À son arrivée, la salle grouillait de gens qui cherchaient à localiser leurs proches en Europe. Gaëlle dut patienter deux heures avant d'être reçue. Mais elle avait déjà attendu deux ans et demi. À présent, elle voulait des réponses.

Elle indiqua à la bénévole de l'association les noms de tous les membres de la famille Feldmann, la date à laquelle ils avaient été internés en France, et celle de leur déportation en Allemagne ou ailleurs. La dame nota soigneusement toutes ces informations, puis regarda Gaëlle avec compassion.

— Vous êtes bien consciente, mademoiselle, qu'ils ne sont peut-être plus en vie aujourd'hui ? dit-elle d'une voix douce. Très peu de personnes ont survécu aux camps.

Depuis que les Soviétiques avaient délivré les prisonniers du camp de Majdanek en juillet, les libérations s'enchaînaient. On découvrait une réalité choquante, inhumaine, bouleversante. Gaëlle pleurait chaque fois qu'elle voyait les photographies des survivants squelettiques.

— Je veux savoir ce qui leur est arrivé, dit-elle d'un ton résolu. Rebecca se trouvait peut-être dans un des camps qu'ils viennent de libérer, et il se peut qu'elle soit trop faible pour rentrer en France. Si elle est encore vivante, je veux aller la chercher.

— Je comprends, répondit la bénévole.

Elle lui conseilla de revenir trois semaines plus tard, ce qui parut bien long à Gaëlle. Mais celle-ci était prête à attendre. Au moment de son arrestation, Rebecca était jeune et en bonne santé. Peut-être faisait-elle partie des rescapés ? Gaëlle refusait de croire qu'elle était morte. Ils finiraient par la retrouver, elle en était convaincue.

Elle rentra à l'hôtel épuisée. La journée avait été riche en émotions... Malgré sa faim, elle n'eut aucune envie d'aller dîner dans un restaurant, où elle risquait de se faire importuner. Elle se coucha donc sans manger et sombra rapidement dans le sommeil.

En se réveillant le lendemain, Gaëlle était affamée et décida de tenter sa chance dans un autre bistrot. Elle portait une jupe noire ordinaire, une veste de la même couleur qui avait appartenu à sa mère et lui donnait l'air très sérieuse, et des chaussures plates – elle était suffisamment grande pour se passer de talons. Alors qu'elle savourait son café au lait et ses deux croissants, elle repensa à la carte de visite que la conservatrice du Louvre lui avait donnée. Le travail dont elle lui avait parlé était sans doute un poste de secrétaire ou de serveuse, ou un petit boulot dans une galerie d'art... Gaëlle n'avait aucune expérience ni aucune formation dans ces domaines, mais il fallait absolument qu'elle décroche un emploi avant de manquer d'argent. Elle extirpa le bristol de sa poche : le nom griffonné, Lucien Lelong, ne lui disait rien. Après avoir acheté un plan de la ville dans un kiosque à journaux, elle se rendit à pied à l'adresse indiquée, celle d'un petit immeuble élégant sur lequel un panonceau discret annonçait « Lelong ». Deux femmes bien habillées en sortirent à l'instant où Gaëlle arrivait. Elle les regarda s'éloigner, admirative, puis se décida à appuyer sur la sonnette.

Un homme en costume sombre lui ouvrit la porte. Il la regarda de la tête aux pieds, l'air surpris, et lui demanda si elle avait rendez-vous. Derrière lui, Gaëlle distinguait une vaste salle de réception. Quel était donc cet endroit, qui ressemblait davantage à une maison qu'à une entreprise ? À croire que la conservatrice du musée l'avait orientée sur un poste de domestique... Néanmoins, elle était prête à accepter n'importe quoi, pourvu que ce soit légal et qu'il ne soit pas question de prostitution.

— Je suis là pour un travail, répondit-elle avec un aplomb qui l'étonna elle-même.

L'homme sourit, puis la conduisit dans un petit salon, où il lui demanda de patienter. La pièce était sobrement décorée de meubles blancs tapissés de soie grise. Sur les murs, des dessins de robes de soirée et des photographies de défilés de mode datant d'avant la guerre. Gaëlle se demanda si elle se trouvait dans une sorte de magasin. Si oui, elle n'en avait jamais vu de pareil.

Elle s'interrogeait toujours lorsque l'homme reparut, accompagné d'une femme blonde, grande et mince, qu'il lui présenta sous le nom de « Madame Cécile ». Cette dernière avait un visage magnifique et une allure très sévère. Coiffée d'un chignon serré, elle portait un tailleur noir ajusté, dont la jupe s'arrêtait sous le genou comme le voulait la mode du moment. Le tissu ayant été rationné pendant la guerre, on avait adopté par mesure d'économie des coupes plus courtes et plus près du corps. Madame Cécile considéra avec étonnement les cheveux courts de Gaëlle. Ils donnaient à la jeune femme un petit air garçonne, sans rien enlever à sa beauté.

L'homme au costume s'éclipsa, laissant les deux femmes seules. Madame Cécile prit le temps d'examiner Gaëlle sous toutes les coutures, en s'attardant notamment sur sa tenue, que la jeune fille semblait avoir héritée de sa grand-mère.

— Alors comme ça, vous cherchez du travail ? s'enquit-elle. Comme vendeuse ?

— Oui, par exemple, répondit Gaëlle dans un souffle.

Vendeuse, pourquoi pas, mais pour vendre quoi ? songea-t-elle. Il n'y avait rien à acheter, ici. Et transporter des enfants juifs pour l'OSE lui avait semblé moins effrayant que de subir le regard scrutateur de cette dame blonde au tailleur chic. Celle-ci observait chacun de ses gestes, comme si elle y attachait une importance cruciale... Gaëlle ne connaissait rien à la mode, mais elle devinait, à son assurance et à son port de tête gracieux, que cette femme avait du style. De son côté, elle n'avait jamais été particulièrement attentive à sa toilette. Sa mère s'était toujours habillée très simplement chez une couturière du village. Mme Feldmann, en revanche, était bien plus attirée par les beaux vêtements. Gaëlle se rappelait qu'elle se rendait régulièrement à Paris pour faire les magasins.

— Pourriez-vous traverser la pièce devant moi ? demanda Madame Cécile d'un ton autoritaire.

Quand Gaëlle s'exécuta, elle fronça les sourcils.

— Recommencez, je vous prie. Mais cette fois-ci, redressez-vous, et regardez droit devant vous.

Gaëlle traversa de nouveau la petite pièce. Elle ne voyait toujours pas de quoi il retournait : quel genre de travail allait-on lui proposer, qu'était-elle censée vendre ? Madame Cécile opina, l'air satisfaite.

— Voilà qui est mieux, mademoiselle. Vous auriez eu du succès, avant la guerre, souligna-t-elle mystérieusement. Nous n'organisons plus de défilés de mode depuis l'Occupation, mais nous fabriquons toujours des modèles, que nous présentons à nos clients sur des mannequins vivants.

Les cheveux courts de Gaëlle ne la choquaient pas : ces quatre dernières années, la maison avait confectionné des vêtements pour les épouses des officiers allemands tout autant que pour leurs riches clientes françaises. En outre, ils avaient vu leur lot de crânes tondus, à Paris.

— Venez avec moi, dit-elle à Gaëlle.

Elle l'entraîna dans un couloir et l'invita à pénétrer dans une salle où des femmes en blouses blanches s'affairaient à découper des tissus sur de longues tables et à enfiler des vêtements sur des mannequins. La plupart cousaient à la main. Malgré le rationnement, les ouvrières ne semblaient pas manquer de matière première.

— C'est le magasin ? demanda Gaëlle, les yeux écarquillés.

— Non, ma chère, répondit Madame Cécile en souriant de sa candeur. C'est l'atelier. M. Lelong crée des vêtements haute couture.

Lucien Lelong comptait parmi les plus grands créateurs de Paris – à l'époque, seule Coco Chanel lui faisait de l'ombre. Cette dernière avait vu ses affaires prospérer grâce aux liens étroits entretenus avec le Haut Commandement allemand. Lelong avait montré davantage de retenue, même s'il avait lui aussi habillé les femmes de l'ennemi.

Gaëlle regardait autour d'elle, fascinée par l'effervescence qui régnait dans la pièce et par la beauté des modèles terminés. C'est alors qu'un jeune homme à la taille élancée fit son apparition. Soudain, les ouvrières semblèrent redoubler d'activité. Madame Cécile présenta l'inconnu à Gaëlle : il s'agissait de Christian

Dior, le modéliste vedette de Lucien Lelong. Durant toute l'Occupation, il avait transmis aux résistants des informations glanées auprès de ses clients allemands. Cela avait fait de lui un héros, à l'inverse de Coco Chanel, laquelle avait non seulement été accusée de collaboration mais aussi suspectée d'avoir joué le rôle d'agent au service de l'Allemagne nazie ; elle avait d'ailleurs fui la France pour la Suisse à la libération de Paris. La sœur de Dior, Catherine, membre actif de la Résistance, avait été arrêtée par la Gestapo et envoyée en camp de concentration. Christian espérait qu'elle serait bientôt libérée.

— Que penses-tu d'elle ? lui demanda Cécile à voix basse.

Gaëlle s'était éloignée pour échanger quelques mots avec des couturières occupées à broder à la main une robe de soirée. Christian Dior travaillait sur la collection de printemps et craignait de ne pouvoir satisfaire toutes les demandes de leurs clients, par manque de matière première.

Il observa Gaëlle de plus près.

— Jolie fille, commenta-t-il. Très belle, en fait. J'aurais bien aimé l'avoir pour nos défilés, avant la guerre.

Cécile était persuadée qu'ils en organiseraient à nouveau dès que les tissus ne seraient plus rationnés.

— On a besoin d'elle ? s'enquit Christian.

— Pour l'instant, pas autant qu'elle a besoin de nous, répondit Cécile. J'ai discuté avec elle : elle est originaire de Lyon et a perdu toute sa famille pendant la guerre. Sa mère, son père et son frère. Elle est venue à Paris pour trouver du travail. Elle est très jeune : elle n'a que dix-neuf ans.

— On peut l'embaucher pour présenter les modèles, suggéra pensivement Christian. Non seulement elle est belle, mais en plus elle a l'air sympathique. Tu lui apprendras à marcher et à mettre les vêtements en valeur. J'aime bien son élégance et son aisance naturelles.

Il plissa les yeux, comme pour mieux évaluer la jeune femme.

— Ça sera notre B.A. du jour, conclut-il avec un sourire.

Puis il remarqua les cheveux de Gaëlle.

— Elle a collaboré ? chuchota-t-il, les sourcils froncés.

— Elle dit que non. Je ne sais pas pourquoi, mais je la crois, même si, visiblement, les gens de son village ne partagent pas cet avis...

Le jeune homme observait toujours Gaëlle.

— J'ai envie de penser qu'elle dit la vérité, déclara-t-il.

— Oui. Moi aussi.

Gaëlle avait quelque chose d'innocent. On devinait chez elle un grand sens moral et un sang-froid étonnant pour son âge, qui lui venait sans doute de la guerre.

— Pourquoi ne pas la faire commencer tout de suite ? proposa-t-il. J'ai deux nouvelles clientes qui doivent repasser cette semaine. Elles n'ont encore jamais rien acheté. Un visage neuf, ça peut rendre les tenues plus attrayantes.

Cécile acquiesça. Quelques instants plus tard, alors que Christian Dior quittait l'atelier, elle convia Gaëlle dans son bureau.

— Si cela vous intéresse, vous débutez demain, lui annonça-t-elle. Comme modèle, bien sûr... Vous avez de la chance, M. Dior vous aime bien – c'est essentiel pour travailler ici. Cependant, vous avez beaucoup à apprendre : comment vous déplacer, comment présenter les vêtements sous leur meilleur jour... Une chose, précisa-t-elle sévèrement : vous ne devez *jamais* parler à un client, à moins qu'il ne vous ait adressé la parole directement. Où logez-vous ?

— À l'hôtel, mais je ne pourrai pas y rester longtemps, répondit Gaëlle. Il faut que je trouve une chambre.

Malgré son inquiétude à ce sujet, elle peinait à contenir sa joie. Cet emploi, c'était comme un rêve qui devenait réalité !

— Nous avons un appartement pour les mannequins, l'informa Madame Cécile. Vous le partagerez avec quatre autres jeunes filles. On attend de vous que vous vous comportiez correctement et que vous fassiez l'effort de bien vous entendre.

Elle parlait comme une institutrice – d'ailleurs, parfois, elle avait tout à fait l'impression de tenir ce rôle. Gaëlle la dévisagea, incrédule.

— Combien cela me coûtera-t-il ? s'enquit-elle.

— Rien du tout, ma chère. C'est gratuit, puisque vous travaillez pour M. Dior.

Gaëlle la remercia, les yeux brillants de larmes. Elle allait être mannequin de haute couture ! En sortant de l'immeuble, elle repassa devant l'homme qui l'avait accueillie – le portier, en fait – et lui glissa qu'elle avait été prise. Il leva le pouce en l'air, un grand sourire aux lèvres. Gaëlle avait l'impression de marcher sur un nuage lorsqu'elle rentra à l'hôtel. Là, elle appela la conservatrice du Louvre qui lui avait donné l'adresse de Lucien Lelong et lui présenta ses remerciements. La dame parut heureuse pour elle.

Le soir, en faisant ses valises, Gaëlle songea à la chance qu'elle avait de se voir offrir une nouvelle vie. Il lui manquait juste quelqu'un à qui se confier... Rebecca aurait été tellement enthousiaste ! Mais Gaëlle n'avait plus d'amis, plus de famille. Les seules personnes à qui elle pouvait parler étaient le portier de Lucien Lelong et le réceptionniste de l'hôtel, lequel, très occupé, se fichait d'elle comme d'une guigne. Peu importait : elle avait trouvé un travail et un appartement, c'était là l'essentiel. Ses parents auraient été fiers d'elle – du moins l'espérait-elle.

7

Le lendemain, Gaëlle se leva à l'aube. Elle ne savait pas ce que ce premier jour de travail lui réservait, et cela la rendait nerveuse. Elle enfila une jupe plissée grise qu'elle portait déjà au lycée, un pull-over assorti, ses chaussures plates et la veste noire de sa mère. Elle ne se maquillait jamais. Quant à sa coiffure, il n'y avait pas grand-chose à faire...

Elle se présenta chez Lucien Lelong avec ses deux valises, qu'elle déposa dans le vestiaire des mannequins. Les autres filles n'étaient pas encore arrivées. Gaëlle appréhendait de les rencontrer, même si, d'après Madame Cécile, elles étaient toutes très gentilles. À sa grande surprise, cette dernière l'envoya chez le coiffeur.

— Vous voulez que j'aie les cheveux encore plus courts ? demanda-t-elle.

— Non, juste un peu mieux coupés, répondit Cécile en riant.

Elle avait déjà expliqué au coiffeur ce que Christian Dior désirait : une coupe élégante qui ait l'air intentionnelle plutôt que l'œuvre de villageois enragés.

Gaëlle se sentit intimidée lorsqu'elle poussa la porte de la boutique du coiffeur. Un endroit très chic… En quelques coups de ciseaux habiles, le professionnel réussit à obtenir un résultat saisissant : les cheveux courts de Gaëlle étaient désormais un look assumé, et non plus la marque de sa disgrâce. À son retour, Madame Cécile lui présenta les autres mannequins. Tout excitées de faire sa connaissance, celles-ci la complimentèrent sur sa coiffure, qu'elles adoraient. Gaëlle eut l'impression de se retrouver à l'école tandis qu'elles riaient et se taquinaient dans le vestiaire. Ses comparses avaient entre dix-huit et vingt-deux ans et semblaient bien insouciantes. Ce matin-là, aucune présentation n'était prévue.

Elles déjeunèrent ensemble dans un bistrot du quartier. Et l'après-midi, tandis que les autres jeunes femmes défilaient devant les clients, Cécile montra à Gaëlle comment marcher, quelles poses adopter, et comment donner de l'allure aux créations de Christian Dior.

Le soir, Gaëlle se rendit avec ses nouvelles collègues à l'appartement qu'elles allaient partager. Élodie, une fille de Marseille, l'aida à porter ses valises jusqu'au petit immeuble cossu. Leur logement, spacieux, comportait cinq chambres ; Gaëlle récupéra celle qui était inoccupée – autrement dit, la plus petite. La pièce restait néanmoins plus grande que celle où elle avait vécu ces quatre dernières années, au château de Mouton-Barbet. À peine avait-elle déballé ses affaires qu'Ivy déboucha une bouteille de champagne pour fêter son arrivée. D'origine britannique, Ivy lui avait raconté pendant le déjeuner qu'elle avait perdu ses parents et sa petite sœur lors d'un bombardement à Londres ; son petit ami, pilote de la Royal Air Force, avait été tué peu après. Comme Gaëlle, elle avait payé un lourd tribut à la guerre et se retrouvait seule au monde.

La jeune femme lui avait déjà proposé de s'entraîner à parler anglais avec elle pour pouvoir, au besoin, échanger quelques mots avec leurs clients américains. Bien qu'elle eût étudié cette langue au lycée, Gaëlle ne l'avait pas pratiquée depuis plusieurs années, et ses connaissances restaient très limitées.

Ce soir-là, Marie, la plus âgée du groupe – qui jouait un peu le rôle de chaperon –, inspecta la garde-robe de Gaëlle et lui donna des conseils sur les tenues qu'elle pouvait porter au travail. La maison Lelong finirait par l'habiller, mais, en attendant, elle devait être aussi élégante que possible avec ce qu'elle possédait.

— J'imagine que tout ce que je possède est très démodé, commenta Gaëlle, gênée.

Ses nouvelles amies étaient tellement sophistiquées ! Tandis qu'elle n'avait que ses anciens habits d'école et quelques vêtements de sa mère... Elle n'avait rien porté de neuf depuis ses quatorze ans...

— Ne t'en fais pas pour ça, répondit Élodie, qui venait de passer la tête par l'entrebâillement de la porte. Je pourrai te prêter des affaires.

Au bout du compte, c'est ce qu'elles firent toutes. Gaëlle en fut touchée. C'était la première fois depuis la disparition de Rebecca qu'elle fréquentait des personnes de son âge. Elle n'avait jamais connu de filles aussi amusantes. Et la vie à Paris était si excitante ! Elles sortaient beaucoup, sauf Marie, qui avait un amoureux et espérait se fiancer dès qu'ils auraient économisé assez d'argent. Étudiant en droit avant la guerre, il avait fait partie de la Résistance à Paris et était aujourd'hui chauffeur de taxi. M. Dior avait repéré Marie dans le café où elle travaillait auparavant comme serveuse. Frappé par sa beauté, il l'avait aussitôt engagée comme mannequin. En réalité, les filles s'étaient toutes retrouvées dans ce métier par hasard, et elles se sentaient privilégiées de pouvoir l'exercer. D'une part, cela payait bien, et de l'autre, M. Dior était unanimement loué pour sa gentillesse.

Aucune, cependant, ne pensait continuer très longtemps dans le mannequinat. Élodie comptait reprendre ses études, Ivy espérait rentrer en Angleterre, et Marie voulait se marier et faire des bébés. Quant à Juana, originaire du Brésil, elle souhaitait également retourner dans son pays natal ; sa famille, nombreuse, lui manquait. C'était une fille timide, qui se destinait au métier d'infirmière. De son côté, Gaëlle ne savait pas ce qu'elle voulait, à part fuir son village et les malheurs qu'elle y avait vécus. Elle était incapable de se projeter dans l'avenir, d'imaginer à quoi sa vie ressemblerait et avec qui elle la passerait. Pour l'heure, travailler pour Christian Dior suffisait à son bonheur. Cela faisait des années qu'elle ne s'était pas autant amusée ni sentie aussi bien accueillie. Elle s'entendait parfaitement avec ses colocataires. Elles se partageaient les tâches ménagères, et Gaëlle était heureuse de faire sa part du travail. C'était tellement agréable de ne plus vivre sous le même toit que l'occupant ! En revanche, les uniformes ne manquaient pas dans les rues. Ceux des soldats français ou alliés, qui flirtaient avec les Parisiennes...

Deux jours après son arrivée, Gaëlle participa à sa première séance photo. Madame Cécile lui expliqua comment poser, puis on la maquilla et lui fit enfiler une série de tenues splendides, qui lui allaient toutes très bien. Christian Dior vint en personne, fit quelques commentaires, puis quitta le studio.

113

Ed Thompson, le photographe, était américain ; il venait juste de quitter l'armée après avoir été posté pendant presque toute la durée de la guerre à Washington, où il avait eu pour mission de photographier des chefs militaires pour le service des relations publiques. Les histoires qu'il avait entendues à propos des combats en Europe lui avaient fait prendre conscience de sa chance. Dans certaines zones, les belligérants continuaient de se battre. Hitler essayait d'occuper l'Italie pour repousser les Alliés, et les Français tentaient toujours de reprendre Strasbourg. Si la vie à Paris s'était améliorée depuis la Libération, la guerre était loin d'être terminée.

D'après les autres modèles, Ed était un photographe réputé ; elles aimaient toutes travailler avec lui. À la fin de la séance, il confia à Gaëlle qu'il avait pris plaisir à la photographier.

— Vous serez célèbre, un jour, prophétisa-t-il. Vous devriez essayer de travailler à New York.

— Je viens d'arriver ici, et ça me plaît beaucoup, répondit-elle avec un ravissement enfantin.

Ed ne put s'empêcher de rire. La jeune fille parlait un anglais correct, quoique hésitant.

— Ce n'est pas un métier facile, mais vous commencez dans une maison fantastique, souligna Ed. Vous ne pouviez rêver mieux.

En l'entendant prononcer ces mots, Gaëlle prit encore plus conscience de sa chance. Cela ne faisait pas une semaine qu'elle se trouvait à Paris et déjà elle avait un travail, un superbe appartement et quatre nouvelles amies. C'était incroyable... Son existence avait changé du tout au tout depuis qu'elle avait quitté son village. La guerre serait bientôt finie, Paris était libre... Il lui tardait de découvrir ce que lui réservait cette deuxième vie placée sous le signe du glamour. Subitement, elle eut l'impression qu'une volée d'anges gardiens veillaient sur elle, avec parmi eux Madame Cécile, Christian Dior et ses quatre colocataires.

Ce soir-là, le photographe, Ivy et Élodie emmenèrent Gaëlle boire un verre au bar du Ritz. Élodie lui raconta que ce somptueux hôtel avait été réquisitionné pendant l'Occupation par les officiers allemands, et que Coco Chanel avait été la seule civile autorisée à y séjourner. Cette dernière, qui connaissait tout le beau monde parisien, avait fermé sa maison de couture au début de la guerre. Farouchement antisémite, elle s'était liée d'amitié avec l'élite de la SS – Göring, Himmler, Goebbels – grâce à la relation amoureuse qu'elle entretenait avec le baron Hans Günther von Dincklage. Coco Chanel avait tenté de prendre le contrôle des parfums Chanel en soulignant que les propriétaires du groupe, les frères Wertheimer, étaient juifs et qu'ils n'avaient donc plus le droit de posséder une entreprise. Cependant, dès le mois de mai 1940, ceux-ci avaient pris soin de protéger leurs affaires en cédant la marque à leur ami Félix Amiot, un chrétien... Malgré son coup raté, Coco Chanel était devenue l'une des femmes les plus riches de France grâce à ses parts dans la société, et avait été la coqueluche de Paris pendant l'Occupation. À travers son engagement dans la Résistance, Christian Dior se plaçait à l'autre bout du spectre, et n'en était que plus respecté.

Alors que les trois filles bavardaient avec Ed au bar du Ritz, un bel officier américain vint s'asseoir à la table voisine. Comme il paraissait avoir bien du mal à détacher son regard des jeunes modèles, Ed lui proposa de se joindre à eux – non sans avoir au préalable demandé la permission à ses amies. Ivy et lui se présentèrent naturellement en anglais, mais, par chance pour Gaëlle et Élodie, le militaire parlait étonnamment bien le français. Il s'appelait Billy Jones et était originaire de Houston, au Texas. Une semaine plus tôt, il avait été libéré d'un camp de prisonniers de guerre en Allemagne. C'est là, au cours de ses deux années de détention, qu'il avait appris le français, auprès de ses codétenus. Il possédait aussi quelques rudiments d'allemand inculqués par les gardes. À deux reprises, Billy avait tenté de s'évader ; chaque fois, il avait été rattrapé.

— Vous devez avoir hâte de rentrer chez vous, observa Ed Thompson après avoir écouté les aventures du Texan. Que faites-vous encore en France ?

Billy Jones rit de bon cœur.

— Je suis là sur invitation du général Eisenhower. Il nous a donné le choix : rentrer chez nous par le prochain vol, ou accepter une « mission spéciale » de deux semaines à Paris, pendant laquelle on est libres de faire ce que l'on veut – ils nous couvrent auprès de nos proches, à la maison. Moi, ma petite amie s'est mariée avec un autre type quand on m'a déclaré disparu au combat. Alors je me suis dit pourquoi pas ! J'ai donc opté pour la « mission spéciale » du général.

Il souriait jusqu'aux oreilles, visiblement ravi de profiter de la compagnie de trois splendides mannequins qui compatissaient à ses malheurs. Il semblait hésiter entre Élodie et Gaëlle, et flirtait avec l'une et l'autre sans distinction.

— Il faudra que je pense à remercier le général, d'ailleurs, plaisanta-t-il tandis qu'Élodie le resservait en champagne.

La petite compagnie était d'humeur joyeuse ; ce soir-là encore plus que les autres, l'atmosphère était à la fête. Ed repartait à New York le lendemain, mais Billy restait encore une semaine à Paris et avait bien l'intention d'en profiter.

Le jour suivant, Gaëlle venait de rentrer du travail quand il appela à l'appartement. Les autres filles faisaient des essayages à l'atelier avec M. Dior. Billy ne sembla pas déçu de tomber sur elle : il l'invita à dîner chez Maxim's. Et quand Gaëlle lui proposa d'en parler à Élodie, il répondit qu'il avait plutôt envie d'être seul avec elle.

Ils passèrent ensemble une belle soirée. Gaëlle s'était excusée auprès d'Élodie, laquelle lui avait donné sa bénédiction. Après dîner, Billy l'emmena danser et tenta de l'embrasser à plusieurs reprises. Gaëlle lui expliqua en toute innocence qu'elle l'aimait beaucoup, mais que, s'ils s'engageaient dans une relation maintenant, elle serait triste de devoir le quitter sans savoir quand elle le reverrait. Elle avait raison, bien sûr. Seulement, ce n'était pas du tout ce que Billy avait en tête. Après avoir passé deux ans dans un camp, il avait envie d'autre chose. Mais Gaëlle n'était pas ce genre de fille...

— Si tu veux vraiment me revoir, insista-t-il, tu n'auras qu'à venir au Texas !

Il avait vidé une bonne partie de la bouteille de champagne à lui tout seul. Et bu beaucoup de vin pendant le repas. Heureusement, il restait amusant et d'agréable compagnie – il se montrait juste un peu trop entreprenant au goût de Gaëlle.

Billy la ramena chez elle à quatre heures du matin, non sans avoir essayé une dernière fois de lui voler un baiser. Elle aurait aimé le garder comme ami, mais elle doutait que leurs chemins se recroisent un jour... Billy comptait quitter l'armée et n'avait pas l'intention de revenir en Europe. Ce n'était pas une fiancée qu'il cherchait, juste un peu de bon temps. Ce qui était compréhensible après ce qu'il avait vécu...

Le lendemain, pendant le petit déjeuner, Gaëlle glissa à Élodie qu'elle devrait sortir avec Billy.

— Ça ne te dérangerait pas ? s'enquit son amie, les yeux brillants.

— Pas du tout.

Quand Billy appela dans l'après-midi, Gaëlle prétendit être occupée ce soir-là et tendit le téléphone à sa colocataire. Celle-ci passa la soirée avec le soldat américain et rentra à six heures du matin. En voyant son air rêveur au réveil, Gaëlle sourit. Billy avait dû obtenir ce qu'il désirait : une nuit inoubliable à Paris, avec une jolie fille dont il se souviendrait jusqu'à la fin de ses jours.

Au bout de quelques semaines chez Lucien Lelong, Gaëlle avait appris les ficelles du métier : comment marcher, poser, se maquiller... Les photographes appréciaient de travailler avec elle. En plus d'être très photogénique, elle se montrait agréable et amusante, et elle faisait ce qu'on lui disait de faire sans affectation. Gaëlle y prenait chaque jour beaucoup de plaisir.

Difficile de croire qu'à peine quelques mois plus tôt elle avait connu les privations, la souffrance et le danger au quotidien. Difficile de croire qu'elle avait risqué sa vie à maintes reprises en transportant des enfants juifs... Aujourd'hui, on lui demandait juste d'être belle – et ce n'était pas difficile avec les vêtements magnifiques qu'on lui faisait porter, avec les coiffeurs et les maquilleurs qui la prenaient en main, avec les bijoux dont on la parait.

Ses amies, qui travaillaient comme modèles depuis quelque temps déjà, furent impressionnées par la vitesse à laquelle Gaëlle s'adaptait. Les cinq colocataires s'entendaient à merveille, à croire qu'elles se connaissaient depuis toujours. Chacune avait son lot d'histoires à raconter ; Gaëlle les écoutait, sans jamais évoquer les événements tragiques qu'elle avait vécus. Elle n'avait aucune envie de parler de l'exécution de son père, de la mort de son frère, du lent déclin de sa mère, de la déportation de sa meilleure amie... Les autres respectaient son silence, devinant que ses souvenirs étaient trop vivaces.

D'une manière générale, les gens ne dissertaient pas sur la guerre : ils voulaient l'oublier. Gaëlle préférait discuter de ce que ses collègues et elle faisaient maintenant, des vêtements qu'elles présentaient aux clients, des séances photo pour les magazines, de la beauté des modèles de Christian Dior. C'était excitant de voir la création en train de se faire : un nouveau style émergeait, avec, toujours, la griffe « Dior », reconnaissable entre toutes.

Au printemps, après six mois passés au service de Lucien Lelong, Gaëlle était l'une des mannequins les plus en vue de Paris. Aussi la maison décida-t-elle de l'envoyer à New York pour faire la couverture de *Vogue*. Ce serait pour le mois de juin. Gaëlle était impatiente... Pour elle, chaque jour ressemblait à une nouvelle aventure.

Depuis la capitulation de l'Allemagne, au mois de mai, l'atmosphère s'était considérablement détendue en France. La guerre en Europe était enfin terminée. Gaëlle était retournée plusieurs fois à la Croix-Rouge. Malheureusement, les bénévoles jusque-là n'avaient rien pu lui apprendre. Puis, un jour de mai, une dame l'appela à l'appartement... Malgré le chaos bureaucratique qui régnait en Allemagne, ils avaient réussi à retrouver la trace des Feldmann ; l'interlocutrice de Gaëlle souhaitait en discuter avec elle en personne.

Était-ce bon ou mauvais signe ? Gaëlle l'ignorait, mais elle espérait de tout son cœur que Rebecca fût encore en vie. Peut-être son amie était-elle en train de se rétablir dans un hôpital allemand...

Elle se rendit au bureau de l'association par une chaude journée de printemps, après le travail. Avec son pantalon noir et sa chemise de soie blanche, Gaëlle était d'une beauté saisissante. Elle avait bien changé depuis sa première visite à la Croix-Rouge. Cependant, dès l'instant où elle prit place en face de la bénévole qui suivait son dossier depuis le début, elle oublia son statut de mannequin et ne pensa plus qu'à Rebecca.

— C'est encore très difficile de réunir des renseignements en Allemagne, expliqua son interlocutrice. Ils ont tenu des registres extrêmement détaillés, mais en ont détruit une grande partie à la libération des camps, si bien qu'il faut se débrouiller avec le bouche-à-oreille. Les rescapés commencent tout juste à revenir. Beaucoup d'entre eux étaient trop malades ou trop faibles pour voyager, et ils ont dû rester dans des hôpitaux sur place, ce qui ne nous a pas aidés à les localiser... Il y a un mois, nous avons reçu des informations concernant les Feldmann, corroborées depuis par deux survivants du même camp. Je crois pouvoir dire que l'on sait ce qui leur est arrivé. Malheureusement, les nouvelles ne sont pas bonnes.

Gaëlle sentit ses mains trembler légèrement.

— Où les ont-ils emmenés ? demanda-t-elle dans un souffle.

— De Chambaran, les Feldmann ont été transférés au camp d'Arandon, en Isère, avant d'être déportés à Auschwitz, répondit sombrement la bénévole.

Ce nom, Gaëlle avait appris à le redouter. Elle avait entendu des histoires et vu des photographies terribles. Aux actualités du cinéma, ils avaient montré la libération du camp par les soldats ; elle avait été obligée de quitter la salle tant les images étaient insoutenables. Les prisonniers ressemblaient à des cadavres. Ils restaient immobiles, en larmes, incapables de croire qu'ils étaient enfin libres. Nombre d'entre eux, trop faibles pour marcher, avaient dû être portés hors du camp.

— Tous les membres de la famille Feldmann sont cités dans le rapport que nous ont envoyé nos collègues de la Croix-Rouge sur place et les bénévoles d'une association de réfugiés avec qui nous travaillons, précisa la dame. Les Feldmann ont été enregistrés le même jour, ce qui signifie qu'ils sont arrivés ensemble, par le même train. M. Feldmann et ses deux fils ont été mis aux travaux forcés dans le camp des hommes, tandis que son épouse et ses deux filles ont rejoint le camp des femmes. Lotte est morte un mois après leur arrivée, sans que l'on sache de quoi.

Gaëlle sentit sa gorge se serrer. Elle avait attendu si longtemps de connaître la vérité… Aujourd'hui, elle voulait savoir, même si cela faisait mal.

— Mme Feldmann et Rebecca ont été exterminées en octobre 1942, continua doucement la bénévole. La plupart des femmes étaient envoyées très vite aux chambres à gaz pour laisser la place aux nouvelles arrivantes. M. Feldmann et les garçons sont morts en janvier 1943.

En entendant ces mots, Gaëlle eut l'impression que le monde s'écroulait autour d'elle. À présent, il n'y avait plus aucun espoir : Rebecca ne reviendrait jamais. Pendant tout ce temps, elle avait prié pour que son amie survive et qu'elles se retrouvent un jour. Mais les Feldmann avaient péri à Auschwitz. Oh, comme elle détestait les Allemands ! Même les enfants qu'elle avait sauvés ne pouvaient compenser la perte de ceux qu'elle avait aimés.

— Je suis désolée, murmura la bénévole. J'aurais aimé vous donner des nouvelles plus heureuses. Tant de gens sont morts là-bas, et si peu ont survécu...

Les Allemands avaient voulu éradiquer tout un peuple.

Gaëlle ressortit du bureau de la Croix-Rouge dans un état second. Alors qu'elle s'avançait dans la rue baignée de soleil, elle repensa à Rebecca, à leur dernière entrevue, et au choc terrible qu'elle avait ressenti en découvrant le camp désert. Depuis ce jour, malgré son inquiétude, elle n'avait pas cessé d'espérer. En réalité, tout était fini depuis longtemps. Rebecca était morte à l'aube de ses dix-huit ans.

Sur le chemin du retour, Gaëlle faillit se faire renverser par un taxi, qui la klaxonna furieusement. Arrivée à l'appartement, elle s'enferma dans sa chambre et ouvrit le tiroir dans lequel elle conservait la petite boîte qu'elle avait emportée à Paris avec elle. Elle en sortit le morceau de ruban bleu, celui qui s'était coincé dans le grillage quand elle l'avait offert à Rebecca. Elle revit son amie nouant le ruban dans ses cheveux, elle entendit son rire, sentit sa joue contre la sienne alors qu'elle l'embrassait à travers la clôture... Et cette pauvre petite Lotte... Et ses parents, et les garçons... Partis, tous. « Exterminés ». Gaëlle détestait ce mot. On exterminait les insectes, pas les êtres humains ! Si seulement ils avaient été envoyés dans un autre camp, peut-être seraient-ils toujours en vie aujourd'hui ? Et si la police française ne les avait pas internés en France pour commencer ? Pourquoi avaient-ils trahi leurs compatriotes ? Gaëlle savait qu'elle n'était pas la seule en ce moment à apprendre la mort d'êtres chers, mais cela n'allégeait pas sa peine.

On frappa discrètement à sa porte, puis Ivy apparut dans l'entrebâillement. Assise à son bureau avec le morceau de ruban dans les mains, Gaëlle leva vers son amie un visage ruisselant de larmes.

— Ça ne va pas, ma chérie ? Je peux faire quelque chose ?

C'était une chic fille. Gaëlle l'aimait beaucoup.

— Je viens d'apprendre une mauvaise nouvelle, mais c'est arrivé il y a longtemps, répondit-elle d'une voix étranglée.

Elle reposa délicatement le ruban dans sa boîte et replaça celle-ci dans le tiroir. Ce morceau de satin, elle le conserverait jusqu'à la fin de ses jours. C'était tout ce qui lui restait de son amie, en dehors de quelques photos prises par ses parents lorsqu'elles étaient petites. Elle n'en avait aucune en revanche des autres membres de la famille de Rebecca, mais leurs visages étaient gravés dans sa mémoire.

— C'est en rapport avec la guerre ? demanda Ivy.

Gaëlle se leva.

— Oui... Je ne comprends pas comment tout ça a pu arriver, et pourquoi personne n'a rien fait pour que ça s'arrête.

— Je sais, soupira Ivy. Nous, on a recueilli deux petits Polonais. Leurs parents étaient morts dans le ghetto de Varsovie. On les a adoptés, mais ils ont été tués avec le reste de ma famille dans les bombardements. C'est tellement injuste...

Gaëlle hocha la tête. Avant la guerre, le gouvernement britannique avait fait venir des enfants juifs par le train depuis l'Allemagne, la Pologne, la Hongrie, l'Autriche et la Tchécoslovaquie. La plupart avaient perdu tous leurs proches.

— C'est bien, ce que tes parents ont fait. Mais tu ne trouves pas ça bizarre, l'existence qu'on mène aujourd'hui ? C'est tellement différent !

Parfois, Gaëlle se sentait coupable. Les beaux vêtements, la belle vie… Elle se demandait si elle méritait tout ça alors que tant de gens étaient morts. Et partout en Europe, d'autres souffraient encore.

— La guerre est finie ici, répondit Ivy avec simplicité. Il faut aller de l'avant, maintenant. Passer notre temps à pleurer ne nous ramènera pas nos proches.

Elle marquait un point… Gaëlle accepta de la suivre au salon. Elles avaient toutes les deux connu leur part de malheurs, et elles n'aimaient pas en parler. Mais elles ne pouvaient pas non plus oublier ce qui s'était passé. Il fallait se souvenir de l'horreur pour qu'elle ne se reproduise jamais.

Ce soir-là, Gaëlle fut songeuse. Ivy avait raison : cela ne servait à rien de se morfondre. Elles devaient continuer à vivre pour ceux qui étaient morts, pour elles-mêmes, pour toutes les personnes qu'elles ne connaissaient pas. Elles devaient honorer la mémoire de leurs proches, se rappeler à quel point elles les avaient aimés, et laisser leurs blessures se refermer. Gaëlle savait que cela prendrait du temps. Elle savait aussi que les souvenirs ne s'effaceraient jamais.

Elle s'endormit en tenant le petit bout de ruban serré dans sa main, et rêva de Rebecca. Son amie était heureuse, elle riait, entourée de Lotte, de ses parents et de ses frères. Où qu'ils soient à présent, Gaëlle espérait qu'ils reposaient en paix dans un monde meilleur.

8

Au mois de juin, l'assistante de Madame Cécile accompagna Gaëlle à New York pour la séance photo de *Vogue*. Elle avait pour mission, bien sûr, de l'épauler dans son travail, mais aussi de s'assurer qu'elle se conduirait bien. On avait déjà vu de jeunes modèles perdre la tête en pareilles circonstances... Toutefois, Gaëlle fit preuve d'une parfaite retenue, et n'en fut pas moins éblouie par ce voyage.

Elles prirent un vol de la Pan Am à Paris, en première classe. Vêtues d'uniformes bleus impeccables, les hôtesses, qui ressemblaient à des mannequins, leur servirent plusieurs fois du champagne. Le trajet dura quatorze heures en comptant les deux escales de ravitaillement. Après avoir atterri à LaGuardia Field, elles rejoignirent leur hôtel, le Waldorf Astoria, sur Park Avenue.

Vogue avait engagé Irving Penn, un de ses photographes vedettes, pour réaliser la séance. La rédactrice en chef, Edna Woolman Chase, assista à la séance. Elle voulait observer Gaëlle. Et elle ne fut pas déçue... Elle appela même Christian Dior pour le féliciter de

125

sa dernière trouvaille : à la fois belle et gracieuse, Gaëlle dégageait une fraîcheur et une innocence qui contrastaient avec la profonde sagesse de son regard. Son corps longiligne et la coupe courte et sexy de ses cheveux blonds mettaient superbement en valeur les vêtements. Pour ne rien gâcher, elle savait suivre les instructions. Les épreuves, une fois tirées, correspondaient parfaitement à ce que le magazine recherchait.

Durant tout le séjour, les assistantes de *Vogue* emmenèrent Gaëlle au restaurant ou à des soirées mondaines pour lui présenter des célébrités et d'autres mannequins. Après les restrictions des années passées, Gaëlle avait l'impression de se retrouver au paradis... Plusieurs agences lui proposèrent leurs services. Quant aux rédactrices de *Vogue*, elles l'encouragèrent à venir s'installer à New York. Dans l'Europe ravagée par la guerre, l'argent manquait, la vie était encore rude à bien des égards... Ici, il était plus facile de trouver du travail, et le pays avait beaucoup moins souffert. Mais Gaëlle voulait rentrer à Paris. Elle était fidèle à la maison Lelong et à Christian Dior, à qui elle vouait un profond respect.

L'assistante de Madame Cécile fut impressionnée par sa conduite irréprochable. Ses bonnes manières, son intégrité et son éducation faisaient d'elle une compagne très agréable.

Deux jeunes rédactrices de *Vogue* invitèrent Gaëlle à une soirée privée, organisée au Stork Club pour fêter la première d'un film avec Rita Hayworth. On leur demandait souvent d'amener des mannequins à ces réceptions... Parmi les célébrités attendues figurait Humphrey Bogart, qui viendrait accompagné de sa jeune et splendide épouse, Lauren Bacall. Mariés depuis seulement deux semaines, ils étaient les chou-

chous de la presse, qui les présentait comme le couple modèle.

Gaëlle n'était pas sûre de savoir qui étaient tous ces gens, mais cela n'ôtait rien à son excitation. Pour l'occasion, elle portait une robe sexy en satin blanc, au dos presque nu et à col montant, assortie d'une cascade de perles que Christian Dior avait choisie spécialement pour elle. Il avait envie qu'elle se fasse remarquer sur la scène internationale – Madame Cécile avait donné son feu vert pour toutes les sorties que Gaëlle se verrait proposer. L'idée était qu'elle soit déjà célèbre au moment où sa photo ferait la couverture de *Vogue* en septembre. Cela attirerait l'attention des médias sur la maison Lelong et sur le dessinateur qui avait repéré la jeune femme. Comme d'autres grands mannequins avant elle, Gaëlle était devenue un outil marketing. Mais elle avait quelque chose de spécial : une profondeur que les autres n'avaient pas, en plus de sa beauté exquise que le maquillage, les coiffures et les vêtements ne faisaient que sublimer.

La guerre dans le Pacifique touchait à sa fin, et l'ambiance à New York était à la fête. Lorsque Gaëlle arriva à la soirée avec les deux rédactrices et l'assistante de Madame Cécile comme chaperons, les journalistes se précipitèrent à sa rencontre pour la photographier, curieux de découvrir la nouvelle beauté du moment. Alors qu'ils notaient le nom de Gaëlle sur leurs carnets, un des célibataires les plus en vue de New York fit son entrée dans la salle, en queue-de-pie et cravate blanche. Le très séduisant Robert Bartlett était un grand banquier, connu pour son immense fortune. Les plus jolies femmes de la ville se succédaient régulièrement à son bras. Venu seul ce soir-là, il repéra immédiatement Gaëlle et traversa la foule pour l'approcher, s'arrêtant à quelques pas pendant que la presse finissait de la bombarder de questions. Il avait reconnu les rédactrices de *Vogue*, qu'il salua courtoisement. L'une d'elles fit les présentations.

— Bienvenue à New York, dit-il à Gaëlle avec un large sourire, tout en lui tendant une coupe de champagne.

Les mannequins étaient sa spécialité. Considéré comme un génie à Wall Street, Robert Bartlett avait deux passions dans la vie : les jolies femmes et l'art moderne, dont il possédait une des plus grandes collections des États-Unis.

Gaëlle le remercia poliment pour le champagne, et se montra timide tandis qu'il tentait d'engager la conversation. Il lui expliqua en français qu'il s'était rendu à Paris à peine quelques semaines plus tôt et qu'il regrettait de ne pas l'avoir rencontrée alors.

— Vous vous plaisez, chez Christian Dior ? s'enquit-il.

Le regard de Gaëlle s'illumina aussitôt. Robert devinait qu'elle était très jeune, et il y avait chez elle quelque chose de touchant qui lui donnait envie de la protéger. Elle lui répondit en anglais qu'elle adorait son travail tout autant que M. Dior, qui était très gentil. Grâce à Ivy, elle maîtrisait de mieux en mieux la langue de Shakespeare, mais conservait un accent que Robert trouva des plus charmants. Il ne savait que trop bien que les requins de la mode ne tarderaient pas à vouloir l'exploiter de toutes les manières possibles. Néanmoins, la maison Lelong comptait parmi les plus respectables, et la jeune femme était bien entourée ce soir-là – « pour vous protéger des hommes comme moi », lui dit-il. Gaëlle eut un petit rire. Jusque-là, Robert Bartlett se comportait en parfait gentleman.

— Vous ne me semblez pas bien dangereux, répliqua-t-elle.

— Cela prouve combien vous êtes ignorante des usages du monde. Êtes-vous de Paris ?

— Non, d'un petit village près de Lyon.

— Je comprends mieux...

Toutefois, malgré sa naïveté et ses racines provinciales, la jeune femme semblait parfaitement capable de se débrouiller seule – autant qu'il pouvait en juger.

— Un conseil, reprit-il cependant : méfiez-vous des grandes villes, qu'il s'agisse de Paris ou de New York. Où étiez-vous pendant la guerre ? demanda-t-il avec intérêt.

— Chez mes parents.

Gaëlle ne précisa pas que toute sa famille était morte. Et Robert reprit :

— La dernière fois que je suis allé à Paris, les choses n'étaient pas encore tout à fait revenues à la normale. Mais on dirait que ça s'arrange peu à peu.

L'Occupation avait pris fin dix mois plus tôt, et le pays s'en sortait plutôt bien malgré les épreuves qu'il avait traversées. D'ailleurs, Paris était resté une capitale vivante pendant les années noires ; l'ennemi avait profité pleinement des atouts de la ville.

— C'était très dur dans ma région, sous l'Occupation, confia Gaëlle. On manquait vraiment de nourriture. Et les Allemands étaient violents.

Elle hésita un instant, avant d'ajouter :

— Ils ont tué mon père parce qu'il était résistant.

— Et vous, avez-vous fait partie de la Résistance ? s'enquit Bartlett sans détour.

Elle ne répondit pas. Le sujet réveillait trop de souvenirs angoissés pour être abordé au cours d'une soirée mondaine. Et que lui dirait-elle, de toute façon ? Qu'elle avait mis des enfants juifs à l'abri, qu'elle avait sauvé des œuvres d'art volées par les nazis et récupérées par le commandant qui avait établi ses quartiers chez elle ? Comme beaucoup d'expériences de guerre, ces histoires étaient trop personnelles, trop compliquées, et trop douloureuses pour être partagées avec un inconnu.

Du reste, sa modestie lui interdisait de s'en vanter. Elle n'en avait d'ailleurs jamais parlé non plus avec ses colocataires. Celles-ci avaient entendu des rumeurs sur les accusations de collaboration dont elle avait été l'objet, mais Gaëlle n'avait pas essayé de se justifier. De toute façon, même les « vrais » collaborateurs niaient l'avoir été, à l'exception de Coco Chanel, qui se fichait de ce que l'on disait d'elle. Gaëlle attachait au contraire une grande importance au regard des autres. Robert comprit que sa question la gênait et changea de sujet :

— Combien de temps restez-vous à New York ? s'enquit-il.

— Je pars dans deux jours.

— Quel dommage... J'aurais adoré vous faire découvrir la ville et mes night-clubs préférés.

Gaëlle lui donnait entre quarante-cinq et cinquante ans, mais il était encore bel homme et semblait en pleine forme physiquement. Ils dansèrent un moment, puis les chaperons de la jeune femme l'encouragèrent à partir. Elle avait suffisamment attiré les regards de la presse. Gaëlle quitta la salle bondée sans avoir pu dire bonsoir à Robert. Le lendemain, il lui fit livrer trois douzaines de roses rouges à l'hôtel. « En espérant vous revoir bientôt, Robert Bartlett », disait la carte. Gaëlle fut impressionnée. Aucun homme ne lui avait jamais envoyé de fleurs, et encore moins une telle quantité...

— Serait-il ce qu'on appelle un play-boy ? demanda-t-elle à l'une des filles de *Vogue*.

Celle-ci éclata de rire.

— Oui, on peut le dire...

— Et qu'est-ce que ça signifie, exactement ?

— Qu'il fréquente beaucoup de jolies femmes. Des actrices, des mannequins, des célébrités. Il a un franc succès ! Il est divorcé et c'est un très bon parti, mais je ne crois pas qu'il ait l'intention de se marier de sitôt... Il s'amuse trop pour cela.

Robert Bartlett avait épousé une débutante issue d'une grande famille new-yorkaise – une fille deux fois plus jeune que lui. Ils avaient divorcé récemment à Reno au bout de deux ans de mariage. Les journaux en avaient fait leurs choux gras : la jeune femme avait obtenu d'énormes indemnités et le droit de conserver leur maison à New York. Aujourd'hui, elle était déjà de nouveau fiancée.

— Il faut que tu te méfies des hommes comme lui, Gaëlle, lui conseilla la rédactrice.

Pourtant, Robert Bartlett avait d'excellentes manières. Les femmes l'appréciaient et il se montrait généreux avec elles. Gaëlle supposait toutefois qu'en tant que fille de la campagne elle n'avait aucune chance de l'intéresser. En outre, il était assez vieux pour être son père... Elle n'avait jamais eu de petit ami, juste quelques amourettes insignifiantes au lycée. Avec la guerre, elle avait eu autre chose en tête, et elle s'était appliquée à éviter les soldats allemands. Quant aux garçons du coin, ils étaient partis ailleurs ou entrés dans la Résistance, et beaucoup avaient été tués. Cela n'avait pas empêché certaines filles de vivre des histoires d'amour, bien sûr, mais Gaëlle n'en faisait pas partie. Après tout, elle n'avait que vingt ans ; rien ne pressait, et elle ne ressentait pas le besoin d'avoir un homme dans sa vie pour le moment. Elle était déjà bien assez occupée...

Sa carrière de mannequin risquait cependant de changer la donne : il n'était pas rare que les filles comme elle deviennent subitement le centre d'attention de tous les acteurs et play-boys de la planète. Néanmoins, Gaëlle était encore innocente, et cela se voyait. Robert Bartlett l'avait bien compris. Il trouvait cela rafraîchissant.

La veille de son départ, alors que la jeune femme était en train de faire ses bagages, elle reçut un appel. Robert voulait l'inviter à boire un verre, mais elle déclina l'invitation, pensant que ses chaperons n'approuveraient pas. Robert n'avait pas l'habitude que les femmes lui résistent. En général, c'étaient même elles qui lui couraient après ! Déçu, il lui souhaita un bon retour à Paris et lui promit de lui faire signe la prochaine fois qu'il se rendrait dans la capitale française – ce qui, pensait-elle, n'arriverait pas avant longtemps.

Le mois de juillet vit se succéder les présentations de la nouvelle collection Dior et les séances photo. Gaëlle croisa à peine ses colocataires tant elle fut occupée. En août, la maison ferma pour le mois, et tout le monde partit en vacances. Gaëlle resta seule à l'appartement. Elle n'avait nulle part où aller et aucune envie de remettre les pieds dans son village. Son départ avait été tellement triste, tellement humiliant... Elle prévoyait d'ailleurs de vendre le château, mais n'avait pas besoin d'argent pour l'instant. Il restait donc inhabité.

La guerre du Pacifique prit fin au mois d'août dans l'allégresse générale. Gaëlle profita du calme à Paris, se promena au bois de Boulogne et dans le jardin des Tuileries. Elle visita Versailles, Giverny et le château de Malmaison, demeure de l'impératrice Joséphine. Elle jouait les touristes dans son propre pays et y prit beaucoup de plaisir.

En septembre, la couverture de *Vogue* fit sensation. Gaëlle fut alors tellement sollicitée qu'elle eut l'impression de ne plus toucher terre... En novembre, elle fêta ses vingt et un ans, et apprit le lendemain qu'elle retournait à New York pour une deuxième séance photo chez *Vogue* avec Irving Penn. Elle ferait également la couverture du *Harper's Bazaar* avec un jeune photographe, Richard Avedon.

Gaëlle faillit informer Robert Bartlett de sa venue, mais renonça finalement à lui écrire par crainte de paraître effrontée. De toute façon, elle n'aurait sans doute pas le temps de le voir... Au bout du compte, elle tomba sur lui par hasard dès le premier jour, lors d'une soirée de bienfaisance organisée au Delmonico's, à laquelle *Vogue* lui avait demandé de se montrer. Alors qu'elle pénétrait dans la salle du restaurant, vêtue d'une magnifique robe Dior haute couture rose pâle, elle repéra immédiatement Robert. Celui-ci était en compagnie d'Ingrid Bergman ! Tous les regards étaient tournés vers eux. Il réussit néanmoins à s'échapper au cours de la soirée pour venir la saluer, et dansa même avec elle. Peu après, Ingrid Bergman partit avec un autre homme sans que Robert ait l'air de s'en formaliser.

— Nous sommes amis, c'est tout, expliqua-t-il à Gaëlle. Elle m'avait juste demandé de l'accompagner ce soir.

Pendant l'été, Robert avait vécu une idylle passionnée avec une jeune femme de la haute société. Quoique ravissante, Ingrid Bergman n'était pas son genre – Gaëlle l'intéressait bien davantage... À sa grande surprise, celle-ci croisa Billy Jones, le prisonnier de guerre qu'elle avait rencontré à Paris. Il était à New York pour le week-end avec sa fiancée, une jolie Texane, et promit à Gaëlle de la prévenir s'ils se rendaient un jour à Paris.

De nouveau, Robert lui fit envoyer des fleurs le lendemain, accompagnées cette fois-ci d'un message plus intime : « Ai été très heureux de vous revoir. Robert. » Il l'appela dans la journée pour l'inviter à dîner au 21. Gaëlle accepta, avec l'assentiment de ses chaperons. Cela lui ferait une bonne publicité d'être vue en compagnie du fringant célibataire.

Ils passèrent une soirée merveilleuse, qu'ils terminèrent sur la piste de danse. Robert la raccompagna à l'hôtel en limousine à trois heures du matin. Heureusement, Gaëlle n'avait pas de rendez-vous avant l'après-midi : elle pouvait faire la grasse matinée. Le lendemain soir, il lui proposa à nouveau de sortir, mais elle dut refuser, car elle posait ce jour-là pour le *Harper's Bazaar* et les séances y prenaient souvent du retard.

Gaëlle resta une semaine à New York. Peu avant qu'elle ne reparte, ils déjeunèrent ensemble. La conversation prit un tour plus sérieux. Il lui parla de son mariage, et de la vive déception que lui avait causée cette union ratée. Gaëlle fut surprise qu'il admette une part de responsabilité dans cet échec. Son ex-femme était une enfant gâtée : elle avait voulu mener grand train et sortir tous les soirs, quand lui aurait aimé partager une vie de famille avec elle.

— Je n'ai pas épousé celle qui me convenait, reconnut-il. Je ne suis pas né de la dernière pluie : je savais quel genre de femme elle était avant qu'on se marie. Mais je pensais qu'elle changerait.

Son visage s'assombrit.

— Je l'ai poussée à faire un enfant dont elle ne voulait pas, murmura-t-il. Elle n'était pas prête. Notre fille est née avec une malformation cardiaque, et elle est morte à l'âge de trois mois. Je sais que cela n'a peut-être rien à voir, mais je me suis convaincu que c'était parce que mon épouse avait trop fait la fête pendant sa grossesse. Nous ne sommes pas encore remis de cette tragédie. Et six mois après, nous étions divorcés. Je regrette vraiment de lui avoir imposé ce bébé… Elle rêvait de glamour, je voulais des enfants.

Gaëlle fut touchée qu'il lui confie son histoire. Elle découvrait un aspect de sa personnalité qu'elle n'aurait pas soupçonné.

— Ce n'est peut-être pas très sympa pour elle, mais elle me manque beaucoup moins que notre bébé. C'était une petite fille magnifique, renchérit-il en effleurant la main de Gaëlle.

— Vous aurez d'autres enfants un jour, lui assura-t-elle gentiment. Vous et votre ex-femme n'étiez probablement pas faits pour fonder une famille ensemble.

— Sans doute… Quand je pense qu'elle est déjà fiancée à un autre homme ! Il est plus vieux que moi et a des enfants de son âge. Je ne crois pas qu'il ait envie d'en faire d'autres – et elle, c'est sûr qu'elle n'insistera pas pour en avoir. Elle a été traumatisée à vie.

Robert changea de sujet et demanda à Gaëlle quel était son programme une fois qu'elle serait rentrée à Paris. La maison Lelong lui avait déjà prévu plusieurs séances photo, ainsi qu'un déplacement à Londres pour faire la couverture du *Vogue* anglais. Gaëlle était stupéfaite de la vitesse à laquelle sa carrière avait décollé. Robert devinait qu'elle prenait plaisir à exercer ce métier. Et pourquoi pas, après tout ? Elle était jeune et belle ; elle avait le droit de profiter de la vie après les dures années de guerre.

Il parut sincèrement peiné de la quitter. Gaëlle avait l'impression qu'ils devenaient amis, petit à petit. Ils avaient eu de longues conversations sur l'art. Robert avait beaucoup voyagé en France, et devait d'ailleurs se rendre à Paris bientôt.

Avant qu'elle ne reparte, il lui fit livrer une jolie pochette Cartier en satin noir, avec une armature en or et ivoire et un petit fermoir en diamant. C'était un cadeau magnifique, comme le confirmèrent les rédactrices de *Vogue*. De retour à Paris, Gaëlle le montra à ses colocataires et leur raconta tout ce qu'elle avait fait à New York. Ses amies étaient un peu jalouses des opportunités qu'elle se voyait offrir, mais Gaëlle faisait preuve d'une telle gentillesse, d'une telle modestie, qu'elles l'adoraient quand même. Juana était repartie au Brésil et avait été remplacée par une jeune Milanaise très douce, Giovanna ; celle-ci avait immédiatement été adoptée. Il régnait dans l'appartement une ambiance de pension pour jeunes filles. Pourtant, Giovanna avait elle aussi des histoires terribles à raconter – la guerre semblait avoir été encore plus dure en Italie. Elle leur confia avec des sanglots dans la voix que ses deux frères étaient morts. Une à une, les autres la serrèrent dans leurs bras.

Deux semaines avant Noël, Robert appela Gaëlle depuis le Ritz de Paris, où il faisait étape avant de se rendre à Londres. Il l'emmena dîner au Pré Catelan, un des meilleurs restaurants de la capitale, en plein cœur du bois de Boulogne. Et ils passèrent l'après-midi du samedi à se promener sur les quais de Seine, avant de déguster un délicieux repas au Voltaire, petit bistrot élégant qui comptait parmi les lieux de prédilection de Robert à Paris. Gaëlle ne fit cependant aucun excès : M. Dior exigeait de ses mannequins qu'elles restent minces comme des fils. Cela ne lui posait aucune difficulté : elle avait l'habitude de se contenter de peu après avoir connu le rationnement.

— Que faites-vous pour Noël ? lui demanda Robert avec désinvolture.

Gaëlle regarda un moment par la fenêtre. Puis elle se décida à lui dire la vérité :

— Rien. Je reste ici. Tous les membres de ma famille sont décédés pendant la guerre. Certaines de mes collègues rentrent chez elles, mais j'aime être seule dans l'appartement quand il n'y a pas grand monde à Paris. Ça me permet de penser, de lire, de visiter des musées... Tout ce que je n'ai pas le temps de faire quand je travaille.

Robert fut choqué d'apprendre qu'elle n'avait plus de famille. Elle ne lui en avait jamais parlé. Lui aussi passait Noël en solitaire : ses deux parents étaient morts depuis longtemps, et il était fils unique.

Après une hésitation, il se jeta à l'eau :

— Voudriez-vous m'accompagner à Saint-Moritz ? Nous logerions dans des chambres séparées, bien sûr, précisa-t-il aussitôt.

Il respectait ses valeurs traditionnelles. Malgré sa beauté, Gaëlle n'avait rien d'une séductrice.

— Je vous promets de bien me tenir, ajouta-t-il.

Elle eut un petit rire, et lui répondit qu'elle y réfléchirait. Pourtant, sa proposition la mettait mal à l'aise. Robert Bartlett avait la réputation d'être un homme à femmes...

Le lendemain matin, Gaëlle en discuta avec les filles, qui lui conseillèrent toutes d'accepter l'invitation. Mais Gaëlle doutait toujours. Était-ce vraiment la meilleure chose à faire ? Et qu'en penserait M. Dior ? Certes, elle appréciait beaucoup Robert, mais elle n'était jamais allée nulle part avec un homme... C'était là un grand pas à franchir.

Avant de s'envoler à destination de Londres – où il devait rester une semaine pour affaires –, Robert l'appela et lui demanda si elle s'était décidée. Dans un élan de spontanéité, Gaëlle répondit par l'affirmative : oui, elle acceptait son invitation ! Il avait l'air si doux et si sincère au téléphone... Toutefois, à peine avait-elle raccroché qu'elle sentit la panique l'envahir. Quelle mouche l'avait piquée ?

Toute la semaine, elle oscilla entre l'envie d'annuler le voyage et l'excitation à l'idée de partir, entre la joie de passer une semaine en compagnie de Robert et la crainte qu'il ne subsiste une gêne entre eux. Elle ne voulait surtout pas s'emballer.

Malgré ses inquiétudes et ses tergiversations, Gaëlle avait bouclé sa valise lorsque Robert se présenta en bas de son immeuble, l'après-midi du 23 décembre. Il était assis à l'arrière d'une Rolls avec chauffeur. Christian Dior avait autorisé la jeune femme à emprunter un manteau de zibeline de la nouvelle collection. Pendant le trajet vers l'aéroport, Robert, percevant la nervosité de Gaëlle, redoubla de gentillesse à son égard.

À Genève, une deuxième Rolls les attendait pour les conduire jusqu'à Saint-Moritz, où il leur avait réservé deux suites au Palace Hotel.

— J'ai l'impression d'être Cendrillon! souffla Gaëlle en découvrant sa chambre.

Il l'avait fait décorer de roses blanches et d'orchidées. Dans un seau d'argent les attendait une bouteille de champagne, que Robert s'empressa d'ouvrir. Il avait pensé à tout...

Ils dînèrent dans la salle de restaurant de l'hôtel. Robert connaissait la plupart des clients, qui se succédèrent à leur table pour les saluer, curieux de découvrir l'invitée du célèbre banquier.

Gaëlle n'était toujours pas certaine d'avoir pris la bonne décision en acceptant de venir. Ses parents en auraient sans nul doute été choqués, même si Robert se montrait irréprochable, et même si elle se savait en sécurité avec lui. Sa vie avait tellement changé depuis l'époque où son père et sa mère étaient encore de ce monde! Aujourd'hui, elle n'était plus une enfant, et elle menait une existence bien plus sophistiquée qu'avant. Elle n'en avait pas pour autant perdu son innocence, ni sa virginité. Gaëlle était une honnête fille, ce dont Robert était parfaitement conscient. En la raccompagnant jusqu'à sa chambre ce soir-là, il déposa un chaste baiser sur ses lèvres et se retira sans un mot. Il n'avait pas l'intention de lui demander quelque chose qu'elle n'était pas prête à lui donner.

Le lendemain, Gaëlle devait prendre une leçon de ski. Elle se montra à ce propos aussi excitée qu'une enfant : c'était la première fois qu'elle allait dévaler des pentes ! Étant lui-même expert, Robert avait prévu de skier avec des amis, mais il ne quitta la jeune femme que quand il fut certain qu'elle était entre les mains d'un bon moniteur. Il la traitait comme un papa poule, et la gâtait autant qu'il le pouvait.

Il la rejoignit pour déjeuner (Gaëlle avait adoré sa séance de ski), avant de repartir sur les pistes pendant qu'elle se promenait dans le village, admirant les bijouteries de luxe et les élégantes boutiques. La station accueillait une foule incroyablement distinguée – les hommes endossaient même le smoking pour dîner. Si la maison Lelong avait fourni plusieurs robes de soirée à Gaëlle, celle-ci ne possédait aucun bijou. Sa mère n'en avait jamais porté, considérant que leur vie à la campagne ne s'y prêtait pas. Dans leur village, aucune femme ne s'affichait avec des parures voyantes, même les plus riches. Gaëlle se rappelait néanmoins avoir vu Mme Feldmann porter une très jolie bague en diamant, ainsi qu'un bracelet d'émeraude offert par son mari. Riches, les Feldmann l'avaient été, assurément... Mais tout leur argent avait disparu. Leurs comptes en banque avaient été saisis, comme ceux de toutes les familles juives déportées. Pauvres Feldmann... Il ne se passait pas un jour sans que Gaëlle pense à eux.

Robert l'emmena réveillonner dans un restaurant chic, puis ils s'échangèrent leurs cadeaux à l'hôtel. Gaëlle lui avait acheté une écharpe Hermès en cachemire qui lui avait coûté une semaine de salaire ; elle tenait à le remercier de sa généreuse invitation. Il trouva l'étoffe très belle et la noua aussitôt par-dessus son smoking. Alors, il lui tendit un écrin long et mince de chez Cartier. En l'ouvrant, Gaëlle fut choquée de découvrir un fin bracelet de diamant qui valait sans nul doute une fortune... Le bijou n'avait cependant rien de vulgaire. Il seyait parfaitement à une jeune fille de son âge et se mariait très bien avec les tenues qu'elle avait empruntées. Mais Gaëlle était gênée. Dans son esprit, un homme offrait ce genre de cadeau à sa femme ou à sa maîtresse, et elle n'était ni l'une ni l'autre pour lui. Elle le connaissait à peine !

— Robert, je ne peux pas accepter, protesta-t-elle. C'est trop !

Il répliqua qu'il s'agissait d'un cadeau de Noël et qu'il l'avait fait faire spécialement pour elle. Il avait voulu lui offrir quelque chose de beau, de délicat et de discret – quelque chose qui lui ressemble. Et les femmes l'avaient tellement habitué à lui réclamer de gros cadeaux qu'il n'avait jamais songé que Gaëlle puisse être mal à l'aise.

— Je veux que vous le gardiez, insista-t-il en l'embrassant tendrement sur la joue. C'est le père Noël qui vous le donne. Il serait déçu que vous le refusiez, et moi aussi.

Robert sourit. Il était sûr d'une chose : Gaëlle n'était pas une croqueuse de diamants. Elle n'attendait rien de lui, et il fallut la supplier pour qu'elle accepte le bracelet. Elle se sentait tellement embarrassée de ne lui avoir offert qu'une écharpe !

Ce soir-là, avant de se coucher, elle l'appela au téléphone pour le remercier, tout en admirant le bijou qu'elle portait encore à son poignet. Passé le choc initial, elle l'adorait.

— Je me sens très vilaine de l'avoir gardé, lui dit-elle d'un ton coupable, comme une petite fille qui aurait ouvert le cadeau d'une autre et aurait décidé de ne pas le lui rendre. Et puis, ça me fait bizarre, ajouta-t-elle.

— Qu'est-ce qui vous fait bizarre ?

— Pendant la guerre, on n'avait presque rien à manger. On vivait dans les chambres de bonnes au grenier parce que les Allemands occupaient les pièces principales. Quand ils sont partis, ma mère a refusé de redescendre : elle disait que la maison avait été souillée. Et maintenant, je suis là avec vous dans cet hôtel de luxe, je mange ce que je veux dans les meilleurs restaurants, et je porte un bracelet de diamant... Parfois, j'ai du mal à me dire que je suis la même personne qu'avant, que c'est vraiment ma vie. J'ai l'impression que rien de tout cela n'est réel. Que tout va disparaître, et que je me retrouverai bientôt à côté d'une citrouille, en haillons, avec deux souris à mes pieds. Cette vie ne me correspond pas. Vous devriez être ici avec une star du cinéma, pas avec moi.

— C'est justement ce que j'aime chez vous, Gaëlle, répliqua Robert. Vous êtes vraie. Croyez-moi, je n'ai aucune envie de passer Noël avec une actrice. Je n'ai jamais rencontré une femme comme vous. Je n'ai jamais ressenti ce que je ressens aujourd'hui. Moi non plus, je n'ai pas de famille : peut-être étions-nous destinés à nous trouver ? J'ai envie de vous protéger, Gaëlle, de prendre soin de vous. J'aime ce que je fais dans ma vie, mais cela ne me semble pas réel, à moi non plus. Ça, ce qu'il y a entre nous, ça l'est beaucoup plus. Pour rien au monde je ne voudrais être ici avec une autre.

Gaëlle fut touchée par ses paroles. Elle aussi commençait à éprouver des sentiments pour lui. Mais elle continuait de penser que son cadeau était excessif. Ses parents, très conservateurs, n'auraient pas compris qu'un homme offre un bijou de cette valeur à une femme qui n'était ni son épouse ni sa fiancée.

Le lendemain, ils firent une promenade en traîneau, puis poussèrent les portes de l'église. En la voyant allumer plusieurs cierges, le visage grave, Robert comprit qu'elle priait pour ceux qu'elle avait perdus. Elle ne lui parla pas de Rebecca : le sujet était trop douloureux. En revanche, alors qu'ils se baladaient l'après-midi, elle lui confia qu'elle avait été accusée à tort de collaboration. Elle n'avait pas envie qu'il l'apprenne de quelqu'un d'autre – certaines de ses collègues mannequins étaient au courant.

— Le commandant allemand qui vivait chez nous me donnait régulièrement du pain frais pour ma mère, expliqua-t-elle. La gouvernante a cru que je faisais des choses avec lui, mais il n'en était rien. À la fin de l'Occupation, elle m'a dénoncée. Les gens de mon village m'ont fait défiler dans les rues après m'avoir tondue, et ils m'ont jeté des ordures. Je ne veux plus jamais y retourner. Sauf que j'ai encore une maison là-bas, qui reste vide en attendant…

Elle ne précisa pas que la maison en question était un château du seizième siècle – l'un des plus grands de la région – et qu'elle possédait aussi de vastes terres. Gaëlle n'aimait pas se vanter. De plus, la trahison de ses compatriotes avait terni à jamais l'image qu'elle se faisait de sa campagne natale.

Robert serra les mâchoires en entendant le récit de l'humiliation qu'elle avait subie. C'était insupportable. Si elle lui assurait qu'elle était innocente, alors il la croyait. Du reste, elle avait été courageuse de lui raconter cette histoire ; il en était ému. Si seulement il avait pu effacer tous ses mauvais souvenirs ! Gaëlle parlait très peu de la guerre, mais il devinait que la vie avait été rude, sinistre même. Et pourtant, elle semblait n'en avoir gardé aucune amertume, aucune colère, ni même de cicatrices… Cette fille était remarquable.

Il l'attira dans ses bras et la serra contre lui, essayant d'atténuer son chagrin. Gaëlle se sentit gagnée par un immense sentiment de paix et de bien-être. Avoir rencontré cet homme si gentil compensait presque l'horreur de ce qui lui était arrivé.

Ils vécurent ensemble une semaine de rêve, qu'ils furent bien tristes de voir s'achever. Gaëlle n'avait pas quitté son bracelet de diamant : elle avait passé son temps à l'admirer, en remerciant Robert encore et encore. De son côté, il était sorti tous les jours avec son écharpe Hermès, qu'il adorait. Le geste de la jeune femme l'avait profondément touché.

La veille de leur départ, il se mit à neiger. Gaëlle et Robert restèrent un moment dehors sous les flocons blancs qui s'accrochaient à leurs cheveux et à leurs cils. Gaëlle s'était coiffée d'un gros chapeau de fourrure qu'elle avait emporté de Paris. Robert n'avait jamais connu de femme avant elle qui n'ait essayé de le traîner dans les magasins... Avant de rentrer à l'hôtel, il l'embrassa, avec plus de passion que la première fois. Durant tout le séjour, il avait affiché une attitude exemplaire. Elle ne l'en aimait que plus.

— Je suis en train de tomber amoureux de toi, Gaëlle, murmura-t-il tandis qu'ils se tenaient enlacés sous la neige.

Il aurait voulu arrêter le temps... Il lui posa alors une question qui le taraudait :

— J'ai quarante-neuf ans et toi vingt et un. Cela ne te dérange pas ?

— Pas du tout, répondit-elle très sérieusement.

Et elle ajouta dans un souffle :

— Moi aussi, je t'aime, Robert.

Ils n'étaient pas encore amants mais déjà unis dans leurs cœurs. Gaëlle était très heureuse qu'ils ne soient pas encore allés plus loin… Ce qu'ils éprouvaient l'un pour l'autre ne se limitait pas à une simple attirance physique. Il s'agissait d'un sentiment plus fort.

— J'ai toujours pensé que je ne voudrais plus d'enfants après la mort de ma fille, confia Robert en continuant de la serrer contre lui. Mais si je devais en faire d'autres, je voudrais que ce soit avec toi.

Gaëlle songea alors aux nourrissons qu'elle avait mis à l'abri pendant la guerre. Voyant son visage s'assombrir, Robert se demanda à quoi elle pensait.

— Si je devais faire des enfants, lâcha-t-elle gravement, je voudrais qu'ils soient en sécurité. Or, le monde dans lequel nous vivons n'est pas sûr.

La guerre le leur avait prouvé, surtout en Europe. Et qui pouvait affirmer que cela ne recommencerait pas ? Gaëlle ne serait jamais capable de confier son enfant à une étrangère. Elle ignorait comment les mères des petits qu'elle avait sauvés avaient pu s'en séparer… Peut-être simplement parce qu'elles n'avaient pas eu le choix. C'était grâce à leur sacrifice que leurs enfants étaient en vie aujourd'hui.

— Avec moi, tu vivrais dans un monde plus sûr, répondit Robert d'une voix douce.

Il ne demandait qu'à lui offrir cette sécurité. Gaëlle avait tant souffert pendant la guerre – bien plus qu'il ne l'imaginait. Il aurait été surpris d'apprendre à quel point elle s'était montrée courageuse. Passant un bras autour de ses épaules, il l'entraîna à l'intérieur.

Le jour suivant, ils rentrèrent à Paris, et Robert la raccompagna chez elle à contrecœur. Il prenait un vol pour New York le soir même. S'il n'avait pas eu des réunions importantes le lendemain, il serait resté plus longtemps avec elle.

— J'ai passé une semaine merveilleuse, murmura-t-elle tandis qu'ils s'embrassaient.

— La suite au prochain épisode, répondit-il en souriant.

Gaëlle devait se rendre à New York à la fin du mois de janvier pour une nouvelle séance photo chez *Vogue*. Elle avait hâte d'y être. Pendant leurs vacances à Saint-Moritz, elle s'était habituée à voir Robert tous les jours… Mais ils ignoraient l'un comme l'autre ce que l'avenir leur réservait. Gaëlle savait mieux que personne combien la vie pouvait être imprévisible.

Le concierge l'aida à monter ses valises. Lorsqu'elle entra dans l'appartement, les filles poussèrent des exclamations de surprise en découvrant le bijou qui ornait son poignet.

— Waouh ! Un bracelet en diamant ! s'écria Ivy, tandis que Giovanna débitait tout un flot de paroles en italien.

— J'ai essayé de refuser, mais il n'a rien voulu entendre, expliqua timidement Gaëlle.

Ses amies la traitèrent de folle et lui assurèrent qu'à sa place elles aussi l'auraient gardé. Finalement, Gaëlle était heureuse de l'avoir fait ; le cadeau de Robert avait une réelle signification pour elle après tout ce qu'ils s'étaient dit.

Quand il l'appela de l'aéroport avant de monter dans l'avion, elle le remercia encore pour ce séjour magique. Personne ne méritait un tel luxe, mais elle en avait profité à chaque instant. Robert était impatient de pouvoir la gâter à nouveau.

— Tu vas me manquer, Gaëlle, avoua-t-il.

— Toi aussi. Mais on se voit à New York dans quelques semaines, lui rappela-t-elle.

En attendant, ils seraient tous les deux fort occupés. Gaëlle devait faire quantité d'essayages avant les présentations de haute couture en janvier, ainsi que plusieurs séances photo pour Dior.

— Prends soin de toi, murmura Robert.

— Toi aussi, répondit-elle avec tendresse.

Au moment où elle raccrochait, Gaëlle ne put s'empêcher de sourire en voyant le bracelet de diamant qui étincelait à son bras. La vie réservait bien des surprises… Elle éprouvait une immense gratitude, qui se mêlait de tristesse lorsqu'elle songeait à Rebecca. Peut-être serait-elle obligée de vivre pour deux, désormais. S'il le fallait, elle le ferait sans hésiter.

Dans l'avion qui décollait d'Orly, Robert avait douloureusement conscience d'avoir laissé son cœur à Paris, auprès d'une jeune et courageuse Française.

9

Lorsqu'elle embarqua sur le vol de la Pan Am pour sa troisième séance photo chez *Vogue*, Gaëlle avait l'impression d'être déjà une voyageuse expérimentée. Ces dernières semaines, elle n'avait pas touché terre. Robert lui avait envoyé des roses et plusieurs télégrammes pleins de tendresse dans lesquels il lui répétait qu'elle lui manquait. Elle était impatiente de le revoir.

À son arrivée à New York, il l'attendait à l'aéroport. Elle se jeta dans ses bras. Robert la conduisit ensuite à sa chambre d'hôtel, qu'il avait fait remplir de roses. La passion grandissait entre eux... Ce jour-là, ils dînèrent dans la suite de Gaëlle, mais Robert avait bien l'intention de l'emmener en ville tous les autres soirs qu'elle aurait de libres. Il était fier de se montrer en sa compagnie.

Quand ils pénétrèrent au Stork Club le lendemain, les flashs crépitèrent. Gaëlle et Robert formaient le couple star du moment. Pourtant, ce n'était pas la première fois que l'on voyait Robert Bartlett avec une top-modèle, mais les journalistes adoraient Gaëlle. Ils la trouvaient attachante, et tellement photogénique !

En outre, elle était gentille et agréable avec tout le monde. Les rédactrices de *Vogue* en étaient folles. Naturellement douée pour le mannequinat, Gaëlle avait beaucoup appris depuis ses débuts. Elle avait une façon bien à elle de porter les vêtements, avec une sorte d'élégance décontractée. Elle conférait à ses tenues un soupçon de piquant, une touche d'espièglerie, qui leur donnait de la fraîcheur sans rien enlever à leur raffinement. Quand on ouvrait le magazine, les photos sautaient immédiatement aux yeux. Et dire qu'elle était devenue mannequin totalement par hasard !

Gaëlle venait de terminer une séance photo lorsque Edna Woolman Chase, la légendaire rédactrice en chef de *Vogue*, l'appela dans son bureau.

— Tu devrais réfléchir à la suite de ta carrière, lui dit-elle. C'est vrai que M. Dior t'a permis de te lancer dans le métier, mais la haute couture est un milieu très spécial, très élitiste. Si tu veux vraiment laisser ta marque dans l'histoire du mannequinat, Gaëlle, c'est à New York qu'il faut venir travailler. Ici, tu auras le monde de la mode à tes pieds, les plus grands stylistes, les plus grands photographes, les plus grands magazines, les plus belles opportunités. Je te le dis : viens vivre à New York quelques années et tu seras célèbre pour l'éternité. Tu as déjà une réputation, profites-en ! Tu sais comment ça marche, dans cette branche : tu es encore jeune, mais tu n'as que dix ans devant toi pour te faire un nom. Une fois célèbre, tu pourras choisir tes contrats. Réfléchis bien : c'est le moment de te décider.

Les conseils d'Edna Woolman Chase valaient de l'or. Quand Gaëlle en discuta avec Robert ce soir-là – il l'avait emmenée dîner au 21 –, il ne put qu'abonder dans ce sens : lui aussi avait envie qu'elle vienne s'installer à New York. Seulement, Gaëlle n'était pas certaine de vouloir faire carrière dans le mannequinat. Ce n'était pour elle qu'une activité temporaire – et tellement frivole ! L'expérience s'était toutefois révélée fantastique... Tout le monde avait été adorable avec elle, dans un milieu réputé pour être impitoyable. De plus, elle commençait à bien gagner sa vie – mieux qu'elle ne l'avait jamais espéré. Après les terribles années de guerre, elle appréciait ce sentiment de sécurité et d'indépendance. Mais elle se sentait redevable envers Christian Dior, et elle n'avait pas envie de quitter la France, malgré l'amour chaque jour plus fort qu'elle éprouvait pour Robert.

— Tout va si vite, ici, murmura-t-elle.

Dior l'avait choyée et protégée à Paris. Si elle déménageait à New York, elle serait jetée en pâture aux loups de la mode. Était-elle prête à sauter le pas ? Avait-elle la personnalité qu'il fallait pour cela ? Il n'y avait rien de moins sûr.

Robert fut frappé par sa sagesse. Malgré son jeune âge, Gaëlle gardait les pieds sur terre ; elle ne se laissait pas aveugler par son succès. C'était une fille intelligente et pleine de bon sens, qui avait su mettre à profit ses qualités pour avancer dans la vie.

— Cela dépend de ce que tu attends de ta carrière, observa-t-il pensivement.

— Au début, j'avais juste besoin de manger. Je ne pensais pas que cela prendrait ces proportions.

Gaëlle était montée à Paris pour fuir les personnes qui l'avaient humiliée, tenter de retrouver la trace de Rebecca auprès de la Croix-Rouge, et décrocher un petit boulot qui lui permette de survivre. Mais elle ne tenait pas pour autant à bâtir une carrière sur sa beauté, qui ne pouvait qu'être éphémère. On lui avait d'ailleurs conseillé de dépenser son argent avec parcimonie, car un jour tout s'arrêterait aussi vite que cela avait commencé. Les mannequins étaient comme des comètes dans un ciel d'été.

— J'aurais peur de venir travailler en Amérique, confia-t-elle.

— Pourquoi? s'enquit Robert, intrigué.

— Chez Lelong, je suis protégée. Ici, je n'ai pas de filet de sécurité. Ils sont très gentils avec moi chez *Vogue*, mais ça ne durera pas. Tôt ou tard, mon visage appartiendra au passé.

C'était arrivé à d'autres avant elle. Il y avait un fort taux de renouvellement chez les mannequins, entre celles qui ne parvenaient pas à percer et celles dont la popularité finissait par décliner. Un jour, ce serait son tour. Elle se voyait déjà serveuse à vingt-cinq ans... En entendant cela, Robert éclata de rire.

— Il me semble que tu n'as aucune raison de t'inquiéter pour l'instant, observa-t-il. En plus, je pourrai t'aider à retrouver du travail. Je connais du monde.

— Merci, répondit-elle sincèrement.

— Et il y a un autre élément que tu n'as pas pris en compte.

— Lequel? demanda-t-elle avec de grands yeux innocents.

Gaëlle n'avait aucune motivation cachée le concernant. Il ne lui en faisait que davantage confiance.

— Je veux t'épouser, Gaëlle, murmura-t-il d'une voix emplie d'émotion. Je veux être à tes côtés pour te protéger. Pas seulement dans ta carrière de mannequin, mais dans ta vie de tous les jours.

Elle resta silencieuse un long moment. En dépit des sentiments qu'elle éprouvait pour lui, elle ne voulait pas précipiter les choses. Elle craignait de tout gâcher, d'attendre trop de leur relation naissante. Et si Robert se lassait d'elle ? Elle se retrouverait seule, loin de son pays natal, plongée dans un univers inconnu. D'un certain côté, elle préférait rester à Paris et mener une existence plus modeste, une existence qu'elle serait capable de contrôler. En outre, Robert était un homme puissant, elle avait peur de se sentir submergée.

— Je ne veux pas aller trop vite, lâcha-t-elle. Que deviendrai-je si tu changes d'avis, si tu es malheureux avec moi comme avec ton ex-femme ?

Robert lui prit la main.

— Je ne serai pas malheureux avec toi, Gaëlle. Tu n'as rien de commun avec mon ex-femme. Tu es celle que j'ai attendue toute ma vie.

Gaëlle hocha la tête. Les larmes roulaient sur ses joues. Toutes les personnes qu'elle avait aimées étaient mortes pendant la guerre. Si elle se reposait sur lui et qu'il meure à son tour, elle ne s'en remettrait jamais.

— Laissons-nous le temps, suggéra-t-il calmement. Cela fait beaucoup de choses auxquelles t'habituer d'un coup.

Il l'attira dans ses bras et sentit qu'elle se détendait. Avec lui, elle se savait en sécurité.

— Je ne laisserai plus rien t'arriver de mal, lui promit-il d'une voix grave.

Mais Gaëlle avait vu comment le monde pouvait subitement échapper à tout contrôle, comment des événements terribles se produisaient sans que personne y soit préparé. Après cela, il était difficile d'avoir confiance en l'avenir... Le destin pouvait tout faire basculer en un battement de cils. Peut-être les Américains s'en rendaient-ils moins compte, eux qui avaient vécu dans une relative sécurité pendant la guerre – même s'ils avaient perdu des êtres chers sur des champs de bataille étrangers. Dans le cas de Gaëlle, le danger avait été présent jusque dans sa maison. Et que dire des Feldmann et des gens de leur communauté ? Leur propre pays s'était retourné contre eux... Qui aurait pu prédire une telle atrocité ?

Six semaines après son retour à Paris, Gaëlle reçut un appel du fermier qui veillait sur le château familial. Il y avait un problème ; il fallait qu'elle vienne de toute urgence. Le week-end suivant, Gaëlle, la mort dans l'âme, embarqua dans un train pour Lyon. Le fermier vint la chercher à la gare, et, trop vite, Gaëlle comprit pourquoi il n'avait pas voulu être plus précis au téléphone. L'élégante façade du château de Mouton-Barbet avait été recouverte de graffitis. « Traîtresse », « Collabo », « Putain »... La jeune femme sentit son cœur se briser à mesure qu'elle découvrait les messages haineux. « Dégage », « Va brûler en enfer »... Heureusement, ses parents n'étaient plus là pour les voir... Debout devant les murs défigurés, elle se dit que cela ne finirait jamais. Les villageois l'avaient stigmatisée pour toujours. Jamais ils ne lui pardonneraient les péchés qu'ils lui reprochaient et qu'elle n'avait pourtant pas commis. Elle en avait la nausée.

Le fermier la plaignait, peu importait qu'elle fût coupable ou non. Pendant les dernières années de la guerre, la jeune fille n'avait eu ni père ni frère pour la protéger et elle s'était retrouvée seule avec une mère invalide et à moitié folle. Et quand bien même eût-elle vraiment fait ce dont on l'accusait... Elle n'était pas la seule femme à avoir vendu son corps pour un morceau de pain !

— J'ai essayé de les effacer, expliqua le fermier, mais la peinture ne part pas. J'ai contacté un maçon : selon lui, il faudra peut-être carrément remplacer certaines pierres, ou bien les peindre.

— Vendez-le, murmura Gaëlle.

Elle avait dit cela si bas qu'il ne la comprit pas.

— Pardon ?

— Je veux vendre le château, répéta-t-elle.

Elle avait entendu dire que certains Américains, ou des Parisiens qui n'avaient pas tout perdu pendant la guerre, achetaient les propriétés comme la sienne. Ils profitaient de ce que les prix étaient bas, car le pays était en crise... De son côté, Gaëlle savait qu'elle ne pourrait plus jamais vivre ici. Cela lui serait bien trop douloureux. Elle ne voulait garder de ce château que les souvenirs de sa paisible enfance. Tout ce qui était arrivé après ses quinze ans avait été un cauchemar, et rien ne pourrait l'effacer, quand bien même le fermier et son maçon réussiraient à faire disparaître les calomnies inscrites sur la façade. Celles-ci reflétaient ce que tout le monde pensait d'elle au village : qu'elle avait trahi sa patrie et qu'elle s'était vendue aux Allemands, comme une prostituée. Personne n'était au courant de ses activités au sein de la Résistance – qui la croirait, de toute façon ? La plupart de ses compagnons s'étaient évaporés et avaient poursuivi leur petit bonhomme de chemin. Quant aux enfants qu'elle avait sauvés, ils étaient à présent dispersés aux quatre coins de l'Europe, voire du monde, chez les braves gens qui les avaient recueillis.

Gaëlle demanda au fermier de mettre la propriété en vente et d'accepter la première offre. Bien que choqué, il comprenait sa décision. Il lui fit alors une proposition qu'il n'avait pas osé lui soumettre auparavant : acheter la ferme que sa famille exploitait depuis plusieurs générations, ainsi que les deux métairies voisines, laissées vacantes après la mort des fermiers et le départ de leurs veuves. Il deviendrait alors propriétaire d'un domaine de belle taille. Gaëlle accéda à sa demande sans hésiter. L'homme avait été loyal envers son père, et très gentil avec elle. Ils se mirent d'accord sur une somme dérisoire, qu'il lui promit de payer en cinq ans. Le fermier avait de quoi être satisfait, même s'il était sincèrement désolé pour la jeune femme. Il l'observait, intrigué. Visiblement, sa décision de tout quitter et d'aller à Paris avait été judicieuse. Gaëlle était devenue une femme sophistiquée, à la pointe de la mode. Le fermier, qui l'avait connue toute petite, devinait néanmoins qu'elle était restée la même à l'intérieur. Quoi qu'en disaient les autres, il savait que c'était une femme honorable, qu'elle avait des valeurs, comme son père. Lui-même avait été beaucoup critiqué pour avoir accepté d'aider la jeune femme disgraciée en s'occupant du château, mais il s'en fichait. Gaëlle venait de lui vendre les fermes pour presque rien, ce dont il lui était très reconnaissant. Elle ne cherchait pas à gagner de l'argent. Elle voulait juste oublier le passé, si toutefois une telle chose s'avérait possible.

C'était un beau week-end ; Gaëlle se promena dans le domaine, cueillant les souvenirs comme des fleurs dans un champ. Elle dénicha dans la grange une vieille bicyclette qui avait appartenu à son frère et roula jusqu'à la cabane où elle avait caché les enfants. Elle se souvint des longs mois pendant lesquels elle avait rendu visite à Rebecca presque tous les jours au camp d'internement. Elle s'arrêta au bord du ruisseau où elles s'étaient baignées, enfants… Combien de fois s'étaient-elles fait gronder après avoir disparu pendant des heures sans penser à dire où elles allaient ? Elle se rappela ses parents à l'époque heureuse où ils étaient jeunes et en pleine forme… Et les bêtises qu'elle avait faites avec son frère, qui en rejetait toujours la faute sur elle… Elle repensa à tout cela, le sourire aux lèvres, et essuya les larmes qui roulaient sur ses joues.

À la tombée de la nuit, Gaëlle acheva son pèlerinage devant la maison des Feldmann. Elle resta là un long moment, sous l'arbre où elle s'était tenue en ce terrible matin de décembre où la police les avait emmenés. La maison connaissait une nouvelle vie. Deux petites filles couraient dans le jardin, sous l'œil vigilant d'une jeune femme. Les murs avaient été repeints récemment, et des fleurs ornaient la pelouse.

La mère des fillettes arriva au volant d'une Delahaye bleue, une voiture de luxe. À en juger par son manteau de fourrure et son chapeau à la mode, elle ne manquait pas d'argent, mais il y avait fort à parier que son mari et elle avaient acquis la propriété pour presque rien. Les maisons des Juifs déportés se vendaient comme des petits pains à travers toute l'Europe. Les spéculateurs en achetaient avec l'intention de les revendre à leur juste valeur un peu plus tard, faisant ainsi fortune sur le dos des victimes sans se soucier de ce qui leur était arrivé. Les deux petites blondes que Gaëlle voyait jouer dans le jardin lui firent penser à elle et à Rebecca. Oui, Rebecca était à présent sa sœur de cœur.

Sur le trajet du retour, Gaëlle ne cessa de pleurer. Elle monta directement dans sa chambre du grenier où elle avait vécu pendant l'Occupation. Il lui tardait de vendre le château et de se débarrasser des mauvais souvenirs qui y étaient attachés.

Le dimanche, avant de s'en aller, elle se recueillit une dernière fois sur les tombes de son frère et de ses parents.

— Au revoir, murmura-t-elle. Je suis désolée.

Désolée de n'avoir pas pu les sauver, désolée de partir, désolée de se séparer des terres qui avaient appartenu à la famille pendant des générations... Mais une vie meilleure l'attendait ailleurs.

Gaëlle quitta le domaine en espérant ne jamais revenir. Tout ce qu'elle avait aimé, elle l'emportait avec elle dans son cœur – le reste, elle comptait bien le laisser ici pour toujours. Elle avait invité le fermier à prendre ce qui l'intéressait dans la maison ; pour sa part, elle ne voulait rien garder. Il la reconduisit à la gare et la remercia encore de lui avoir vendu les trois fermes. Pour le château, il contacterait un agent immobilier ainsi qu'un avocat, et il lui promit de l'appeler dès que quelqu'un ferait une offre. En attendant, par respect pour elle, il essaierait à nouveau d'effacer les graffitis qui salissaient la façade.

— Bonne chance, mademoiselle, lui dit-il d'un ton grave tandis qu'ils se serraient la main.

— Bonne chance à vous aussi, répondit-elle avec un pâle sourire.

Le fermier resta debout sur le quai à regarder le train partir. Une image de Gaëlle, petite, lui revint en mémoire. Elle et son diablotin de frère étaient bien mignons... Il souhaitait sincèrement que la jeune femme soit heureuse. La dernière chose qu'il vit d'elle, à travers la fenêtre du train, fut son visage tourné vers le château qu'elle avait jadis tant aimé.

Gaëlle ne parla pas de son week-end à Robert. Elle avait trop honte. Ces calomnies inscrites sur la façade l'avaient blessée au plus profond de son âme. Mais sa décision était prise.

Elle lui envoya un télégramme : *Vais m'installer à New York. Je t'aime.* Son avenir était auprès de Robert. Le reste appartenait au passé ; tout ce qu'elle désirait, c'était l'oublier.

10

Une fois sa décision prise, Gaëlle avança avec détermination. Cela lui simplifierait les choses de ne plus
avoir d'attaches en France. Elle avait l'impression de
balayer le passé, de prendre un nouveau départ. Voire
de jeter son bonnet par-dessus les moulins. Mais tant
pis... Rien ne l'empêcherait de revenir en France si
la vie aux États-Unis ne lui plaisait pas.

Elle présenta donc sa démission à Madame Cécile,
laquelle comprit qu'elle veuille tenter sa chance à New
York. Elle estimait d'ailleurs qu'elle faisait le bon
choix. Elle lui demanda néanmoins de rester encore
deux mois, ce que Gaëlle accepta volontiers.

En apprenant qu'elle le rejoindrait en mai, Robert
fut follement heureux. Il n'avait exercé aucune forme
de pression sur elle, se contentant d'espérer qu'elle
parviendrait à cette décision toute seule, pour ses
propres raisons. Et c'est ce qu'elle avait fait.

Quand vint le moment de partir, Gaëlle échangea
des adieux poignants avec ses colocataires. Elle avait
fixé un rendez-vous avec M. Dior pour prendre congé
dans les règles. Toujours aussi courtois et élégant, il

lui souhaita bonne chance et lui confia qu'elle allait leur manquer. Quant à Madame Cécile, elle ne put retenir ses larmes.

— Vous m'avez sauvé la vie, murmura Gaëlle avec émotion tandis qu'elles s'étreignaient.

— Prenez soin de vous, ma fille. Et revenez nous voir de temps en temps.

Gaëlle lui en fit la promesse.

Elle quitta Paris le matin du 8 mai, date anniversaire de la victoire sur l'Allemagne. Ses amies l'accompagnèrent en bas de l'immeuble. Elles pleuraient toutes quand le taxi emmena Gaëlle, qui avait elle aussi le visage ruisselant de larmes. Elles s'étaient juré de garder le contact. Dans l'avion, Gaëlle resta plongée dans ses pensées. C'était la première fois qu'elle faisait le voyage seule. Mais son regard était résolument tourné vers l'avenir – vers Robert, qui l'attendait à New York.

Dès qu'elle l'aperçut à l'aéroport, elle sentit la joie et le soulagement déferler en elle comme une vague d'eau fraîche. Dans la voiture qui les conduisait en ville, elle lui parla avec animation de tous les rendez-vous qu'elle avait déjà programmés pour les semaines à venir : deux séances photo chez *Vogue*, une autre au *Bazaar* dans le courant du mois de juin... Et les agences se bousculaient pour la représenter. Sa nouvelle vie démarrait sur les chapeaux de roues.

Robert, de son côté, lui avait trouvé un petit appartement meublé sur Park Avenue ; ainsi, elle pourrait prendre ses marques en attendant qu'ils se lancent dans d'autres projets. Pour la première fois, elle allait habiter seule... C'était tout à la fois angoissant et excitant. Un autre chapitre de son existence s'ouvrait devant elle. À vingt et un ans, elle avait l'impression que le monde lui appartenait.

Robert attendit que la frénésie de son arrivée à New York retombe quelque peu. Il n'était pas pressé. Après trois semaines pendant lesquelles elle ne toucha pas terre, ils passèrent le week-end du Memorial Day à Southampton, dans sa maison en bord de mer. Soudain, alors qu'ils déjeunaient sur la terrasse avec vue sur l'océan, il s'agenouilla devant elle.

— Gaëlle de Barbet, je sais que tu es devenue quelqu'un de célèbre, et qu'une grande carrière te tend les bras, la taquina-t-il. Me feras-tu toutefois l'honneur de m'épouser ?

Gaëlle sentit ses yeux s'emplir de larmes. Elle vivait là le plus beau moment de sa vie. Si elle adorait le métier de mannequin, elle tenait encore davantage à être la femme de Robert et à passer le reste de ses jours avec lui.

— Oui, répondit-elle dans un souffle.

Il l'embrassa avec fougue et glissa à son doigt une bague en diamant d'une beauté saisissante. Gaëlle plongea son regard dans le sien. Elle n'arrivait toujours pas à croire à la chance qu'elle avait eue de le rencontrer. Après avoir connu les horreurs de la guerre et perdu tous ses proches, elle se retrouvait avec cet homme qui l'aimait et voulait la protéger et l'épouser... Qu'avait-elle fait pour mériter ça ? Pourquoi Rebecca n'avait-elle pas eu droit à ce bonheur elle aussi ?

Ils discutèrent de leur mariage pendant tout le week-end. Comme Gaëlle n'avait plus de famille et pas d'amis proches à New York, ils décidèrent d'organiser une petite cérémonie en ville, puis de passer leur lune de miel dans la maison de Robert à Palm Beach. Ils avaient envisagé de se rendre en Europe, mais la situation y était encore trop instable pour garantir un voyage serein. De plus, Robert était très attaché à sa propriété de Floride, qui avait appartenu à ses grands-parents. Il en gardait de bons souvenirs de son enfance, qu'il avait envie de partager avec Gaëlle. La date du mariage fut fixée au week-end du 4 juillet. D'ici là, ils avaient mille choses à faire.

— Est-ce que tu veux que j'arrête de travailler ? lui demanda Gaëlle très sérieusement.

Elle était prête à consentir ce sacrifice pour lui. À ses yeux, un mari comptait beaucoup plus qu'une carrière, et elle souhaitait avoir le temps de se consacrer à lui. Par certains aspects, Gaëlle était un peu vieux jeu.

— C'est à toi de décider, répondit-il avec un sourire. Pourquoi ne pas t'amuser encore un peu ? Tu arrêteras quand tu en auras envie.

Gaëlle acquiesça. Elle était contente...

En une semaine, la nouvelle de leurs fiançailles fit le tour des journaux. Le meilleur parti de la ville n'était plus sur le marché... Robert et Gaëlle furent instantanément proclamés roi et future reine de la haute société new-yorkaise. On voulut donner des soirées en leur honneur. *Vogue* demanda à choisir la robe de Gaëlle et à couvrir le mariage, quand bien même il serait célébré en petit comité : ils n'invitaient que vingt personnes parmi les plus proches amis de Robert. Celui-ci organisa un cocktail pour leur présenter Gaëlle, laquelle les trouva fort sympathiques.

Ses anciennes colocataires lui envoyèrent leurs félicitations depuis Paris. Elle reçut également deux télégrammes de Christian Dior et de Cécile. Ils lui souhaitaient tout le bonheur du monde.

Gaëlle continua à travailler d'arrache-pied jusqu'à l'avant-veille du mariage. Robert était très pris lui aussi, et leur quotidien ressemblait à une tornade. Puis le grand jour arriva : un juge célébra leur union sur la terrasse du penthouse de Robert qui donnait sur Central Park, dans la Cinquième Avenue. La réception qui suivit passa à la vitesse de l'éclair, et, avant qu'ils aient eu le temps de comprendre ce qui leur arrivait, ils se retrouvèrent le lendemain dans l'avion pour Miami en tant que M. et Mme Robert Bartlett. Le mariage avait été parfait, à la fois charmant et intime, tel qu'ils l'avaient souhaité. Gaëlle rayonnait de bonheur. Quant à Robert, il se disait l'homme le plus heureux du monde. Ni l'un ni l'autre ne se souciaient des vingt-huit années qui les séparaient. Sans le moindre calcul, Gaëlle avait épousé un des plus riches célibataires de New York, et il était fou d'elle. Les épreuves de la guerre n'étaient plus que de mauvais souvenirs.

En arrivant à Palm Beach, Gaëlle resta bouche bée devant la maison de Robert. Elle était aussi grande que le château de Mouton-Barbet ! Elle lui avait finalement parlé de la demeure familiale, mais elle refusait de l'y emmener : hors de question qu'il voie les mots terribles inscrits sur la façade par les villageois. Pourvu qu'il se vende vite, priait-elle, qu'elle puisse enfin refermer ce sombre chapitre de son existence ! Elle n'avait pas l'intention de retourner s'installer en France un jour. En épousant Robert, elle avait obtenu une carte de résident permanent aux États-Unis ; sa vie était ici, à présent. Elle adorait son nouveau nom, « Gaëlle Bartlett », et s'entraînait à le prononcer à tout bout de champ.

Ils vécurent trois semaines de rêve dans la maison de Palm Beach, chouchoutés par les nombreux domestiques de Robert. Puis ils décidèrent de passer le mois d'août à Southampton, où ils invitèrent de nombreux amis, dont certains que Gaëlle n'avait encore jamais rencontrés. L'industrie de la mode était à l'arrêt, et elle n'avait aucun engagement.

De retour à New York après le week-end du Labor Day, ils se remirent au travail, ragaillardis par ces deux mois de vacances. Gaëlle avait rendu les clés de son appartement meublé trois jours avant le mariage.

À la mi-septembre, elle reçut un télégramme de Louis Martin, le vieux fermier à qui elle avait vendu des terres. Il l'informait d'une offre présentée par un banquier de Paris pour le château et les fermes du domaine. La somme proposée était dérisoire au regard de la taille de la propriété, de son histoire et de tout ce qu'elle contenait, mais Gaëlle avait hâte de s'en débarrasser. Elle répondit qu'elle acceptait, précisant que le château serait vendu avec les meubles, l'argenterie, le linge, les tableaux de famille – qui n'avaient pour la plupart aucune valeur –, et tout ce qui était passé entre les mains des Allemands pendant quatre ans.

— Tu es vraiment certaine de vouloir t'en séparer ? lui demanda Robert.

Il craignait qu'elle ne regrette son geste plus tard, quand ses blessures se seraient un peu refermées. Mais Gaëlle était sûre d'elle : elle ne voulait plus entendre parler de cet endroit. Garder ce château n'avait pas de sens. Robert lui proposa pourtant de l'aider, d'engager un concierge... C'était généreux de sa part, et elle l'en remercia, mais elle resta campée sur sa décision. La vente fut conclue très vite, et l'argent versé sur son compte à New York. Gaëlle était soulagée. Quant au banquier de Paris, ravi d'avoir fait une si bonne affaire, il lui écrivit pour lui exprimer sa reconnaissance.

À la fin du mois de septembre, Gaëlle était heureuse mais épuisée. Elle avait fait une demi-douzaine de couvertures pour de grands magazines, posé pour des publicités, et défilé pour trois stylistes, dont Norman Norell et Charles James – lesquels, selon elle, ne valaient pas Christian Dior. Son agence lui décrochait plus de contrats qu'elle ne pouvait en honorer ; sa carrière à New York explosait. Robert était fier d'elle. Ils sortaient tous les soirs, et, partout où ils allaient, on les photographiait ; la presse les surnommait « le couple doré ». Cependant, Robert s'inquiétait pour la santé de sa jeune épouse : elle avait maigri, et il craignait qu'elle ne travaille trop. Gaëlle se rendait bien compte qu'elle était encore plus fine que sous l'Occupation, mais elle lui assura qu'elle se sentait en pleine forme. Par précaution, Robert l'envoya quand même consulter un médecin. Lorsqu'elle rentra de son rendez-vous, la jeune femme affichait un air penaud.

— Alors, qu'est-ce qu'il a dit ? s'enquit Robert. Que tu es trop maigre, je parie...

— Un peu, admit-elle. Mais il est sûr que je vais prendre du poids dans les mois qui viennent.

— Ah bon, et pourquoi ?

Gaëlle eut un petit rire tandis qu'elle passait les bras autour de son cou.

— On va avoir un bébé, lui chuchota-t-elle à l'oreille.

— Un bébé... Mais c'est fantastique, Gaëlle !

Robert la serra contre lui.

— C'est pour quand ?

— D'après le docteur, j'en suis à deux mois de grossesse. Je ne me suis doutée de rien parce que mes cycles ne sont pas toujours réguliers.

Ils l'étaient encore moins quand elle perdait du poids, comme ces derniers temps.

— Le bébé est donc prévu pour fin avril, début mai, précisa-t-elle.

Robert plaisanta en soulignant qu'il serait déjà un vieillard quand leur enfant naîtrait : il allait bientôt fêter ses cinquante ans.

— Qu'a dit le médecin sur le fait que tu travailles ? demanda-t-il, soucieux. Tu dois rester debout pendant des heures lors des séances photo…

— Il m'a dit que je pouvais faire ce que je voulais, dans les limites du raisonnable, et tant que je ne m'amuse pas à monter à cheval ou sur des skis. Comme je suis grande et mince, ça ne devrait pas se voir avant le mois de décembre. Après, je serai bien obligée de l'annoncer à mon agent et aux magazines.

— Il faudrait peut-être les prévenir avant… Tu voudras retravailler après la naissance du bébé ?

— Je ne sais pas… Quand ça commencera à se voir, ils ne voudront sans doute plus de moi. Je déciderai le moment venu.

Gaëlle n'avait jamais imaginé que sa carrière décollerait aussi vite, et c'était un crève-cœur d'y renoncer maintenant. Mais, grâce à Robert, elle n'avait pas besoin de travailler.

— Ça te plairait peut-être de te faire entretenir, la taquina-t-il, tout en l'embrassant encore.

— Je ne veux pas profiter de toi, Robert.

Cela, il le savait bien : sa femme n'était pas paresseuse, et il savait qu'elle ne l'avait pas épousé pour son argent. L'idée qu'elle reste à la maison avec leur enfant lui plaisait, mais jamais il ne prendrait cette décision à sa place. Il n'avait pas envie qu'elle se sente prisonnière, qu'elle s'ennuie, ou qu'elle ait l'impression de s'être fait voler sa carrière.

Après la joie initiale, Gaëlle crut déceler une ombre d'inquiétude dans le regard de Robert. Elle se doutait bien de ce qui le tourmentait, et il le reconnut lui-même : il avait peur que quelque chose arrive à leur enfant, comme à la petite fille de son premier mariage, qui était morte à trois mois. Gaëlle tenta de le rassurer, mais elle comprit qu'elle n'y parviendrait pas. Cette angoisse était plus forte que lui.

Au début du mois de novembre, lorsqu'elle annonça à son agence qu'elle attendait un bébé, tout le monde fut surpris par la nouvelle – et pour le moins déçu. Gaëlle était leur mannequin vedette. Ils convinrent avec elle qu'il ne serait plus possible de lui obtenir des contrats à partir de janvier : elle serait alors enceinte de six mois et ne pourrait plus le cacher.

En attendant, Gaëlle continua de travailler autant qu'avant. Elle se sentait bien, et sa grossesse se déroulait normalement. Fous de joie à l'idée d'être bientôt parents, Robert et elle consacraient des heures à chercher des prénoms pour le bébé. Gaëlle avait une préférence pour ceux d'origine française. Robert les appréciait lui aussi, mais seulement s'il s'agissait d'une fille. Pour un garçon, il tenait à choisir un prénom porté dans sa famille.

Gaëlle fit sa dernière séance pour *Vogue* quelques jours avant Noël ; son ventre commençait nettement à s'arrondir. Ils passèrent les fêtes chez eux, blottis l'un contre l'autre, et allèrent voir un ou deux films au cinéma. Les trois mois suivants, Gaëlle déjeuna avec ses amies mannequins, visita des musées et des expositions, lut beaucoup de livres et prépara la chambre du bébé. Comme ils ne connaissaient pas son sexe, elle la décora dans les tons de blanc. Robert espérait une petite fille. Quoi de plus merveilleux en effet que d'avoir une réplique miniature de Gaëlle ?

— Tu ne préférerais pas un garçon ? lui demanda Gaëlle. Pour perpétuer ton nom ?

Ils avaient déjà décidé de s'en tenir à un seul enfant : Robert n'était plus très jeune, et Gaëlle n'en voulait pas forcément d'autres.

— Pas du tout, répondit-il. Les filles sont plus faciles. Quand je pense à tous les soucis que j'ai causés à mes parents !

À mesure que le temps passait, Robert était moins inquiet ; jusque-là, la grossesse de Gaëlle se déroulait sans aucun problème. Aussi mince fût-elle, le bébé semblait de belle taille – une impression confirmée par le médecin. Gaëlle avait un ventre si énorme à la fin qu'ils en riaient tous les deux.

Dans les dernières semaines, ils réduisirent drastiquement leurs sorties. Gaëlle était fatiguée, elle se sentait gênée dans ses mouvements et n'avait aucune envie de voir du monde. Robert ne s'en plaignait pas. Il se satisfaisait pleinement de leurs soirées tranquilles passées à bavarder. Ces trois derniers mois, Gaëlle avait profité de son congé pour prendre des cours sur l'art de la Renaissance au Metropolitan Museum. Elle n'avait pas vu le temps filer.

Une semaine avant la date prévue de l'accouchement, ils partirent dans les Hamptons pour le week-end. Ils se promenèrent sur la plage main dans la main et rentrèrent à New York, fourbus mais détendus. Leur cuisinière ne travaillant pas le dimanche, ils préparèrent eux-mêmes le dîner. Gaëlle éprouvait parfois une pointe de culpabilité à vivre dans un tel luxe – même si, après neuf mois de mariage, elle commençait à s'y habituer. Sans faire étalage de son argent, Robert aimait profiter de la vie et était heureux de partager ces petits conforts avec elle. Il n'avait pour sa part rien connu d'autre depuis sa naissance, étant issu d'une longue lignée d'aristocrates : la fortune familiale était née à l'époque de son arrière-grand-père paternel. Quant à sa mère, elle appartenait elle aussi à une grande famille, dont la richesse était toutefois plus récente. Très philanthrope, Robert donnait beaucoup aux œuvres de charité.

Il prévoyait déjà de constituer une fiducie pour leur enfant. Il avait essayé d'en expliquer le fonctionnement à Gaëlle, mais les histoires de clauses, de taxes et de bénéfices étaient trop alambiquées pour elle. Elle préférait lui laisser le soin de gérer leurs finances. De son côté, elle avait ouvert un compte d'épargne pour y déposer l'argent de la vente du château ainsi qu'une grande partie de ses salaires. Cela représentait une petite somme en comparaison de la fortune que Robert possédait – pour plaisanter, Gaëlle en parlait comme de sa dot –, mais c'était déjà ça... Et pour tout ce qu'elle ne plaçait pas, elle avait un compte courant à son nom et en usait comme bon lui semblait : elle s'achetait des vêtements, offrait des cadeaux à Robert, et s'autorisait parfois quelques folies. Gaëlle aimait être une femme indépendante.

Ce soir-là, ils se couchèrent tôt et elle s'endormit pendant qu'il lui massait le dos. Robert se montrait incroyablement attentionné avec elle et très enthousiaste à l'idée de bientôt voir leur bébé. Celui-ci ne cessait de donner des coups de pied.

Gaëlle fut réveillée à quatre heures du matin par une vive douleur dans le bas du ventre. Elle attendit un moment, et constata que les contractions devenaient de plus en plus fortes. Quand elle alluma la lumière et s'assit dans le lit, Robert ouvrit aussitôt les yeux.

— Ça va ? s'enquit-il d'une voix endormie.

— Je crois qu'il se passe quelque chose, répondit-elle prudemment tandis qu'une autre contraction se déclenchait.

Cette nouvelle acheva de le réveiller.

— On appelle le docteur.

— C'est trop tôt ! protesta Gaëlle. Attendons un peu.

Elle n'avait pas envie de partir tout de suite à l'hôpital. Pour l'instant, elle était bien mieux chez elle.

— Non, on n'attend pas, insista fermement Robert.

Il voulait la savoir entre de bonnes mains le plus tôt possible. Hors de question de prendre le moindre risque. Et comme il désirait le meilleur pour sa femme et leur bébé à naître, il avait réservé la plus grande suite privée du Doctors Hospital – elle disposait même d'un salon pour recevoir les visiteurs. Gaëlle y séjournerait une semaine, et Robert pourrait dormir avec elle. L'établissement était si luxueux et s'adressait à une clientèle si fortunée qu'il tenait plus de l'hôtel cinq étoiles que d'un hôpital. La note était encore plus salée que s'ils avaient séjourné au Ritz… Mais le lieu était également réputé pour son excellence technique. Robert ne voulait pas que son enfant naisse dans une maternité de seconde zone, surtout s'il devait être malade comme sa première fille. Aussi Gaëlle était-elle suivie par le meilleur obstétricien de la ville, alors même que sa grossesse s'était déroulée sans accroc.

Elle alla prendre une douche, lui promettant d'appeler le médecin si les contractions ne se calmaient pas. À peine avait-elle terminé qu'elle perdit les eaux.

— Cette fois, je crois que c'est pour de bon, dit-elle d'une petite voix à Robert.

Elle le dévisagea, soudain effrayée.

— J'ai peur, chéri. Et s'il arrivait quelque chose ? Et si le bébé mourait ? Ou moi ?

Robert l'attira dans ses bras. Elle tremblait sous la serviette qu'elle avait enroulée autour d'elle. Ayant déjà perdu un bébé, il savait que tout était possible, même le pire, mais il garda cette réflexion pour lui.

— Tout va bien se passer, Gaëlle, je te le promets, murmura-t-il d'une voix douce.

Pourtant, il s'inquiétait lui aussi. Il avait attendu longtemps avant de refaire un enfant, et il se retrouvait à présent dans la peau d'un vieux papa angoissé. Jamais il n'avait aimé une femme autant qu'il aimait Gaëlle. Il ne voulait pas qu'elle souffre.

Tandis qu'elle s'habillait, Robert chronométra les contractions. Il était alors six heures du matin. Il appela le médecin, lequel lui conseilla de conduire la future maman à l'hôpital pour qu'elle puisse être examinée. Pour sa part, il se déplacerait quand le travail aurait réellement commencé. Les premiers bébés prenaient souvent leur temps : Gaëlle n'accoucherait sans doute que le soir, voire le lendemain matin.

Aucune femme de son entourage n'ayant été enceinte à ce jour, Gaëlle ne savait pas du tout à quoi s'attendre. Elle n'avait ni tante, ni sœur, et sa mère était morte… En somme, elle n'avait aucune expérience des bébés et de leur mise au monde.

Robert aurait aimé rester avec Gaëlle jusqu'au bout, et c'était ce qu'elle souhaitait également. Malheureusement, le règlement de l'hôpital n'autorisait pas la présence du mari en salle de naissance. L'idée était considérée comme choquante. Les hommes n'étaient pas censés voir naître leur enfant. Le médecin avait assuré à Gaëlle qu'elle serait bien mieux entourée d'infirmières, et qu'elle verrait son mari une fois coiffée et maquillée. Gaëlle s'était entêtée, arguant que Robert seul saurait la rassurer, mais le médecin avait campé sur ses positions. Alors, elle avait envisagé d'accoucher à domicile – une pratique barbare, d'après l'obstétricien : c'étaient les pauvres qui donnaient naissance à leurs bébés chez eux, avec le mari dans la pièce... Robert risquait de s'évanouir, et de ne plus la voir de la même façon après cela. Les hommes n'étaient pas préparés à un tel spectacle ! Le médecin avait mille arguments à opposer à Gaëlle, et il fit tout pour qu'elle se sente honteuse d'avoir formulé une telle demande. Le portier de l'immeuble leur appela un taxi. En chemin, les contractions se firent de plus en plus douloureuses. À l'hôpital, on les installa dans l'élégante suite. La chambre avait quelque chose de résolument stérile et médical, mais le salon était décoré avec goût. L'établissement était aussi réputé pour son chef et sa cuisine ; tous les membres de la haute société newyorkaise venaient accoucher là.

Après un examen douloureux, l'infirmière de garde annonça à Gaëlle que son col commençait à peine à se dilater et que le bébé mettrait plusieurs heures à descendre. Le médecin n'avait pas besoin de venir tout de suite – il la verrait en fin de matinée. Contrariée, Gaëlle demanda à rentrer chez elle, mais on lui répondit qu'il valait mieux qu'elle reste, maintenant qu'elle était là. Elle trouva cela ridicule... Leurs règles étaient tellement rigides !

— J'ai envie de rentrer, se plaignit-elle à Robert une fois l'infirmière repartie.

— Par pitié pour mes nerfs, ma chérie, fais ce qu'ils te disent, la gronda-t-il gentiment. Je n'ai aucune envie d'être pris dans les embouteillages et de te voir accoucher dans un taxi.

— Les femmes accouchent partout tous les jours, lui rappela-t-elle.

171

Robert agita l'index.

— Ne commence pas, je t'en prie !

Une heure plus tard, Gaëlle ne demandait plus à rentrer : les contractions étaient tellement fortes qu'elle ne pouvait plus parler quand elles survenaient. Lorsque l'infirmière l'examina à nouveau, elle lui dit que son col était ouvert à deux centimètres. Gaëlle fut déçue : vu comme elle souffrait, elle avait espéré que le travail aurait davantage progressé... Cela voulait-il dire que les douleurs allaient encore s'intensifier ?

— Vous voudriez peut-être que votre mari quitte la chambre maintenant ? suggéra l'infirmière.

— Non, surtout pas ! aboya Gaëlle, agacée.

Visiblement, la femme aurait préféré que Robert rentre chez lui et qu'il attende qu'on le rappelle.

— Mon mari restera avec moi jusqu'à ce que je sois transférée en salle de naissance. Et j'aimerais qu'il assiste à l'accouchement.

L'infirmière hocha la tête. En sortant de la chambre, elle alla directement signaler à sa chef de service que Mme Bartlett était française et qu'elle voulait accoucher comme une fille de la campagne, avec son mari auprès d'elle. Le ton de sa voix exprimait toute la désapprobation que lui inspirait cette requête. C'était tellement plus simple quand les patientes laissaient leurs maris à la porte de l'hôpital ! Ainsi, on n'avait pas à gérer les papas nerveux en plus des parturientes.

— Et alors ? Où est le problème, répondit sa supérieure en souriant. Je suis bien d'accord avec elle : les maris devraient pouvoir rester. L'accouchement se passerait probablement mieux et deviendrait peut-être une expérience merveilleuse pour les deux parents.

La jeune infirmière quitta la pièce, horrifiée, et sa chef ne put s'empêcher de rire. Bizarrement, elle était plus ouverte que les soignantes qu'elle avait sous ses ordres. Dans la mesure où l'homme et la femme faisaient le bébé ensemble, pourquoi n'assisteraient-ils pas à sa naissance tous les deux ? Et pourquoi le papa n'aiderait-il pas la maman à accoucher, plutôt que de la laisser entre les mains d'étrangers ? Malheureusement, les responsables qui décidaient de la politique de l'hôpital ne partageaient pas du tout cet avis.

Quand elle passa voir Gaëlle un peu plus tard, la jeune femme était pâle et frissonnante. Elle souffrait beaucoup, mais refusait les médicaments, persuadée que son mari serait chassé de la chambre dès qu'on les lui administrerait.

— Vous vous en sortez très bien, lui assura l'infirmière en chef d'une voix douce.

Elle sourit à Robert, qui semblait inquiet.

— C'est normal que ce soit aussi douloureux ? s'enquit-il.

N'ayant pas assisté à la naissance de son premier enfant, il ignorait tout de l'accouchement. Or, c'était bien pire que ce qu'il avait imaginé.

— Oui, c'est normal, répondit-elle, sans préciser que Gaëlle n'était pas au bout de ses peines. C'est un gros bébé. Mais tout va bien se passer.

Gaëlle se tordit sous l'effet d'une nouvelle contraction. Elles étaient maintenant espacées de deux minutes ; cela faisait cinq heures qu'ils avaient été admis à l'hôpital.

— Ça va ? chuchota-t-il quand l'infirmière fut partie. Pourquoi tu ne veux pas qu'ils te donnent quelque chose ?

— Je veux que tu restes avec moi, souffla-t-elle en lui agrippant la main. J'ai besoin de toi.

— Je suis là, ma chérie. Je ne partirai pas.

Pendant l'heure qui suivit, Gaëlle lutta contre la douleur. Robert était tout pâle : ce qu'elle endurait était parfaitement inhumain ! Pourquoi ne lui faisaient-ils pas une anesthésie générale ? L'infirmière lui avait expliqué qu'à un moment ou à un autre Gaëlle serait obligée de pousser, et qu'il fallait donc qu'elle soit parfaitement réveillée. Il trouvait cela révoltant. Et il se jura de ne plus jamais lui faire subir une telle torture, même si elle était jeune et en pleine santé, et même si elle le lui demandait.

Les contractions étaient si fortes et si fréquentes à présent qu'elles n'étaient plus qu'une seule et longue douleur sans intervalle de répit. Gaëlle sanglotait. Robert voulut aller chercher l'infirmière pour qu'elle demande à l'obstétricien de venir tout de suite, mais Gaëlle l'en empêcha.

— Ils te feront quitter la pièce, protesta-t-elle.

— Je m'en fiche. Il faut qu'ils te donnent quelque chose.

— Je préfère t'avoir, toi.

Soudain, ses yeux s'agrandirent de terreur alors qu'une nouvelle contraction encore plus forte que les précédentes la saisissait.

— Que se passe-t-il ? s'enquit Robert.

C'en était trop : il voulait le docteur ici, immédiatement ! Mais Gaëlle lui serrait la main comme dans un étau.

— Je crois que le bébé va sortir !

Les forces de l'enfer se déchaînaient en elle. Robert savait pourtant que ce n'était pas possible : l'infirmière leur avait assuré que leur enfant ne naîtrait pas avant plusieurs heures. Il devait y avoir un problème.

— Il sort, je le sens ! répéta-t-elle en se redressant brusquement.

Elle s'accrocha à Robert, qui la regarda, paniqué, tandis qu'elle se mettait à pousser. C'était plus fort qu'elle. À cet instant, l'infirmière de garde entra dans la chambre.

— Arrêtez immédiatement, madame ! s'écria-t-elle. Le docteur n'est pas là. Vous ne devez pas pousser, votre col n'est pas complètement dilaté ! Vous allez vous blesser !

Sourde à ses avertissements, Gaëlle continuait de pousser.

— Votre femme ne coopère pas, pesta l'infirmière. Vous devez sortir, monsieur.

— Non, je ne sortirai pas ! répondit-il avec fermeté.

Gaëlle s'agrippait à lui de toutes ses forces. Soudain, elle laissa échapper un cri terrifiant, puis retomba sur le dos. Alors, on entendit un vagissement entre ses jambes. L'infirmière souleva le drap, découvrant une petite fille qui se mit à pleurer vigoureusement. Robert pleura à son tour en la regardant, puis il embrassa sa femme. Jamais il n'avait aimé quelqu'un aussi fort qu'à ce moment précis.

— Vous avez accouché, lâcha l'infirmière d'un ton accusateur.

Gaëlle éclata de rire.

En effet...

— Oui, elle l'a fait, confirma fièrement Robert.

Et en présence de son mari, de surcroît...

L'infirmière appela le médecin de garde pour couper le cordon. Ils venaient de déposer le nouveau-né, emballé dans une couverture rose, dans les bras de la jeune femme quand l'obstétricien pénétra dans la pièce.

— Qu'est-ce qui se passe, ici ? lança-t-il, comme si les deux parents étaient fautifs de quelque chose.

L'absurdité de la scène leur arracha un rire.

— Je sentais que j'allais accoucher et j'ai poussé, expliqua Gaëlle. Mais l'infirmière m'a dit que je n'étais pas encore assez dilatée, qu'il ne fallait pas que je pousse...

— Il arrive que les choses évoluent très vite, même si c'est plutôt rare avec un premier enfant, répondit le médecin d'un ton bourru, cherchant à couvrir l'erreur de la soignante.

Gaëlle se tourna vers son mari.

— Oh, chéri... Heureusement que tu étais là !

— Oui, je suis si heureux d'avoir été à tes côtés. Tu as été merveilleuse.

Il posa un regard plein d'amour sur sa fille, endormie dans les bras de sa maman.

Gaëlle avait prévu de l'allaiter – encore un choix mal vu. L'allaitement était passé de mode parmi les femmes de la haute société, qui préféraient donner le biberon à leurs enfants.

— Eh bien, on peut dire que vous avez réussi à chambouler le règlement, tous les deux, lâcha l'obstétricien.

Il feignait de ne pas s'en formaliser, mais Gaëlle et Robert voyaient bien que cela l'ennuyait. Le médecin aimait les accouchements disciplinés, avec le père dans la salle d'attente ou chez lui, et la mère sous sédation.

L'infirmière ne manqua pas de se plaindre à sa supérieure de la façon dont la naissance s'était déroulée.

— Tant mieux pour elle, répondit sa chef. Peut-être qu'un jour les règles changeront...

Sa jeune collègue leva les yeux au ciel et retourna dans la chambre de Gaëlle pour emmener le bébé à la pesée. Les parents eurent bien du mal à se séparer de leur fille. Pendant que les puéricultrices s'en occupaient, l'infirmière fit sa toilette à Gaëlle et lui brossa les cheveux. Elle fut choquée par son refus de se maquiller. D'habitude, les patientes tenaient à être présentables devant leurs maris ; Gaëlle, elle, ne pensait qu'à l'embrasser. C'était sans doute parce qu'elle était française...

On leur ramena le bébé : Dominique pesait exactement quatre kilos – une magnifique petite fille, avec les traits de son père, ses yeux sombres et ses cheveux bruns. Ils avaient fini par se mettre d'accord sur le prénom. Et maintenant qu'ils découvraient son visage, ils trouvaient que cela lui allait bien. Quant à Gaëlle, elle était aux yeux de son mari la femme la plus extraordinaire au monde. À la voir allongée dans son lit, radieuse et détendue, avec son bébé dans les bras, on aurait pu croire qu'il ne s'était rien passé. Et pourtant, Dominique Davenport Bartlett avait été enfantée dans la douleur...

Davenport était le nom de jeune fille de la mère de Robert. Gaëlle aurait souhaité choisir Rebecca comme deuxième prénom, mais elle n'avait pas voulu s'opposer aux traditions familiales de son mari. Elle avait tenu à lui faire plaisir, lui qui était si bon avec elle... Et puis, elle avait tout pour être heureuse à présent : un homme qu'elle aimait, et une adorable petite fille. Sa vie ressemblait à un conte de fées.

11

Robert fit venir un cardiologue pédiatrique pour
vérifier que sa fille ne souffrait pas de la même malformation qui avait tué son premier enfant. Le médecin
fut formel : Dominique se portait comme un charme.
Après un séjour d'une semaine à l'hôpital, Gaëlle
rentra à la maison. Bien qu'elle eût préféré s'occuper de sa fille elle-même, Robert avait embauché une
nourrice qualifiée afin qu'ils puissent se réserver des
moments à deux. Gaëlle se retrouva désœuvrée, tout
en étant obligée de rester auprès de son bébé pour
l'allaiter.

Quand ils évoquèrent ensemble la question de son
éventuel retour au travail, elle s'aperçut qu'elle n'en
avait pas envie. Avec l'excès de zèle dont faisaient
preuve les agences, les magazines et les publicitaires, il
lui serait difficile de limiter ses heures, et elle craignait
de ne plus voir son mari et sa fille – ou, du moins,
pas assez. Elle s'était attachée tellement vite à ce petit
être... Deux mois après la naissance de Dominique,
Gaëlle annonça donc à son agence qu'elle prenait
sa retraite. Elle avait adoré travailler comme modèle

– l'expérience avait été passionnante, une véritable aubaine à son arrivée à Paris. Aujourd'hui, cependant, elle était prête à renoncer à sa carrière pour se consacrer à sa vie domestique. À vingt-deux ans, elle inaugurait une nouvelle période de son existence. Parfois, sa mère lui manquait. Elle aurait tant voulu que celle-ci connaisse sa petite-fille... Cela la peinait que Dominique n'ait pas de grands-parents ni aucune autre famille. Néanmoins, Robert compensait largement ce manque. Il adorait sa fille : c'était son rayon de soleil. À la maison, il l'avait toujours dans les bras, lui racontait plein de choses, la couchait le soir, et paniquait chaque fois qu'elle tombait malade. Plus tard, quand elle fut assez grande pour les comprendre, il se fit une joie de lui lire des histoires. Gaëlle aussi l'aimait profondément, mais Dominique était la passion de Robert, son plus grand trésor.

Au fil des ans, il devint aveugle à ses écarts de conduite ; tout ce qu'elle faisait trouvait grâce à ses yeux. Quand Gaëlle ou la nourrice grondaient la fillette, cette dernière courait voir son père pour qu'il la « sauve », et il annulait alors la moindre punition qui lui avait été infligée. Dominique était sa petite princesse, elle faisait la loi à la maison. Bien sûr, Gaëlle désapprouvait l'attitude de Robert. Elle avait une conception beaucoup plus traditionnelle de l'éducation – plus européenne, en somme. Ses parents s'étaient montrés plutôt sévères avec elle et son frère.

« Comment veux-tu que je me fasse obéir si tu la gâtes comme ça tout le temps et si tu lui permets tout ? » se plaignait-elle.

Mais cela ne servait à rien. Robert refusait que sa fille soit punie ou même simplement réprimandée. Ses parents avaient été durs avec lui, il n'avait pas envie qu'elle vive la même chose. Et puis... il était encore terrifié à l'idée qu'elle meure comme sa première fille. Pourtant, Dominique était une enfant robuste et en parfaite santé. Incapable de surmonter ses angoisses, Robert se montrait constamment obsédé par son bonheur et sa sécurité. Ainsi, il engagea un maître-nageur simplement pour la surveiller quand elle se baignait dans leur piscine de Southampton. En somme, il était l'incarnation du père tardif, anxieux et laxiste, quand Gaëlle s'escrimait sans succès à apporter à leur fille un peu d'équilibre et de raison, et un minimum de limites. Mais c'était peine perdue. Et Gaëlle cédait pour que la situation ne s'envenime pas entre elle et Robert, mettant ses propres convictions éducatives entre parenthèses.

Gaëlle avait bien conscience que leur fille devenait une enfant gâtée, et cela la contrariait. Quand elle n'obtenait pas ce qu'elle voulait, Dominique faisait des caprices et se mettait à hurler. Chaque fois que Gaëlle tentait de la discipliner, elle s'en plaignait à son père, qui la défendait aussitôt. La bonté de Robert ne rendait pas service à la fillette, mais il refusait de le reconnaître. Il avait même renvoyé plusieurs nourrices après que Dominique se fut plainte d'elles.

Plus grande, Dominique développa un caractère acerbe, qui rappela à Gaëlle sa propre mère. Celle-ci avait été une femme triste et austère même avant la guerre. Gaëlle était tout sauf convaincue que l'indulgence absolue de Robert ferait de Dominique une personne heureuse. Leur fille n'avait aucun cadre, elle n'en faisait qu'à sa tête quand son père était là. Elle savait exactement comment le séduire, comment le manipuler. Et souvent, elle était maussade et hargneuse avec sa mère, sans raison. On eût dit qu'elle se sentait en concurrence avec elle, alors que Robert les aimait toutes les deux... Il avait beau la rassurer à ce sujet, rien n'y faisait : elle le voulait pour elle seule.

Ces divergences éducatives étaient le seul point de désaccord entre Gaëlle et Robert. En dehors de cela, leur vie de couple était parfaite, mais il n'en restait pas moins que Dominique provoquait de vives tensions entre eux. La fillette n'hésitait pas à mentir pour arriver à ses fins, ou même à accuser injustement sa mère, avec qui elle se montrait particulièrement venimeuse. Il n'y avait qu'avec son père qu'elle mettait de l'eau dans son vin. Tout son monde tournait autour de lui, son protecteur. Gaëlle était déçue, elle qui rêvait d'une relation chaleureuse avec sa fille. Si Dominique avait été câline dans ses premières années, cela n'avait pas duré.

En réalité, la petite fille était jalouse de sa mère. Elle souffrait du complexe d'Électre, et Robert l'encourageait inconsciemment dans ce sens. Il se laissait berner par sa fille, qui lui réclamait tout son amour et toute son attention. Quand Gaëlle osait évoquer le sujet avec lui, Robert protestait avec véhémence, affirmant que Dominique les aimait autant l'un que l'autre. Évidemment, rien n'était plus faux.

La situation ne s'améliora pas avec le temps. Enfant brillante, Dominique se passionna très tôt pour les affaires : elle aspirait à travailler à Wall Street, comme son père. Elle fut vite capable de tenir des conversations intelligentes avec lui sur les investissements, le cours de la Bourse... Il lui expliquait tout ce qu'elle voulait savoir. Une façon de plus pour elle d'exclure sa mère.

En parent responsable, Robert avait tout prévu sur le plan financier. Quand Dominique eut trois mois, il réunit Gaëlle et son avocat et leur expliqua en détail ce qu'il avait mis en place pour sa fille. À sa mort, il lui laisserait quasiment l'intégralité de son immense fortune, ainsi que ses biens et investissements, à travers une fiducie. L'argent serait versé à Dominique par paiements échelonnés et croissants. Quant à ses propriétés immobilières, Robert voulait que Gaëlle en ait l'usage jusqu'à la fin de sa vie, mais c'est Dominique qui en deviendrait propriétaire, pour des raisons fiscales et affectives. Il avait étudié de près tous les avantages des différents types de donations. De son côté, Gaëlle hériterait d'une somme généreuse qui lui permettrait de vivre confortablement jusqu'à sa mort, ce dont elle lui était profondément reconnaissante. Il lui semblait normal que leur fille récupère le plus gros de la fortune de Robert. Elle n'avait aucune envie de la priver de ce qui lui revenait de droit, ni de rivaliser avec elle sur quelque plan que ce soit.

Alors même que Dominique ignorait la teneur de ces arrangements, elle se comporta très tôt comme une héritière gâtée. Un jour, elle confia à sa mère qu'elle avait hâte d'être assez grande pour renvoyer les domestiques qu'elle n'aimait pas. Son manque d'empathie était choquant, et son arrogance allait à l'encontre des valeurs prônées par Gaëlle – la modestie et la gentillesse, notamment. Tandis que ses parents faisaient preuve en toutes circonstances d'une grande bonté envers leurs employés, Dominique, elle, se montrait détestable, estimant que tout lui était dû. Elle était aussi aigrie que sa grand-mère maternelle l'avait été avant elle, et ce malgré les privilèges dont elle jouissait, malgré l'adoration que lui vouait son père et l'amour que lui portait sa mère. Souvent insolente, elle n'avait pas la douceur que l'on attend d'une enfant. En vérité, elle avait ressemblé dès son plus jeune âge à une adulte odieuse en miniature, réservant à son père toute la tendresse dont elle était capable. Gaëlle redoutait le jour où Robert ne serait plus là et où Dominique hériterait de son argent... Elle espérait de tout cœur que cela n'arriverait pas avant longtemps.

Sans regrets, Gaëlle abandonna définitivement le mannequinat. Elle suivit à la place des études d'histoire de l'art à l'université de Columbia, puis à celle de New York. Les cours la passionnaient tellement qu'elle envisagea pendant un temps de préparer un doctorat, mais cela lui sembla finalement superflu : elle était déjà fière d'avoir décroché une licence à Barnard et une maîtrise à la NYU. Restait à savoir ce qu'elle ferait de ces diplômes...

Lorsque Dominique eut six ans, Gaëlle et Robert s'offrirent un voyage à Paris. On était alors en 1953 et les cicatrices de la guerre s'étaient estompées. Pour Gaëlle, ce retour au pays fut riche en émotions. Malgré ses réserves initiales, ils passèrent un séjour enchanteur.

Robert découvrit à l'occasion d'une visite au Louvre l'étendue des connaissances en histoire de l'art de son épouse : elle était capable de fournir des informations détaillées sur des œuvres dont il n'avait jamais entendu parler – et il n'était pourtant pas novice en la matière. Tandis qu'ils passaient de salle en salle, Gaëlle s'arrêta soudain devant un tableau, qu'elle examina attentivement. Elle l'avait reconnu au premier coup d'œil : il s'agissait d'une des premières toiles que le commandant allemand lui avait confiées... Pour elle, ce fut comme de se retrouver face à un fantôme du passé.

— Il a appartenu à ta famille ? s'enquit Robert, devinant qu'il existait un lien particulier entre son épouse et la jolie ballerine de Degas.

Gaëlle secoua la tête. Elle ne lui avait jamais raconté cet épisode de sa vie, mais elle se sentait assez à l'aise à présent pour le faire. Elle lui expliqua comment le commandant lui avait confié les œuvres qu'un de ses amis avait subtilisées à des officiers peu scrupuleux, lesquels prévoyaient de les emporter en Allemagne.

— Je le rejoignais discrètement dans sa chambre après dîner et il me donnait une baguette de pain pour ma mère, avec une peinture roulée à l'intérieur. En tout, j'en ai caché quarante-neuf dans une cabane. Après la Libération, je suis montée à Paris dès que j'ai pu pour les remettre au Louvre.

Un sourire nostalgique se dessina sur ses lèvres.

— Je peux te dire qu'ils ont fait une drôle de tête en me voyant arriver avec mes trois valises remplies de chefs-d'œuvre ! Au début, ils ont cru qu'il s'agissait de faux, et que je cherchais à les vendre. Puis ils ont fait venir un expert, qui les a immédiatement authentifiés. C'est d'ailleurs la conservatrice du musée qui m'a indiqué l'adresse de Lucien Lelong ; c'est comme ça que j'ai obtenu mon premier travail !

Robert resta bouche bée. Quelle histoire extraordinaire... Sa femme était une héroïne. Elle avait sauvé quarante-neuf pièces du trésor national français ! Et elle lui apprenait cela avec la plus parfaite modestie... C'était tout elle.

— As-tu été officiellement saluée pour cette action ? Ou ne serait-ce que remerciée ? demanda-t-il, abasourdi.

— Je n'ai jamais rien dit à personne... À quoi bon ? Je n'étais qu'une fille de la campagne, et je n'ai fait que mon devoir.

Elle poussa un soupir.

— En fait, c'est à cause de ça que j'ai été accusée de collaboration. Durant les derniers mois de la guerre, je retrouvais le commandant dans sa chambre presque tous les soirs : notre gouvernante a cru que je couchais avec lui en échange d'un peu de pain pour ma mère. Après la chute du gouvernement de Vichy, elle s'est empressée de me dénoncer. C'est là que les villageois m'ont rasé la tête et traînée dans les rues comme une traîtresse.

Lors de leur séjour à Saint-Moritz, elle lui avait déjà relaté une partie de l'incident... Plusieurs années après, il lui était toujours très douloureux d'évoquer cette période. Elle n'aimait pas repenser à la guerre ni en parler.

— Mais pourquoi tu ne leur as pas expliqué la vérité ? s'enquit-il, révolté par le traitement humiliant qu'elle avait subi.

— Ils ne m'auraient pas crue. Je me suis contentée de rendre les toiles au musée, et c'est tout. Je n'ai plus jamais eu de nouvelles du Louvre après cela : ils avaient récupéré leurs chefs-d'œuvre, il n'y avait rien d'autre à ajouter. Tu sais, il s'est passé beaucoup de choses bizarres pendant et après la guerre.

Les deux heures suivantes, Gaëlle et Robert parcoururent les salles du Louvre, à la recherche des tableaux rescapés. Ils en dénichèrent quatre ; chaque fois, elle eut l'impression de retrouver un vieil ami. Robert l'observait : par certains côtés, sa femme restait pour lui un mystère. Elle était si discrète qu'il ne savait presque rien de son passé.

— Y a-t-il d'autres histoires que tu ne m'as pas racontées ? lui demanda-t-il alors qu'ils prenaient un verre dans un café près du Louvre.

Gaëlle ne répondit pas tout de suite. Des histoires, elle en avait gardé beaucoup pour elle ! Elle resta songeuse un long moment, les yeux dans le vague. Puis, fut-ce l'effet du vin, sa langue se délia :

— Ma meilleure amie d'enfance s'appelait Rebecca. On avait le même âge, mais elle était juive. Elle avait deux petits frères et une petite sœur, et son père était un grand banquier. Ils étaient très riches et habitaient une maison magnifique. J'aimais Rebecca comme une sœur... Tous les matins, je passais la chercher à vélo et on allait au lycée ensemble. Jusqu'au jour où ils se sont fait arrêter... J'ai assisté à la scène : des policiers les ont obligés à sortir de chez eux sous la menace de leurs armes et les ont jetés dans un camion. J'ai découvert qu'ils les avaient conduits dans un camp d'internement. J'y suis allée. Plein de fois... C'était horrible. Des milliers de personnes vivaient là dans des conditions déplorables, des familles entières entassées dans des baraquements... Ils leur ont tout volé, comme aux autres Juifs de France : leurs maisons, leur argent, leurs commerces. Les Feldmann sont restés dans ce camp pendant presque seize mois.

« Chaque jour, je faisais le trajet à bicyclette pour voir mon amie. Je ne me suis jamais fait prendre, n'ai jamais rien dit non plus à mes parents. Mais je suis tombée malade, et j'ai dû garder le lit pendant une semaine. Quand j'y suis retournée, le camp était désert. Les prisonniers avaient été déportés en Allemagne ou dans des pays de l'Est. J'ai voulu croire que Rebecca était en vie, qu'on se reverrait un jour... En débarquant à Paris, j'ai demandé à la Croix-Rouge de m'aider à la retrouver. Ils ont mis des mois à savoir ce qui leur était arrivé. En fin de compte, ils avaient été envoyés à Auschwitz, où ils étaient morts... Je n'ai jamais revu Rebecca. Mais j'ai gardé un morceau du ruban que je lui avais offert. Il s'était coincé dans le grillage du camp d'internement.

Quand la voix de Gaëlle s'éteignit, Robert avait une boule dans la gorge. Ne trouvant pas les mots pour la réconforter, il la prit dans ses bras tandis qu'elle pleurait. Tant d'années avaient passé depuis qu'elle avait vu son amie pour la dernière fois, et il lui semblait encore que c'était hier.

Elle n'eut pas le courage de parler des petits qu'elle avait sauvés par la suite en mémoire de Rebecca. Il lui avait fallu sept ans de mariage pour mentionner les tableaux et son amie d'enfance... Certaines histoires faisaient partie du passé, un passé que Robert n'avait pas besoin de connaître.

Ils rentrèrent à l'hôtel en silence. Une chose était certaine : Robert avait épousé une femme remarquable, d'une grande force d'âme. Chaque jour, il remerciait le ciel de l'avoir rencontrée. Elle le comblait de bonheur et lui avait donné une fille, son trésor le plus précieux.

12

Le caractère de Dominique ne s'améliora pas avec le temps. Lorsqu'elle entra dans l'adolescence, la jalousie qu'elle éprouvait à l'égard de Gaëlle augmenta en proportion de l'adoration qu'elle vouait à son père. Ce dernier avait beau prétendre que toutes les jeunes filles de son âge se rebellent contre leurs mères, l'hostilité de Dominique atteignait un degré extrême. Elle la diabolisait, s'opposait à elle constamment… C'en était décourageant.

Chaque fois que Gaëlle abordait le problème avec Robert dans l'espoir qu'il intercède en sa faveur, il trouvait une excuse au comportement de Dominique. Elle avait passé une sale journée, elle était souffrante, elle avait mal à la tête. Quelqu'un l'avait contrariée, un professeur s'était montré injuste… À force, Gaëlle comprit qu'elle ne parviendrait jamais à lui faire ouvrir les yeux. Pour lui, sa fille était et resterait irréprochable.

La méchanceté de Dominique alla crescendo jusqu'à ses quinze ans – une évolution normale, selon la littérature spécialisée. Gaëlle lisait tout ce qui lui tombait sous la main pour tenter de mieux comprendre sa fille et agir avec elle de façon constructive. Cependant, rien de ce qu'elle entreprenait ne marchait. Dominique restait aussi difficile qu'elle l'avait toujours été, à la seule différence que ses armes devenaient plus redoutables. Elle savait trouver les mots pour faire mal. Par exemple, elle reniait totalement ses origines françaises – une façon de plus de rejeter sa mère. Si quelqu'un évoquait la question, elle s'empressait de dire qu'elle était américaine. Et quand Gaëlle lui parlait en français, elle lui répondait en anglais. En somme, elle ne voulait être que la fille de son père. Et Gaëlle avait presque renoncé à l'espoir d'entretenir un jour une relation cordiale avec elle.

En seconde, la jeune fille avait déjà hâte de partir à l'université. Élève douée, elle envisageait de suivre des études de commerce pour travailler à Wall Street avec son père. Ce qui passionnait Gaëlle – l'art, l'histoire, la mode – ne l'intéressait pas du tout, et son ancienne carrière de mannequin n'avait aucune valeur à ses yeux. Seule comptait la réussite de son père.

Cet été-là, ils voyagèrent en France et en Italie, et firent une dernière étape à Londres. Dominique affirma qu'elle avait détesté la France, alors même qu'elle s'y était visiblement amusée... Elle se faisait un devoir de dénigrer tout ce qui avait un rapport avec sa mère.

À leur retour d'Europe, ils se rendirent directement dans leur maison de Southampton. Ils y resteraient tranquillement jusqu'à la rentrée scolaire. Dans la matinée, Gaëlle contacta son traiteur pour planifier une soirée en septembre avec leurs amis. De loin, elle sourit à Dominique, laquelle s'était installée au bord de la piscine pour lire, avec sa radio qui braillait à côté d'elle. Robert, lui, était allé jouer au tennis avec un ami. Il devait rentrer déjeuner à treize heures – la table était déjà dressée pour trois sur la terrasse.

Soudain, le partenaire de Robert surgit dans la maison, le visage blême. Gaëlle comprit immédiatement qu'un malheur était arrivé.

— Que se passe-t-il, Matthew ? s'enquit-elle en se précipitant vers lui.

— C'est Robert...

Il étouffa un sanglot.

— On jouait, il était en train de gagner. Il rigolait... Et d'un coup, il s'est effondré. J'ai essayé de le réanimer, je lui ai fait du bouche-à-bouche pendant que Louise appelait les secours. Ils sont arrivés en moins de cinq minutes. Ils l'ont massé pendant une demi-heure, mais c'était peine perdue.

Matthew pleurait comme un enfant. Gaëlle fondit en larmes à son tour. Ce n'était pas possible. Ça ne pouvait pas être vrai... Robert était mort... Parti trop tôt. Beaucoup, beaucoup trop tôt.

Ils restèrent un moment assis à la table de la cuisine, à se tenir les mains. Un peu plus tard, Louise, l'épouse de Matthew, téléphona pour lui proposer son aide. Y avait-il quoi que ce soit qu'elle puisse faire ? Elle aussi avait épousé un homme plus âgé qu'elle. À trente-sept ans, Gaëlle était néanmoins la benjamine de leur groupe. Et elle était veuve... Si tôt ! Comment allait-elle annoncer la nouvelle à Dominique ? Cette perspective la terrifiait. Sa fille survivrait-elle à la perte de ce père qu'elle vénérait, et qui l'avait tout autant adorée ?

Matthew partit en promettant de repasser dans l'après-midi. Le corps de Robert avait été transporté à la morgue de l'hôpital le plus proche. Cela aussi, il allait falloir s'en occuper... Mais d'abord, Gaëlle devait dire l'indicible à sa fille ; elle ignorait comment s'y prendre, et Robert n'était plus là pour la conseiller. Les années avaient filé, seize ans d'un mariage parfait que tout le monde enviait. Désormais, ce bonheur était derrière elle. Le conte de fées avait pris fin en quelques secondes sur un court de tennis.

Gaëlle rejoignit Dominique au bord de la piscine et s'assit à côté d'elle sur un fauteuil. Un nouveau groupe anglais chantait à la radio. La jeune fille posa son livre et regarda sa mère d'un air irrité.

— Quoi ?

— J'ai quelque chose d'affreux à t'annoncer.

Gaëlle voulut la serrer dans ses bras ; Dominique resta de marbre.

— Qu'est-ce qu'il y a encore ? demanda-t-elle, pensant que sa mère allait annuler un projet qui lui tenait à cœur.

Mais la réalité était autrement plus grave. Tellement grave qu'elle dépassait l'entendement. Les lèvres tremblantes, Gaëlle soutint le regard de sa fille. Elle devait rester forte.

— C'est ton père, murmura-t-elle en refoulant ses larmes. Il jouait au tennis avec Matthew et...

Dominique se leva d'un bond.

— Non ! cria-t-elle. Ne dis rien ! Je ne veux pas savoir !

Elle s'était mise à pleurer. Elle aurait voulu s'enfuir, mais ni elle ni sa mère ne le pouvaient. Il fallait affronter la vérité, aussi cruelle fût-elle.

— Il a eu une crise cardiaque, lâcha Gaëlle, qui sentait la tête lui tourner.

— Mais ça va aller, non ? demanda Dominique avec un regard désespéré.

— Non, ma chérie. Il est mort.

— Ce n'est pas vrai, je ne te crois pas ! hurla la jeune fille.

Gaëlle tenta de l'attirer dans ses bras ; Dominique se dégagea violemment et courut dans la maison en pleurant, claquant la porte derrière elle. Gaëlle la suivit jusque dans sa chambre. Sa fille était étendue sur son lit, le corps secoué de sanglots. Pendant une heure, elle essaya de la consoler. Puis Dominique lui demanda de sortir. Le choc était trop dur à encaisser. Rien ne les avait préparées à cela : Robert était en parfaite santé, plein de vie et d'énergie, et si bon avec elles... Sa mort était inconcevable.

Gaëlle s'isola dans sa chambre pour appeler l'hôpital, puis une entreprise de pompes funèbres à New York. Elle prévint ensuite l'avocat de Robert, avant de contacter son assistante pour solliciter son aide. Cette dernière était bouleversée. Robert avait été un homme formidable, aimé de tous. Et aujourd'hui, ils préparaient ses obsèques...

Gaëlle souhaitait gérer la situation au mieux pour sa fille, mais comment faire quand elle était la dernière personne que Dominique avait envie de voir ? Elle frappa doucement à la porte de sa chambre et se fit chasser une nouvelle fois. Dominique appela alors deux de ses plus proches amies, qui vinrent lui tenir compagnie.

Les jours suivants, Gaëlle eut l'impression d'évoluer sous l'eau. Les scènes se succédaient, irréelles : l'organisation des funérailles, les témoignages de soutien après la cérémonie, la musique et les fleurs, et Dominique, debout à côté d'elle dans l'église, qui avait l'air d'une orpheline égarée en pleine zone de combat et qui la fusillait du regard chaque fois qu'elle tentait de la réconforter. Bizarrement, la jeune fille en voulait à sa mère d'être encore vivante alors que son père était mort. De son côté, Gaëlle ne s'était jamais sentie aussi abrutie de chagrin, aussi déboussolée, depuis la guerre. Robert l'avait abandonnée après lui avoir fait croire au bonheur éternel. Elle aussi se retrouvait seule et effrayée.

Une semaine après l'enterrement, elle rencontra les avocats. La fiducie que Robert avait mise en place pour Dominique était telle qu'il l'avait décrite, et Gaëlle héritait d'une très grosse somme d'argent qui couvrirait largement ses besoins. Elle pouvait également occuper leurs diverses propriétés jusqu'à sa mort, même si celles-ci appartenaient désormais à Dominique. Mais Gaëlle se fichait de l'argent et des maisons ; c'était Robert qu'elle voulait, et il en allait de même pour sa fille. Inconsolable, Dominique refusait de retourner au lycée. La direction de l'établissement, compréhensive, lui accorda un délai d'un mois – sous réserve qu'elle rattrape son retard par la suite.

En octobre, Dominique avait repris les cours, mais était toujours sous le choc. Gaëlle ne se sentait pas mieux. Leurs occupations, les gens et les lieux qu'elles fréquentaient, les maisons dans lesquelles elles vivaient... subitement, plus rien n'avait de sens. Pour la première fois depuis qu'elle était à New York, Gaëlle se surprit à avoir la nostalgie de la France. Elle se mit à regretter la nourriture et le peuple français, mais aussi la langue – tout ce qui lui était familier, en somme. C'était comme si New York était associé à Robert et à leur vie ensemble. Elle était venue pour lui et l'avait épousé à peine quelques mois après son arrivée dans la ville. À l'époque, elle en voulait à son pays de l'avoir trahie. Aujourd'hui, elle ne pensait qu'à y retourner, au moins pour voir si cela pouvait l'aider à surmonter son deuil. La France lui manquait presque autant que Robert...

Quand vint Noël, Dominique était toujours aussi malheureuse. Elle détestait le lycée. Si elle avait pu, elle se serait inscrite directement à l'université, mais il lui restait encore deux années à faire. Les fêtes, qu'elles passèrent à Palm Beach, furent un vrai cauchemar sans Robert. Gaëlle ne voulait pas voir leurs amis. Elle avait l'impression de ne plus faire partie du même monde. Ils étaient tous en couple, si bien qu'en leur compagnie l'absence de Robert paraissait encore plus flagrante. Elle se sentait comme un oiseau amputé d'une aile, et elle ne supportait pas la pitié qu'elle lisait dans leurs yeux.

— J'ai réfléchi, annonça-t-elle à Dominique, un soir après dîner.

Elles étaient assises à la table de la cuisine, plongées dans une profonde apathie, telles deux naufragées échouées sur le rivage. La vie sans Robert était insupportable. Depuis sa mort, chaque journée ressemblait à un enfer.

— Je crois qu'on devrait tenter quelque chose de différent, commença-t-elle prudemment.

Aussi inaccessible que lui parût sa fille, Gaëlle savait qu'elle devait continuer à lui tendre la main, quand bien même Dominique la repoussait systématiquement. Peut-être un changement de décor leur permettrait-il de réduire le fossé qui s'était creusé entre elles ?

— Comment ça, « quelque chose de différent » ? lâcha la jeune fille en la toisant d'un air méfiant.

— Je ne sais pas... Moi aussi, je suis perdue sans ton père. Mais je ne pense pas que ce soit une bonne idée de rester là comme si on attendait qu'il revienne.

— Je ne veux pas que tu vendes l'appartement, l'avertit Dominique avec colère.

Aujourd'hui plus que jamais, la peur et la jalousie gouvernaient son monde...

— Je n'ai pas l'intention de le vendre : un jour, il t'appartiendra, lui assura Gaëlle. Mais on pourrait peut-être partir le temps d'un été, ou de quelques mois ?

— Où ça ?

— Je pensais à la France...

— Je déteste la France ! cracha Dominique.

Ce qui, pour elle, revenait à dire « je te déteste », puisqu'elle associait ce pays à sa mère... Elle critiquait même l'accent de Gaëlle, alors qu'il était devenu presque imperceptible au fil des ans.

— Oui, mais tu vois bien qu'on n'y arrive pas, ici.

L'appartement de New York leur faisait l'effet d'une tombe – tout comme les maisons de Southampton et de Palm Beach. Gaëlle espérait qu'un peu de nouveauté les aiderait à se remettre sur les rails.

— Je pourrais chercher une maison en France pour l'été prochain, poursuivit-elle. Peut-être même que le lycée te laisserait finir l'année scolaire à Paris... Il y a une bonne école américaine, là-bas.

Des amis y avaient vécu pendant un an et avaient adoré l'expérience. Toutefois, Gaëlle comprenait que sa fille rejetterait par principe toutes ses suggestions, quelles qu'elles soient. Ce que Dominique voulait, c'était son père – la seule chose qu'elle ne pouvait avoir.

— Je te demande juste d'y réfléchir, conclut Gaëlle d'une voix douce.

Pour toute réponse, Dominique se leva de table et alla s'enfermer dans sa chambre en claquant la porte derrière elle. Avec Robert, elle avait perdu non seulement un papa, mais aussi le seul lien qui l'unissait à sa mère.

— Ça promet, murmura Gaëlle.

Une semaine plus tard, elle prit rendez-vous avec une psychiatre pour en parler. Celle-ci lui expliqua que la jeune fille, où qu'elle se trouve, mettrait du temps à faire le deuil de son père – beaucoup de temps, peut-être –, et que rien de ce que lui proposerait sa mère ne lui conviendrait. Par conséquent, c'était à Gaëlle de prendre la décision. Dominique en était incapable.

— Vous devez faire ce qui vous semble le mieux, affirma-t-elle. Si vous pensez que cela vous aidera de passer quelques mois en France, allez-y. Vous pourrez toujours revenir si ça ne marche pas. Qu'est-ce que vous risquez, de toute façon ? Si l'argent n'est pas un problème, lancez-vous ! Qui sait, cela rendra peut-être cette période de transition plus facile pour vous deux. Pour le moment, Dominique a besoin de quelqu'un sur qui décharger sa colère et, malheureusement, cela tombe sur vous.

— Elle a toujours eu beaucoup de colère en elle, répondit Gaëlle. En particulier contre moi. Elle était très possessive avec son père, qui était son héros. Maintenant qu'il n'est plus là, elle se retrouve seule avec moi... Pour elle, il ne pouvait rien arriver de pire.

— Quand elle aura fait son deuil, vous serez peut-être bien plus proches, qui sait ?

Ses propos se voulaient encourageants, mais Gaëlle n'y croyait pas une seconde. Elle n'avait jamais eu de bonnes relations avec sa fille et cela ne risquait pas de changer maintenant. Avec la disparition de son père, Dominique se sentait dépossédée. Et quoi que Gaëlle fasse, sa fille la tenait pour responsable de son malheur.

Pendant un mois, elle laissa mûrir son idée. L'atmosphère était toujours aussi pesante dans l'appartement, et la météo n'arrangeait rien : il faisait un froid polaire, il avait déjà neigé trois fois depuis le nouvel an. La ville était morose, à l'image de leur moral. Par ailleurs, les notes de Dominique ne cessaient de dégringoler – ce qui n'avait rien d'étonnant, d'après la psychologue scolaire.

Un week-end de janvier, Gaëlle feuilletait un magazine de voyage quand elle tomba sur la publicité d'une agence de location à Paris. Celle-ci était spécialisée dans les maisons et appartements meublés de haut standing, situés dans les beaux quartiers de la capitale – le septième et le seizième arrondissement, principalement. Gaëlle contempla l'annonce un long moment, avant de reposer le magazine sur son bureau.

Le lendemain matin, par curiosité, elle appela l'agence et demanda s'ils avaient un logement à louer pour six mois.

— Nous en avons plusieurs, répondit l'employée d'un ton hautain. Que cherchez-vous, exactement ?

Gaëlle lui expliqua qu'elle désirait un appartement lumineux et assez grand pour elle et pour sa fille, dans l'un des quartiers mentionnés par la publicité.

— J'ai peut-être quelque chose, déclara pensivement son interlocutrice. Sans doute un peu grand pour vous, en revanche... C'est un duplex avenue Foch, côté soleil, à deux pas de l'Arc de triomphe.

Gaëlle connaissait cette artère bordée de magnifiques immeubles haussmanniens. Il lui était arrivé d'y passer des soirées à l'époque où elle travaillait chez Dior. Les appartements, avec leurs pièces immenses, leurs hauts plafonds, leurs moulures splendides et leurs cheminées de marbre, étaient pour la plupart occupés par des diplomates, des ambassadeurs et autres riches étrangers.

— Les propriétaires sont américains et envisagent de vendre, précisa l'agent immobilier. Mais ils voudraient louer leur logement en attendant de se décider. Il y a une gouvernante et une bonne à demeure. Quatre chambres et un garage.

Elle annonça alors le montant du loyer – exorbitant, comme l'on pouvait s'y attendre. Mais Gaëlle et Dominique avaient les moyens de se l'offrir. L'argent n'était pas un souci. Le problème, c'était de se remettre de la mort de Robert.

— J'aimerais le voir, lâcha Gaëlle, se surprenant elle-même.

Elle contacta ensuite l'American School of Paris et prit rendez-vous pour la semaine suivante. En raccrochant, elle se sentait déjà mieux. Elle préféra n'en rien dire à Dominique pour l'instant – histoire de ne pas la brusquer tant que rien n'était tranché. L'idée paraissait insensée, mais c'était peut-être exactement ce dont elles avaient besoin. Et, après tout, il existait pire punition que de passer six mois dans la capitale française.

Le dimanche soir, Gaëlle laissa Dominique avec la gouvernante et s'envola pour Paris. Elle avait réservé une chambre au Ritz. Elle visita l'appartement, puis l'école, et fut conquise par l'un comme par l'autre. Dominique allait être furieuse... Cependant, comme la psychiatre l'avait fait remarquer, elle ne lui demandait pas de s'engager dans la Légion étrangère... Et elles pourraient toujours revenir si la vie en France ne leur plaisait pas. Quoi qu'il en soit, la décision appartenait à Gaëlle, et non à une adolescente en colère.

En rentrant à New York, elle vira l'argent nécessaire pour la location de l'appartement et l'inscription à l'école, envoya à cette dernière le dossier scolaire de Dominique. L'établissement de Paris était un lieu accueillant et chaleureux, une grande école américaine qui enseignait aux enfants de la maternelle à la terminale et proposait de nombreuses activités sportives et culturelles. Lors de sa visite, Gaëlle avait été séduite par l'atmosphère joyeuse qui y régnait.

Elle annonça la nouvelle à Dominique le lendemain de son retour : elles partaient dans deux semaines.

— Si je comprends bien, maintenant que papa est mort, tu veux retourner vivre en France ? lâcha sa fille d'un ton accusateur.

— On n'y reste que quelques mois, pour changer d'air, répliqua Gaëlle. On est toutes les deux malheureuses, ici. Pourquoi ne pas tenter le coup ? Si ça ne nous plaît pas, on rentrera plus tôt.

— Je n'ai pas envie d'aller m'enterrer à Paris avec toi. Et mes amis, tu y as pensé ?

— Ils pourront te rendre visite aux vacances de printemps, ou bien c'est nous qui reviendrons ici. Ce n'est pas une peine de prison, Dominique. On passera peut-être de bons moments, et on ne part pas une éternité.

C'était pourtant l'impression que cela donnait à sa fille... Mais Gaëlle ne ferait pas machine arrière. Elle avait besoin de cette coupure, et elle espérait que Dominique en tirerait parti, elle aussi. À tout le moins, ce serait l'occasion d'élargir leur horizon et de rencontrer de nouvelles personnes.

Quand elles quittèrent New York, Dominique faisait une tête de six pieds de long – à croire qu'on l'envoyait en Sibérie. Gaëlle l'avait toutefois entendue annoncer à ses amis au téléphone qu'elle reviendrait en mars et que l'école de Paris avait l'air « cool ». Elle était plus grande que leur lycée de New York, on pouvait s'inscrire à toutes sortes d'activités, et la plupart des élèves étaient américains, même si de nombreuses autres nationalités étaient représentées. En fin de compte, Dominique était bien plus excitée qu'elle ne voulait l'admettre. Cela redonnait espoir à sa mère.

À leur arrivée à Paris, l'appartement était baigné de lumière, et la gouvernante avait disposé des bouquets de fleurs dans toutes les pièces. La chambre de Dominique était magnifique, décorée de soie rose et de meubles anciens, et pourvue d'un lit à baldaquin. Celle de Gaëlle en possédait un également qui n'aurait pas déplu à Marie-Antoinette. Un zèbre empaillé trônait dans le salon. L'appartement était élégant et lumineux, situé dans un bel immeuble au cœur d'un quartier chic. Quant aux deux employées de maison, elles se révélèrent tout à fait sympathiques. Que demander de plus ?

Le lendemain, Gaëlle loua les services d'une voiture avec chauffeur pour déposer Dominique au lycée. Quand celle-ci revint le soir, elle avait du mal à cacher son enthousiasme.

Elles avaient sauté le pas, pour le meilleur ou pour le pire. Pendant six mois, elles vivraient à Paris ; Gaëlle avait bien l'intention d'en profiter, et elle espérait que sa fille ferait de même.

13

Au bout d'une semaine, Gaëlle sut qu'elle avait fait le bon choix. Certes, sa fille continuait de bouder en sa présence, mais lorsqu'elle bavardait au téléphone avec ses nouveaux camarades elle semblait avoir meilleur moral qu'à New York. Elle s'était inscrite aux clubs de cinéma, de ski et de tennis du lycée. Et dès qu'elle avait vu l'appartement, elle s'était empressée d'inviter sa meilleure amie pour les vacances de printemps. Même si elle refusait de l'admettre devant sa mère, elle se plaisait à Paris. Le week-end, elle participait à des soirées, étudiait avec ses copines à la maison, allait voir des films américains sur les Champs-Élysées. Bien sûr, son père lui manquait – il lui manquerait toujours –, mais ce dépaysement était manifestement ce dont elle avait besoin pour se remettre du choc de sa mort.

De son côté, Gaëlle se réhabitua facilement à vivre en France. Cela faisait dix-sept ans qu'elle en était partie, mais elle fut surprise de découvrir à quel point elle s'y sentait chez elle, à quel point elle se sentait française. Ce retour à Paris lui remémorait l'époque où elle travaillait comme mannequin ; elle songea à passer chez Dior, mais elle n'y connaissait plus personne. Madame Cécile avait pris sa retraite des années plus tôt, et Gaëlle avait perdu contact avec ses anciennes colocataires.

Elle parcourut Paris de long en large, visita ses musées favoris, et s'inscrivit à un cours au Louvre. Sa curiosité en matière d'histoire de l'art était insatiable. Elle savoura des plats typiques qu'elle n'avait pas mangés depuis une éternité, comme le boudin noir ou les rognons, et se délecta des pâtisseries préférées de son enfance. Et quel plaisir d'entendre parler français partout autour d'elle ! Si Robert lui avait apporté une sécurité et une stabilité qu'elle n'aurait jamais connues si elle était restée en France, elle avait l'impression à présent de retrouver ses racines – non pas dans le village où elle avait grandi et subi tant de malheurs, mais ici, à Paris.

Elle était certaine que Robert aurait compris, lui qui avait toujours respecté ses origines. Bien sûr, elle éprouvait une sincère reconnaissance pour son pays d'adoption, mais la France était sa patrie. Elle la portait dans ses gènes, dans son âme et dans son cœur, comme une amie oubliée qu'elle redécouvrait aujourd'hui. Ici, sur ces terres familières, elle pouvait enfin faire le deuil de Robert et renouer avec celle qu'elle avait été. Leur histoire d'amour lui avait toujours paru un peu irréelle : le monde de Robert n'était pas le sien, même si elle mesurait sa chance d'avoir pu le partager avec lui et d'en profiter encore. Descendante d'une famille d'aristocrates de province, Gaëlle n'était pas une princesse – elle avait seulement épousé un prince.

Ils avaient souvent abordé la question de savoir dans quelle mesure et à quel moment informer Dominique de l'héritage qui lui reviendrait un jour. Malheureusement, ce jour était arrivé plus vite que prévu... Gaëlle et l'avocat de Robert avaient décidé de ne pas trop en dire à la jeune fille. À seize ans à peine, elle n'avait pas besoin de connaître l'étendue de sa richesse. Elle la découvrirait bien assez tôt, sans compter qu'elle se comportait déjà comme si tout lui était dû. Robert lui avait instillé l'idée qu'elle était spéciale, différente, privilégiée – ce que Gaëlle déplorait vivement. Elle espérait que Dominique profiterait de plaisirs simples à Paris et côtoierait des gens ordinaires. Il ne fallait pas que sa fortune se transforme un jour en fardeau et l'isole du commun des mortels.

Gaëlle se régalait avec ses cours au Louvre. Elle repensait souvent à l'après-midi qu'elle avait passé avec Robert à explorer les salles du musée, à la recherche des toiles qu'elle avait cachées dans la cabane. Cette époque lui semblait appartenir à une autre vie. Un homme qui suivait le même cours d'histoire de l'art qu'elle et avec qui elle avait sympathisé l'engagea à aller visiter le musée Nissim de Camondo. Ce qu'elle fit, un jour où Dominique jouait au football au lycée. Sa fille avait intégré une équipe féminine et s'était découvert un talent pour ce sport. Elle avait beau ressembler à son père, elle avait hérité des longues jambes de Gaëlle.

Le musée Nissim de Camondo était situé rue Monceau, dans le huitième arrondissement. L'élégant hôtel particulier avait appartenu à une famille de riches banquiers philanthropes, des Juifs originaires de Turquie. La collection, toute tournée vers le dix-huitième siècle français, avait été constituée par Moïse de Camondo au début du vingtième siècle. À sa mort, en 1935, le lieu avait été transformé en musée et portait selon son désir le nom de son fils, Nissim, lequel avait été tué pendant la Grande Guerre. Quant aux autres descendants de la famille Camondo, tous avaient été déportés et exterminés dans des camps de concentration au cours de la Seconde Guerre mondiale.

Tandis que Gaëlle contemplait les œuvres d'art et les meubles anciens, un silence mâtiné de tristesse régnait dans les pièces du musée. Les Camondo étaient morts à Auschwitz, comme tant d'innocents. Gaëlle songea aux Feldmann... Eux aussi avaient une superbe maison qu'ils avaient perdue... Bien sûr, celle de la rue Monceau était encore plus majestueuse. Et surtout, au lieu d'être enterrés et oubliés, ses anciens occupants étaient chaque jour honorés. Ils laissaient ainsi une trace indélébile dans l'histoire de France...

Soudain, Gaëlle se prit à rêver de restaurer une demeure comme celle-ci avec l'argent que Robert lui avait légué. Ne pouvait-elle pas tenter de perpétuer la mémoire de ses amis, d'une manière ou d'une autre ? Tard dans l'après-midi, elle regagna l'appartement de l'avenue Foch, toute pensive.

Le soir, pour la première fois, elle parla de Rebecca à sa fille, sans évoquer cependant le morceau de ruban qui l'avait suivie dans tous ses déménagements, et qui se trouvait à cet instant dans un tiroir de son bureau. Dominique l'écouta en silence.

— Je ne comprends pas, dit-elle lorsque sa mère eut terminé. Pourquoi personne n'a arrêté les Allemands ? Et pourquoi les gens comme les Feldmann n'ont-ils pas simplement refusé de partir ?

C'était difficile d'expliquer à une jeune fille qui avait été libre toute sa vie et n'avait connu aucune persécution comment les membres d'une communauté entière avaient pu être chassés et massacrés par leurs propres concitoyens, dans un pays où ils étaient nés.

— Ils n'avaient pas le choix, répondit Gaëlle. Des gendarmes ou des policiers se présentaient à leur porte pour les emmener, et, s'ils opposaient la moindre résistance, ils se faisaient abattre. Ils auraient pu essayer de fuir avant, mais pour aller où ? Surtout, ils ne savaient pas ce qui les attendait.

— Même les tout-petits étaient envoyés dans les camps ?

Gaëlle acquiesça, songeant à Lotte, aux enfants qu'elle avait cachés dans la cabane et dans le panier de sa bicyclette pour les conduire jusqu'aux planques dans les villages alentour.

Dominique regagna sa chambre, perturbée. Prenait-elle conscience de certaines choses ? Et notamment de la chance qu'elle avait eue tout au long de sa vie ? D'ailleurs, depuis qu'elles habitaient Paris, la jeune fille semblait plus heureuse et, par moments, un peu moins en colère contre sa mère.

Il ne leur fallut pas longtemps pour se faire de nouveaux amis. Gaëlle ne se sentait pas encore capable de participer à de grands événements mondains – elle n'était pas sûre de l'être un jour –, mais elle passa toutefois quelques soirées agréables avec des parents de l'école de sa fille, chez eux ou chez elle. Son retour en France après dix-sept ans passés aux États-Unis les étonnait. Une des mamans se souvenait qu'elle avait été mannequin dans sa jeunesse. Elle était admirative. À trente-huit ans, Gaëlle ne faisait pas son âge et était encore très belle.

Paris leur offrit un printemps radieux. La meilleure amie de Dominique, venue pour les vacances, fut séduite par l'école américaine. Gaëlle y chaperonna une soirée dansante. Et, progressivement, mère et fille commencèrent à panser leurs blessures… Dominique mûrit, reconnaissant en son for intérieur que Gaëlle n'était pour rien dans la mort de son père. Il faut dire qu'elle l'avait perdu si jeune… Gaëlle n'avait eu que deux ans de plus lorsque le sien était décédé, et elle n'avait jamais été proche de sa mère non plus. Bizarrement, l'histoire se répétait.

Le bail de l'appartement expirait au début du mois d'août. En juin, les propriétaires leur proposèrent de le prolonger jusqu'à la fin de l'année : ils n'étaient pas encore sûrs de vouloir vendre. Gaëlle hésita. Elle avait promis à Dominique de passer l'été à Southampton pour qu'elle puisse voir ses amis, même si elle-même appréhendait de retourner dans cette ville où Robert était mort, un an plus tôt. Mais où allait-elle inscrire sa fille pour son année de terminale ? À Paris, ou à New York ?

Une longue balade dans les rues de la capitale l'aida à trancher : elle garderait l'appartement et y reviendrait à la rentrée pour un trimestre au moins, sinon pour l'année entière. Dominique n'avait plus qu'un an de lycée. Pourquoi ne pas rester en France ? Gaëlle avait prévu de l'emmener faire le tour des universités américaines au mois d'août pour déterminer celles auxquelles elle enverrait ses demandes d'inscription à l'automne. Cependant, Dominique avait déjà jeté son dévolu sur Radcliffe et comptait ensuite poursuivre ses études à la Harvard Business School, qui acceptait les filles depuis peu. Ainsi, elle marcherait sur les traces de son père comme elle l'avait toujours désiré.

Depuis sa mort, elle était plus déterminée que jamais à devenir banquière d'affaires comme lui.

Gaëlle attendit son retour du lycée pour lui présenter ses projets. L'explosion de colère qu'elle anticipait n'eut pas lieu.

— Pourquoi tu prends la peine de me demander mon avis ? s'enquit simplement Dominique. À la fin, de toute façon, c'est toi qui décides.

Un commentaire typique d'une adolescente, prononcé avec toute l'acrimonie dont elle était capable... Gaëlle fut néanmoins soulagée qu'elle ne lui oppose pas plus de résistance. Elle l'entendit même se réjouir au téléphone de reprendre les cours à l'American School of Paris. Évidemment, Dominique n'aurait jamais fait le plaisir à sa mère de reconnaître qu'elle était heureuse.

Alors qu'elles préparaient leur départ pour Southampton à la veille du week-end du 4 Juillet, Gaëlle reçut un appel du conservateur du musée Nissim de Camondo, avec qui elle s'était entretenue lors de sa visite. Un petit établissement comme le leur était en train de voir le jour sur la rive gauche ; ses fondateurs souhaitaient honorer la mémoire de parents disparus. Or, ils recherchaient un conservateur. Sachant qu'elle possédait un master en histoire de l'art, il se demandait si elle était intéressée. Assurément, Gaëlle l'était ! L'idée de retravailler l'enchantait, et encore plus s'il s'agissait d'un poste comme celui-ci ! Son correspondant lui donna les coordonnées de la personne à contacter, ce qu'elle fit immédiatement après avoir raccroché. Rendez-vous fut pris l'après-midi même avec le responsable du projet. Gaëlle et Dominique partaient le lendemain.

Lorsqu'elle se rendit à l'adresse indiquée, elle découvrit une superbe demeure, qui nécessitait cependant quelques travaux de rénovation. Pendant vingt ans, elle avait été occupée par une famille qui l'avait achetée pour presque rien après que les propriétaires et leurs cinq enfants eurent été déportés. Des parents américains de ces derniers venaient de l'acquérir, avec l'intention de la transformer en lieu de mémoire. Ils avaient besoin de quelqu'un pour superviser le chantier et retrouver des meubles et des tableaux semblables à ceux que la maison avait abrités à l'origine. Cela coûterait cher de reconstituer l'importante collection d'œuvres d'art, mais ils en avaient les moyens. Ils disposaient de photos des différentes pièces sur lesquelles Gaëlle pourrait se baser. Enthousiasmée par ce beau projet, elle leur laissa son CV et leur indiqua comment la joindre aux États-Unis pendant l'été.

Ce soir-là, quand elle raconta sa journée à Dominique, celle-ci se rembrunit.

— Si tu te mets à chercher du travail ici, ça veut dire que tu as l'intention de rester, observa-t-elle avec rancœur. Tu ne retourneras jamais vivre aux États-Unis.

— Je n'ai encore rien décidé, répondit Gaëlle honnêtement. Je te rappelle que dans un an tu pars à l'université. Je me retrouverai seule à New York.

Sans Robert... En outre, Gaëlle avait toujours eu la sensation diffuse de n'être rien qu'une invitée dans les différentes maisons de son mari. Hormis l'appartement de la Cinquième Avenue que Robert avait acheté lui-même, les autres propriétés appartenaient à sa famille depuis plusieurs générations. En somme, il l'avait accueillie dans son univers, et, à présent qu'il n'était plus là, Gaëlle s'y sentait comme une intruse. D'autant qu'il avait tout légué à leur fille ; elle-même ne possédait rien. Elle éprouvait le désir de trouver un endroit où elle serait véritablement chez elle.

— Mais pourquoi travailler ? insista Dominique en lui décochant un regard froid. Tu n'en as pas besoin.

— Une fois que tu seras partie, je n'aurai rien à faire. Il faut bien que je m'occupe un peu... Je ne vais pas prendre des cours toute ma vie, et je suis trop vieille pour le mannequinat. C'était amusant quand j'étais jeune, avant que je n'épouse ton père, mais ce n'est plus un boulot pour moi. Le projet dont je t'ai parlé m'intéresse beaucoup. C'est une façon de rendre hommage aux familles comme celle que j'ai connue. Personne ne devrait oublier ce qui s'est passé, surtout ici, où les gens ont laissé le pire arriver.

Un tel degré de trahison et de persécution était inconcevable aux États-Unis. N'ayant pas vécu ces événements, Dominique ne les comprenait pas.

— Tu pourrais te contenter de faire du bénévolat, lâcha-t-elle.

— Ce ne serait pas pareil. De toute façon, il y a peu de chances que je sois prise... Je ne suis pas conservatrice.

Dominique acquiesça, puis, se désintéressant du sujet, retourna faire ses valises.

Le lendemain, dans l'avion qui les transportait à New York, Gaëlle songeait encore au musée... Si par chance les fondateurs décidaient de l'embaucher, elle ne doutait pas un seul instant que ce travail la passionnerait.

Les jours suivants, elle fut bien occupée et n'y pensa plus. L'appartement de New York se trouva soudain envahi de jeunes filles de seize ans – et de quelques jeunes hommes également. Le week-end venu, Gaëlle et Dominique partirent pour Southampton. On eût dit un été normal, à cela près que Robert n'était plus là... Sans lui, leur traditionnelle fête du 4 Juillet fut étrange, mais Gaëlle prit quand même plaisir à revoir leurs amis. Ceux-ci affirmèrent qu'elle leur avait manqué, et marquèrent leur surprise en apprenant qu'elle retournait à Paris en septembre avec sa fille. Ils la trouvaient plus « française » qu'avant, ce qui la fit rire. Peut-être avaient-ils raison : au cours de l'année écoulée, leur vie avait changé, doucement mais sûrement... Elle aussi se sentait plus française.

À la fin du mois d'août, Gaëlle et Dominique effectuèrent la tournée des universités qu'elles avaient soigneusement planifiée au printemps. Le programme fut intense : elles visitèrent Radcliffe, l'université de Boston, Vassar, Wellesley, Smith, et aussi Barnard, même si Dominique ne souhaitait pas poursuivre ses études à New York. Elle avait envisagé d'envoyer sa candidature à quelques écoles californiennes, avant d'y renoncer, préférant demeurer sur la côte Est. Gaëlle en avait été soulagée : la Californie était bien trop loin de tout – et en particulier de la France.

— On pourrait aller voir l'université américaine de Paris, si tu veux, suggéra-t-elle.

— Non, maman, répliqua aussitôt Dominique. J'irai à la fac aux États-Unis, quoi que tu décides. C'est ici que je me sens chez moi.

Et Gaëlle se sentait chez elle à Paris, mais elle garda cette réflexion pour elle.

Si Dominique avait apprécié la majorité des établissements, Radcliffe restait son premier choix. Elle comptait formuler une demande d'inscription anticipée, comme le lui permettaient ses excellents résultats.

Après s'être effondrés à la mort de son père, ces derniers étaient remontés en flèche, et Dominique avait presque obtenu les notes maximales au SAT[1]. De plus, Robert avait été un donateur généreux de Harvard, son *alma mater*, et le grand-père de Dominique y avait lui aussi fait ses études ; cela ne pouvait que l'aider. La jeune fille travaillait déjà sur sa candidature et espérait être fixée en décembre.

Gaëlle et sa fille s'envolèrent pour Paris deux jours avant la reprise des cours, ce qui permit à Dominique de renouer avec ses amis après leur séparation estivale. La plupart avaient passé l'été chez eux, aux États-Unis, mais certains étaient allés en Bretagne ou dans le sud de la France, en Espagne, au Portugal ou en Italie. D'une manière générale, ces jeunes gens vivaient des expériences plus enrichissantes que ceux que Dominique fréquentait à New York ; Gaëlle trouvait que c'était une bonne chose pour sa fille.

Alors qu'elle venait de s'inscrire à un nouveau cours à l'école du Louvre, elle reçut un appel du chef de projet pour l'ouverture du nouveau musée. Lui aussi était parti pendant l'été : en France, tout s'arrêtait aux mois de juillet et d'août, et l'activité ne reprenait qu'en septembre. Il souhaitait savoir si Gaëlle était toujours intéressée par le poste de conservateur.

— Oui, bien sûr, répondit-elle avec enthousiasme. Je pensais que vous m'aviez oubliée, ou que vous aviez trouvé quelqu'un d'autre.

— Pas du tout. Vous avez retenu toute notre attention. Que diriez-vous de venir me voir demain ? Nous pourrons discuter...

---

1. Scholastic Assessment Test, examen auquel les élèves américains doivent se soumettre pour pouvoir être admis à l'université.

Lorsqu'elle se présenta au rendez-vous, le lendemain, l'architecte, l'entrepreneur, un mécène et deux membres de la famille étaient déjà présents. Chacun lui expliqua ses missions au sein du musée. Gaëlle fut étonnée quand ils lui demandèrent si elle avait vécu aux États-Unis pendant la guerre.

— Non, j'étais en France, répondit-elle posément.

Sa réputation de collaboratrice l'avait-elle poursuivie jusqu'ici ? C'était impossible : ils ne connaissaient pas son nom de jeune fille ni sa région d'origine.

— J'ai travaillé pour l'OSE de 1943 jusqu'à la fin de l'Occupation, précisa-t-elle.

Elle n'en avait jamais parlé spontanément, comme cela, et s'aperçut que cela lui faisait beaucoup de bien. Le mécène lui sourit. C'était une femme un peu plus jeune qu'elle, chaleureuse et énergique, au regard vif et engageant.

— Vous avez sauvé des enfants juifs ? s'enquit le chef de projet.

— J'ai été convoyeuse.

Les deux membres de la famille parurent agréablement surpris.

— Quel âge aviez-vous ?

— Dix-huit ans quand j'ai commencé. Ma meilleure amie avait été déportée avec toute sa famille. Ils sont restés au camp de Chambaran pendant quinze mois, et j'ai découvert à la fin de la guerre qu'ils étaient décédés à Auschwitz.

— Nos proches sont morts à Buchenwald. Le musée portera leur nom : Strauss.

Alors qu'elle rentrait chez elle, Gaëlle devinait qu'elle leur avait fait bonne impression. Et, en effet, ils la rappelèrent le lendemain pour lui offrir le poste. Ravie, elle accepta de commencer la semaine suivante.

Elle ne chercha pas à négocier le salaire de misère qu'ils lui proposaient. Grâce à Robert, elle pouvait exercer les métiers qu'elle aimait sans se soucier des questions d'argent.

Une demi-heure plus tard, son téléphone sonna. C'était Louise, le mécène du musée, qui lui avait paru si sympathique lors de l'entretien. Elle proposait de l'inviter à déjeuner la semaine suivante. Elles convinrent de se retrouver au Fouquet's.

Quand Gaëlle annonça la nouvelle de son embauche à sa fille ce soir-là, Dominique ne trouva rien à dire. Tout cela n'était guère passionnant à ses yeux.

Par la suite, Gaëlle se rendit chaque jour sur les lieux du futur musée pour étudier les plans de rénovation avec l'entrepreneur. Elle passait des heures dans les magasins d'antiquités et les ventes aux enchères pour trouver des œuvres d'art et des meubles aussi beaux que ceux qui apparaissaient sur les photographies. Elle était tout excitée quand elle parvenait à mettre la main sur un nouvel objet. Elle avait l'impression de réunir les pièces d'un immense puzzle.

Un jour, alors qu'elle quittait la salle des ventes de l'hôtel Drouot avec un petit tableau sous le bras – il lui avait coûté une fortune, mais elle était fort satisfaite car il ressemblait comme deux gouttes d'eau à celui qui avait orné le salon des Strauss –, Gaëlle remarqua que les gens parlaient avec animation dans la rue. Il avait dû se passer quelque chose... Et c'est là que, allumant la radio dans sa petite Peugeot, elle apprit que John Kennedy avait été assassiné. Elle demeura un long moment immobile, en état de choc. Comment un tel drame avait-il pu se produire ?

Lorsqu'elle reprit ses esprits, elle fila chercher sa fille au lycée. À cette heure-ci, Dominique avait terminé son entraînement de foot ; elle avait dû apprendre la nouvelle.

Devant l'établissement, les élèves se tenaient par petits groupes, pleuraient et s'étreignaient. Gaëlle trouva sa fille avec ses amis dans une salle de réunion, en train de regarder la télévision. Les images de Dallas passaient en boucle à l'écran. Dominique sanglotait, et Gaëlle la serra dans ses bras. Sa fille était une grande admiratrice de Kennedy, et Jackie était son idole.

À cet instant, cette dernière apparut à l'écran, dans son tailleur taché de sang. Gaëlle fondit en larmes à son tour. C'était tellement poignant, tellement tragique… Et cela le fut plus encore lorsque les journalistes montrèrent les enfants du couple présidentiel. Gaëlle prit conscience qu'elle était en train de vivre un moment historique, de ceux dont on se souvient jusque dans les moindres détails – ce que l'on faisait alors, quels vêtements on portait, avec qui l'on se trouvait, ce que l'on avait ressenti… Ainsi, elle se rappelait parfaitement le jour de la chute de Paris : c'est avec Rebecca qu'elle avait appris la capitulation de la France face à l'Allemagne.

Elle invita plusieurs amis de Dominique à venir manger un petit quelque chose chez elle. Ils semblaient tellement perdus. Ils s'entassèrent dans la petite voiture, et certains firent le trajet à vélo. Ils regardèrent les informations jusque tard dans la nuit. La plupart restèrent dormir dans les chambres d'amis, sur le canapé du salon ou à même le sol. Ils voulaient être ensemble.

Les jours suivants furent chargés en émotion. L'école avait fermé ses portes en marque de respect pour le président défunt. Partout dans le monde, les chaînes de télévision couvraient l'événement. Au milieu de cette tourmente, Gaëlle eut trente-neuf ans, mais son anniversaire était bien loin de ses préoccupations. Chaque fois qu'elle voyait la Première Dame et ses enfants à la télévision, elle pleurait. Au sein de la communauté américaine de Paris, les gens avaient tous l'impression d'avoir perdu un être cher. Il leur fut bien difficile de retourner à l'école et au travail le lundi.

Pour Thanksgiving, Gaëlle invita Louise et deux familles de l'école à partager la dinde traditionnelle, que Dominique l'aida de mauvaise grâce à préparer. L'ambiance autour de la table fut sympathique et animée. Gaëlle se découvrait de nombreux points communs avec Louise. Celle-ci avait un fils et une fille plus jeunes que Dominique, mais elle aussi était veuve et avait perdu des amis pendant la guerre. C'était pour cette raison qu'elle finançait la création du musée. Après dîner, lorsque les autres invités furent partis, elle aida Gaëlle à débarrasser, et les deux femmes bavardèrent encore un long moment.

Aux vacances de Noël, Gaëlle et Dominique passèrent deux semaines à New York et une troisième à Palm Beach. Le séjour fut particulièrement déprimant. C'était la deuxième année qu'elles célébraient les fêtes sans Robert.

À leur retour à Paris, la lettre que Dominique espérait tant les attendait à l'appartement. La jeune fille l'ouvrit, les mains tremblantes, puis elle poussa un cri strident.

— Je suis prise !

Son inscription anticipée à Radcliffe avait été acceptée ; dans quatre ans, elle obtiendrait son diplôme à Harvard, comme son père... Si seulement il avait été là pour partager ce grand moment avec elle ! Alors que Gaëlle regardait sa fille se précipiter dans sa chambre pour prévenir ses amies, elle sentit les larmes rouler sur ses joues. Des larmes de joie mêlée de tristesse. Car avec le départ de Dominique, c'était une autre période de sa vie qui s'achevait... L'existence était un paysage en perpétuel changement. Heureusement, elle avait décidé de rester à Paris, où elle avait à présent des amis et un travail.

14

Après la bonne nouvelle de l'admission de Dominique à Radcliffe, sa mère et elle s'installèrent dans
leur routine parisienne. Dominique devait terminer
son année, et Gaëlle travaillait d'arrache-pied au
musée. Elle arpentait les galeries d'art et fréquentait assidûment les ventes aux enchères pour finir de
meubler la maison. De leur côté, l'entrepreneur et
l'architecte tentaient d'accélérer le programme des
travaux. Ils espéraient que tout serait bouclé à la fin
de l'année civile – une échéance qui leur semblait
réaliste, à condition de réussir à imposer aux ouvriers
un rythme plus soutenu. Tous les soirs, Gaëlle rap-
portait chez elle des listes d'objets à acheter et cherchait des idées susceptibles d'attirer l'attention des
Parisiens, des touristes et des éditeurs de guides de
voyage sur le nouveau musée. Elle en discutait souvent
avec Louise ; cela leur donnait une bonne excuse pour
déjeuner ensemble.

Ces temps-ci, Gaëlle s'occupait des tapis et des
chambres des enfants. Ce n'était pas facile, mora-
lement. Elle avait croisé tellement de petits comme

eux... Après avoir étudié des photos d'eux et de leurs chambres pendant des mois, il lui semblait qu'ils n'avaient plus de secrets pour elle. Ils avaient été cinq, quatre garçons et une fille, tous âgés de moins de douze ans. Gaëlle connaissait même leur personnalité et leurs préférences en matière de livres et de jouets – autant de détails qu'elle avait appris en parcourant les lettres que certains proches avaient conservées de leur mère. Cette dernière, Naomi Strauss, apparaissait comme une jeune femme intelligente et cultivée, toujours prête à s'amuser, qui adorait son mari et ses enfants et leur était profondément dévouée. Gaëlle avait l'impression qu'ils faisaient tous partie de sa vie à présent, ce qui était à la fois douloureux et, par certains côtés, apaisant. Ils lui rappelaient Rebecca.

Elle était revenue de New York depuis trois semaines quand André Chevalier, l'architecte, l'invita à dîner. Il habitait avec sa femme Geneviève à Montmartre, dans un immeuble sans ascenseur. Gaëlle appréciait André, et elle accepta avec plaisir, tout en promettant à sa fille de rentrer à une heure raisonnable. Le lendemain matin, elle avait rendez-vous au musée avec des vendeurs de jouets anciens.

— Amuse-toi bien, marmonna Dominique sans lever les yeux de ses livres.

Gaëlle se rendit à Montmartre en voiture, pressée de retrouver ses amis. Elle avait acheté une bouteille de vin rouge et s'était habillée de façon décontractée, sur les conseils d'André. Après avoir gravi six étages d'un escalier extrêmement glissant, elle se présenta hors d'haleine à la porte de l'appartement. André s'excusa pour ce désagrément.

— Estime-toi heureuse qu'on ne t'ait pas demandé de monter les courses, plaisanta-t-il en prenant la bouteille qu'elle lui tendait.

Il la conduisit au salon, où sept autres personnes conversaient avec animation, tout en fumant et buvant. À table, Gaëlle se retrouva assise entre une architecte – l'associée d'André, une femme sympathique qu'elle avait déjà eu l'occasion de rencontrer au musée – et un ami violoniste de Geneviève. Cette dernière enseignait le piano et le chant au conservatoire. L'homme placé en face d'elle, Christophe Pasquier, était un compositeur de musiques de films et de télévision ayant déjà connu quelques succès. Il avait l'air intéressant, et se mit à parler politique. Gaëlle n'avait pas réalisé avant de revenir en France à quel point ces conversations intellectuelles, ces débats d'idées, lui avaient manqué. Ici, les gens pouvaient bavarder pendant des heures, simplement pour le plaisir. Le repas lui-même se révéla aussi exquis qu'André l'avait promis : excellente cuisinière, Geneviève avait préparé une salade de crabe en entrée, suivie d'un délicieux hachis Parmentier au confit de canard.

— Comment vous êtes-vous laissé convaincre de participer au grand projet d'André ? demanda Christophe à Gaëlle.

— C'est une femme brillante, et elle a bon cœur, répondit André à sa place.

Gaëlle sourit.

— C'est un projet formidable, expliqua-t-elle. J'ai visité le musée Nissim de Camondo l'an dernier, et j'ai été très touchée. C'est leur conservateur qui m'a parlé de tout ça et qui a appuyé ma candidature. Ces petits musées sont si intimes, et font passer un message tellement important...

Ils parlèrent ensuite de choses et d'autres. Intrigué par son nom de famille, Christophe voulut savoir si elle avait des origines anglo-saxonnes ; Gaëlle lui expliqua qu'elle avait épousé un Américain.

— Et vous avez eu la sagesse de divorcer pour revenir en France, la taquina-t-il.

— Non, je suis veuve, répondit-elle avec un sourire poli.

Christophe parut mortifié. Il affirma qu'il était une vraie calamité en société, et que c'était pour cette raison que personne ne l'invitait jamais. À part André, bien sûr, qui lui pardonnait parce qu'ils se connaissaient depuis le lycée… Il ajouta que, la plupart du temps, il oubliait carrément l'invitation et ne s'en souvenait que le lendemain, lorsque son hôte le rappelait, furieux. Heureusement, André lui avait passé un coup de fil dans la journée pour s'assurer qu'il viendrait.

Gaëlle ne put s'empêcher de rire. Elle nota que Christophe avait de beaux yeux d'un bleu électrique et les cheveux blonds. Il était également très grand, et devait être âgé d'à peine plus de quarante ans. Elle lui demanda s'il avait des enfants.

— Non. Je n'ai jamais été marié, de toute façon. Personne ne veut de moi, lâcha-t-il avec désinvolture.

— Et pour cause, intervint André. C'est un bourreau de travail. C'est pour ça qu'il a autant de succès.

— Je n'en ai pas tant que ça, le corrigea Christophe. Mais je m'y attelle.

Gaëlle lui expliqua ensuite qu'elle n'avait pas travaillé durant ses années de mariage, mais qu'elle avait été mannequin plus jeune, juste après la guerre. Cela n'étonna pas Christophe. Elle en avait encore l'allure, lui dit-il, et elle parvenait à être chic en pantalon et en pull, avec pour seul bijou un gros bracelet en or au poignet. C'est alors seulement qu'il remarqua son alliance, qu'elle n'avait pas quittée depuis la mort de son mari.

— Et votre expérience du mannequinat vous a donné les compétences requises pour être conservatrice ? s'enquit-il, curieux.

— J'ai un diplôme en histoire de l'art.

— Et elle est sacrément douée dans ce qu'elle fait, renchérit André.

— Je n'en doute pas, répondit Christophe en souriant à Gaëlle, tandis que Geneviève apportait une tarte tatin et du café. Et vous, vous avez des enfants ?

— Une fille. Elle part à l'université à l'automne.

— Aux États-Unis ?

Gaëlle acquiesça.

— Et c'est bien ? De faire ses études ailleurs, je veux dire.

La plupart des étudiants français restaient dans leur ville d'origine, chez leurs parents, pendant leur cursus universitaire. Gaëlle le savait bien, même si son propre frère était parti étudier à Paris.

— C'est bien pour elle en tout cas, répondit-elle. Pour moi, ça va peut-être être dur. Mais elle ne veut pas faire ses études ici. Il faut dire que je l'ai un peu forcée à venir en France après la mort de son père... J'avais besoin de changer d'air. J'ai habité New York pendant dix-sept ans, et Paris m'a manqué, soudain. Quand mon mari est décédé, j'ai eu le mal du pays.

— Moi, je ne pourrais jamais vivre ailleurs qu'ici, affirma Christophe avec vigueur.

Il lui servit une part de tarte, puis attaqua la sienne goulûment.

— Vous êtes de Paris, à l'origine ? demanda-t-il.

— Non, je viens d'un village près de Lyon. Mais j'ai résidé à Paris pendant un an, quand je travaillais pour Christian Dior, après la Libération.

Dior avait ouvert sa propre maison de couture peu de temps après le départ de Gaëlle. Aujourd'hui, cela faisait six ans qu'il était mort. Son jeune assistant, Yves Saint Laurent, avait repris le flambeau.

— C'est très glamour, tout ça, commenta Christophe. Paris, New York, le mannequinat...

Pourtant, Gaëlle avait su rester simple, et cela plaisait beaucoup à Christophe.

— Donc, votre fille ne veut pas poursuivre ses études ici, reprit-il. Dommage.

— C'est une Américaine pur jus. En outre, elle vient d'être acceptée dans l'université qu'elle demandait : elle est très excitée de partir.

— Qu'est-ce qu'elle veut faire, plus tard ?

— Banquière, comme son père.

Christophe leva un sourcil étonné. C'était un choix de carrière étrange pour une jeune fille...

— Je suis certaine qu'elle réussira dans ce métier, poursuivit Gaëlle. Elle adore le commerce, l'économie et les maths – tout ce en quoi je suis nulle.

— Quel âge a-t-elle ?

Christophe donnait une trentaine d'années à Gaëlle, mais elle en avait certainement plus si sa fille partait à l'université.

— Presque dix-sept ans. Elle sera parmi les plus jeunes de sa classe.

— J'en conclus qu'elle est aussi intelligente que sa mère, la flatta-t-il.

Par la suite, Gaëlle discuta avec d'autres personnes et n'eut plus l'occasion d'échanger avec Christophe. À la fin de la soirée, toutefois, ils se retrouvèrent à partir ensemble. Il était plus d'une heure du matin et les conversations continuaient d'aller bon train. Gaëlle n'avait pas vu le temps passer.

— Puis-je vous escorter dans ce périlleux escalier ? demanda Christophe. Cela m'est déjà arrivé de louper quelques marches quand j'ai bu un peu trop de vin au dîner. Je vais descendre le premier, comme ça, si vous tombez, j'amortirai le choc.

Sa remarque la fit rire, mais elle appréciait l'attention. Ces marches étaient redoutables – d'autant plus quand on portait des chaussures à semelles lisses. Heureusement, elle n'avait pas eu l'idée de venir en talons ! Alors qu'ils progressaient prudemment l'un derrière l'autre, Gaëlle faillit glisser deux fois et la minuterie ne cessa de s'éteindre. Christophe dut tâtonner dans le noir toutes les vingt secondes, à la recherche d'un interrupteur.

— J'espère qu'André gagnera assez d'argent un jour pour emménager dans un immeuble équipé d'un ascenseur et de lumières qui fonctionnent, plaisanta Christophe, une fois arrivé en bas. Prendre cet escalier, c'est du suicide.

Le compositeur raccompagna Gaëlle à sa voiture, déclara qu'il avait été ravi de faire sa connaissance et lui souhaita bonne chance pour son travail. Elle le remercia, le salua, puis rentra chez elle, où elle trouva Dominique profondément endormie dans son lit.

Le lendemain, au musée, André lui apprit qu'elle avait beaucoup plu à Christophe et que celui-ci lui avait demandé son numéro de téléphone.

— Je le lui donne, ou je lui dis d'aller se faire voir ?

Gaëlle laissa échapper un petit rire. Elle ne savait pas quoi répondre.

— Il m'a paru fort sympathique, mais je n'ai fréquenté personne depuis la mort de mon mari. Je ne pense pas en avoir envie pour l'instant.

C'était ce qu'André avait cru comprendre.

— Dans ce cas, je lui dirai d'oublier. Il est trop chiant, de toute façon : il ne fait que travailler.

Gaëlle ne considérait pas forcément cela comme un gros défaut... Christophe avait été d'agréable compagnie, et sa solide amitié avec André plaidait en sa faveur.

— Oh et puis si, tu n'as qu'à lui donner mon numéro, dit-elle finalement. Ça ne me fera pas de mal de sortir un peu.

— Encore faudrait-il qu'il t'appelle, souligna André. Demain, il aura sans doute oublié ton nom et se sera remis à son piano. Il travaille sur une musique de film, en ce moment. J'ai même été surpris qu'il vienne hier soir... Il avait sûrement faim, et il adore la cuisine de ma femme.

— Je le comprends : c'était délicieux. J'ai repris deux fois du hachis et avalé une énorme part de tarte.

— Tu en as bien besoin. Tu es toute maigre.

Malgré les prédictions d'André, Christophe téléphona à Gaëlle le soir même. C'est Dominique qui décrocha : elle prévint sa mère et disparut dans sa chambre.

— J'ai beaucoup aimé parler avec vous, hier, confia Christophe à Gaëlle. André a raison, je ne sors pas assez... Je travaille souvent jusque tard dans la nuit. Mais cela faisait une semaine que je n'avais pas mangé un vrai repas, et Geneviève cuisine tellement bien !

— André se doutait que vous étiez venu pour ça ! s'exclama Gaëlle en riant. Vous composez une musique de film, en ce moment ?

— J'essaye. L'échéance approche et je n'en suis qu'à la moitié de la partition...

Cela semblait le préoccuper.

— Votre métier doit être passionnant.

— Il l'est souvent. En tout cas, j'adore ce que je fais.

— Moi de même, renchérit Gaëlle. Je me régale, au musée, même s'il y a un peu de stress à cause des délais.

Ce jour-là, néanmoins, elle avait fini de réunir tous les jouets qu'elle cherchait. Petit à petit, le projet prenait forme.

— C'est émouvant, cette idée de musée, remarqua Christophe. Avez-vous un intérêt personnel à vous impliquer là-dedans ?

À l'évidence, elle n'avait pas accepté ce job pour l'argent...

— Ma meilleure amie a été déportée, répondit Gaëlle. Avec toute sa famille.

— Je suis désolé... On a tous autour de nous au moins une personne qui a connu ce sort. Nous devrions avoir honte de ce qui s'est passé durant cette période.

— Je suis bien d'accord, acquiesça Gaëlle. C'est pour ça que ce musée me semble important, si petit soit-il.

Elle espérait en faire un lieu incontournable à Paris, un site d'intérêt historique et culturel. Mais elle ignorait encore comment s'y prendre pour toucher le public.

— J'ai hâte de le visiter, quand il sera fini, déclara Christophe.

Et il était encore plus pressé depuis qu'il avait rencontré Gaëlle. André lui avait parlé d'elle à plusieurs reprises, la décrivant comme une femme séduisante et brillante, et une formidable collaboratrice. À l'époque, Christophe ne l'avait écouté que d'une oreille.

— Pourrais-je vous inviter à dîner, un soir ? demanda-t-il timidement.

Il se rappelait qu'elle était veuve et qu'elle portait toujours son alliance. La mort de son mari devait être relativement récente. En outre, André l'avait prévenu qu'elle n'était pas encore prête à entamer une nouvelle relation.

— Pourquoi pas, répondit-elle néanmoins.

— Je vous rappellerai quand j'aurai avancé dans mon travail, promit-il, ne voulant pas lui paraître trop impatient.

Alors que Gaëlle venait de raccrocher, Dominique réapparut dans la pièce.

— C'était qui ? s'enquit-elle, les sourcils froncés.

— Un ami de l'architecte avec qui je travaille au musée.

— Il t'a proposé de sortir avec lui ?

Gaëlle eut l'impression de subir un interrogatoire.

— Non, répondit-elle. Je l'ai rencontré hier soir, au dîner.

— Tu n'as pas l'intention de te mettre à fréquenter quelqu'un, n'est-ce pas ?

— Pas pour l'instant. Je n'y ai pas vraiment réfléchi, mais je ne crois pas que j'en aie envie. Pourquoi ?

— Tu es trop vieille, tu n'as pas besoin d'un autre mari, et ça ne plairait pas à papa.

Voilà qui était clair…

— Eh bien, tu n'y vas pas par quatre chemins ! s'exclama Gaëlle en riant. Je te remercie pour ta franchise, surtout en ce qui concerne mon âge.

— C'est la vérité. Et tu n'as aucune raison de te remarier. Papa t'a laissé suffisamment d'argent.

— Qu'est-ce que tu en sais ? répliqua Gaëlle.

— Il m'a dit que tu aurais de quoi vivre confortablement jusqu'à la fin de tes jours, et que tout le reste me reviendrait.

— Il a été très généreux avec toi comme avec moi, confirma Gaëlle pour couper court à cette conversation. Et c'est vrai, je n'ai pas besoin d'un mari. Mais si je me mariais, de toute façon, ce ne serait pas par intérêt financier.

Cela lui déplaisait que Robert en ait dit autant à Dominique au sujet de son héritage. Leur fille était déjà obsédée par l'argent. Qui en avait, combien, comment en gagner plus et l'investir au mieux... Travailler dans la finance lui irait comme un gant.

— Tu as eu de la chance de rencontrer papa, lâcha Dominique.

— Oui, j'ai eu de la chance : c'était un homme bon, et on s'aimait beaucoup.

— Surtout, il était riche, insista sa fille.

Gaëlle fut choquée par les propos de Dominique. Elle n'appréciait pas du tout son attitude, ni ce qu'elle sous-entendait.

— Sache que pour moi, rétorqua-t-elle, il vaut mieux se marier par amour que pour l'argent.

— Hum... Ça aide quand même d'en avoir. Je détesterais être pauvre.

— Tu sais, j'ai été pauvre, après la guerre. Cela oblige à travailler dur, et ce n'est pas une mauvaise chose.

Elle reconnaissait néanmoins que cette période-là de sa vie n'avait pas été la plus plaisante...

— Moi aussi, j'ai envie de travailler dur, mais pour gagner encore plus que papa, répondit Dominique.

Gaëlle remarqua dans ses yeux une lueur qu'elle n'y avait jamais vue. Une froide ambition, une détermination sans faille.

— Il n'y a pas que l'argent, dans la vie, souligna-t-elle d'une voix douce. On peut être pauvre et heureux, et riche et malheureux. Surtout si on n'est pas avec la bonne personne.

— Comme papa avec sa première femme. Elle n'était avec lui que pour le fric. De toute façon, moi, je ne me marierai jamais.

Sur ce, Dominique quitta la pièce. Gaëlle médita un moment sur ce qu'elle venait d'entendre. Que sa fille soit à ce point préoccupée par l'argent n'était pas pour lui plaire. Cela n'augurait rien de bon pour le jour où elle découvrirait l'étendue de ce que son père lui avait laissé. Le montant global de la fortune de Robert avait été évoqué dans la presse, mais elle n'en connaissait pas encore le détail... Elle recevrait le premier versement à dix-huit ans – dans un peu plus d'un an –, ce qui était bien trop tôt aux yeux de Gaëlle. Mais Robert avait eu ses propres idées sur la question. Il avait voulu que leur fille apprenne très vite à gérer et à investir son capital de manière responsable. Gaëlle avait argué que cela risquait de l'isoler de ses pairs et qu'elle pourrait être tentée de tout dépenser, ce à quoi il avait répondu qu'une telle frivolité de sa part lui semblait peu probable. Dominique n'était pas d'une nature très généreuse, contrairement à lui.

Christophe rappela Gaëlle quelques jours plus tard et l'invita à déjeuner – une façon plus informelle de faire sa connaissance, se disait-il. Elle le retrouva dans un vieux bistrot qu'elle appréciait, après une matinée bien chargée. Elle avait assisté à une présentation d'objets et de meubles qui devaient être vendus aux enchères le lendemain. Sur le catalogue de la maison de ventes, elle montra à Christophe ceux pour lesquels elle comptait faire une offre, et il approuva ses choix.

Quand ils parlèrent musique, son regard se mit à briller. Il s'était rendu à Prague récemment, sur autorisation spéciale, pour écouter une symphonie composée par un ami. Il évoqua également son année passée à Boston en tant qu'enseignant dans une école célèbre, la Berklee School of Music. Il s'était régalé, mais il ne s'imaginait pas vivre là-bas éternellement.

Christophe était un homme intelligent, captivant et plein d'humour, et l'on devinait à travers ses propos que la musique était toute sa vie. Le temps du déjeuner fila à la vitesse de l'éclair. Avant qu'ils ne se séparent devant le restaurant, il demanda à Gaëlle s'il pourrait la revoir. Elle hésita un instant, se remémorant la conversation qu'elle avait eue avec Dominique.

— J'aimerais bien, répondit-elle. Mais ma fille estime que je suis trop vieille pour fréquenter quelqu'un et que je n'en ai pas besoin. Me voilà donc prévenue !

Christophe fronça les sourcils.

— Et vous êtes d'accord avec elle ? s'enquit-il en la scrutant de son regard perçant.

— Un peu...

Elle détourna les yeux pour contempler la Seine, avant de reporter son attention sur lui.

— Cela fait dix-huit ans que je ne suis pas sortie avec un homme. Je suis un peu... rouillée.

Mais pouvait-on dire qu'elle « sortait » avec Christophe ? Ils n'avaient fait que déjeuner entre amis, voilà tout.

— Vous n'êtes pas trop vieille, loin de là ! protesta-t-il. Ce que les enfants peuvent être cruels... Heureusement que je n'en ai pas. Mon ego est trop fragile – ils me détruiraient.

Gaëlle ne put s'empêcher de rire.

— Vous avez raison, ils sont trop cruels... Si je fais abstraction de ce que pense ma fille, alors je peux vous répondre que, oui, cela me plairait de vous revoir.

Elle l'appréciait, en tant qu'ami et en tant qu'homme. Et il ne la demandait pas en mariage : il voulait juste l'inviter à dîner.

— C'est une bonne nouvelle, me voilà très heureux, se réjouit Christophe.

Il lui fit la bise, puis se dirigea vers sa voiture, le visage rayonnant. Cette femme était aussi fantastique que sa fille avait l'air pénible.

Gaëlle n'eut pas de nouvelles de Christophe pendant deux semaines, à tel point qu'elle se demanda si elle l'avait offensé. Puis, sans crier gare, Christophe refit surface et l'invita à dîner. Quand il lui proposa de venir la chercher, Gaëlle répondit qu'elle préférait le rejoindre sur place. Ainsi, elle n'aurait pas à s'expliquer devant Dominique. Elle connaissait à peine Christophe et leur histoire ne mènerait sans doute à rien : cela ne valait pas le coup qu'elle se dispute avec sa fille. Celle-ci semblait attendre d'elle qu'elle demeure chaste et fidèle à Robert pour le restant de ses jours. Et c'était peut-être bien ce qu'elle ferait... En tout cas, pour l'instant, elle ne se sentait pas prête à tourner la page.

Christophe suggéra un petit restaurant qu'elle ne connaissait pas, sur la rive gauche. Ils y dégustèrent des plats savoureux et bavardèrent pendant des heures. Il lui confia qu'il avait vécu avec une femme pendant sept ans, mais qu'elle l'avait quitté parce qu'il refusait de se marier et de faire des bébés. Il ne regrettait rien : elle avait eu raison de partir. Aujourd'hui, elle avait épousé un autre homme, avec qui elle avait eu trois enfants.

Gaëlle lui parla de Robert : lui aussi avait eu l'expérience d'un mauvais mariage. Mais il n'avait pas hésité à retenter sa chance avec elle, Gaëlle, et ce même s'il avait déjà quarante-neuf ans – et donc vingt-huit de plus qu'elle. Une telle différence d'âge sembla regrettable à Christophe, dans la mesure où elle se retrouvait seule à présent. Elle était si charmante !

— J'ai toujours eu peur qu'une relation sérieuse n'affecte mon travail, reprit-il. Et je ne vous parle pas des enfants ! En fait, je crois que je suis marié à ma musique ; je n'ai jamais eu envie de la sacrifier, pour personne. Les enfants exigent qu'on leur consacre une grande part de soi-même, et l'amour peut vite vous déconcentrer…

— C'est très vrai, répondit Gaëlle en souriant.

La soirée passa aussi vite que le déjeuner qu'ils avaient partagé deux semaines plus tôt. Lorsqu'ils sortirent du restaurant, Gaëlle fut stupéfaite de constater qu'il était déjà deux heures du matin.

— Vous êtes sûre que vous ne voulez pas que je vous raccompagne ? demanda Christophe d'un air inquiet.

— Pourquoi, vous avez l'impression que je suis soûle ? le taquina-t-elle.

— Non, mais il est tard, et je n'aime pas abandonner des femmes seules à cette heure de la nuit. Où habitez-vous, au fait ?

— Avenue Foch.

— Très chic ! J'adore ces vieux immeubles haussmanniens. Vous devez avoir une hauteur sous plafond incroyable.

Durant le Second Empire, le baron Haussmann avait fait construire de magnifiques bâtiments partout dans Paris.

— C'est vrai que les plafonds sont hauts, confirma Gaëlle.

Christophe lui sourit.

— Soyez prudente au volant.

— Je le suis toujours.

Pour un homme censé se préoccuper uniquement de sa musique, il faisait preuve d'une parfaite galanterie avec elle...

Il l'embrassa sur les deux joues et lui promit de la rappeler. Gaëlle était certaine qu'il le ferait : il paraissait réellement triste de la quitter. Sur le chemin du retour, tandis qu'elle contournait l'Arc de triomphe, elle songea à lui, à sa beauté un peu rude, à sa gentillesse... Christophe était un intellectuel cultivé, doté d'un humour charmant. Oui, il lui plaisait... Et en même temps, cela lui faisait bizarre de sortir avec un homme. Robert lui manquait tellement... Elle avait perdu son âme sœur, et aujourd'hui le monde lui semblait peuplé d'étrangers avec qui elle devait tout recommencer de zéro. C'était perturbant – et un peu excitant, aussi.

Gaëlle savait cependant que Dominique ferait tout son possible pour tuer dans l'œuf cette nouvelle relation, si jamais elle perdurait. Était-ce bien juste ? Bientôt, sa fille partirait mener sa propre vie ; n'avait-elle pas le droit de vivre la sienne ?

Arrivée chez elle, Gaëlle écouta le disque que Christophe lui avait prêté : ses compositions étaient magnifiques, pleines de tendresse ; on y percevait tout son talent. Quelle que soit l'issue de leur histoire, une chose était certaine : Christophe Pasquier ne manquait pas d'attraits. Gaëlle s'endormit au son de sa musique et rêva de Robert... Quand elle se réveilla le lendemain, elle ne savait plus très bien où elle en était.

— Tu es sortie avec qui, hier soir ? s'enquit Dominique alors qu'elles prenaient le petit déjeuner.

Elle la fixait de son regard soupçonneux. Elle avait l'air de posséder un radar pour ces choses-là... C'était très troublant.

— Avec mon collègue architecte, mentit Gaëlle tout en se servant une tasse de café.

— Tu es amoureuse de lui ?

— Bien sûr que non ! Il est marié.

— Ce n'est pas un problème, pour les Français. Ici, tout le monde trompe tout le monde, affirma Dominique en se levant de table.

— Tu racontes n'importe quoi !

Gaëlle savait pourtant que sa fille n'avait pas complètement tort. Beaucoup de ses compatriotes, hommes et femmes, entretenaient des relations extra-conjugales. L'infidélité était relativement tolérée en France, le divorce étant très difficile à obtenir.

Quelques instants plus tard, Dominique partit au lycée, et Gaëlle resta seule dans la cuisine, à songer à Christophe. Elle espérait qu'il la recontacterait bientôt.

15

Un après-midi, Christophe Pasquier fit la surprise à Gaëlle et André de leur rendre une petite visite au musée. Il était de passage dans le quartier et transportait avec lui une sacoche débordant de partitions et de cahiers.

La demeure des Strauss était en pleine rénovation : il y avait des ouvriers partout. Néanmoins, Christophe fut impressionné par ce qu'il put en voir. L'endroit ressemblait vraiment à une maison habitée. À en juger par les photographies prises trente ans plus tôt, la cuisine avait été reconstruite à l'identique. Gaëlle avait dégoté le même fourneau pour presque rien et l'avait fait réparer.

— M'est avis que tout sera prêt avant la fin de l'année, prédit Christophe.

— C'est ce qu'on espère, mais on a encore beaucoup de boulot, répondit André.

Celui-ci s'éloigna, les plans à la main, pour aller signaler une modification à l'un des charpentiers. Gaëlle continua de faire visiter les lieux à Christophe, lui expliquant à quoi correspondait chaque pièce. Les chambres des cinq enfants se trouvaient à l'étage, et il était prévu de reconstituer dans la cave l'abri secret où ils avaient été cachés pendant des mois et où, hélas, la police avait fini par les débusquer, sur dénonciation d'un voisin.

Juste avant de repartir, Christophe glissa à Gaëlle :

— À tout hasard, auriez-vous envie de sortir avec moi, ce soir ?

Il la prévenait à la dernière minute, mais quelque chose lui disait que c'était le mieux à faire avec elle – ainsi, elle n'avait pas trop le temps de réfléchir...

Au moment même où elle allait accepter, Gaëlle eut une idée : on était vendredi, et sa fille, qui était souvent invitée le week-end, partait dans l'après-midi avec une amie dont les parents possédaient une maison en Normandie.

— Et si l'on dînait chez moi ? suggéra-t-elle. Je suis une piètre cuisinière, mais je peux acheter de quoi manger en rentrant ce soir.

— Dans ce cas, j'apporte le vin, répondit Christophe, enchanté. À quelle heure dois-je venir ?

— Disons, vingt heures trente ?

Cela lui laisserait le temps de faire quelques courses et de se préparer.

— Parfait.

Elle lui donna le code de la porte d'entrée. Ainsi qu'il était d'usage à Paris, l'immeuble ne disposait que d'un concierge ; il n'y avait pas de portier comme on en trouvait dans les habitations de même standing aux États-Unis.

Après le départ de Christophe, André se garda de faire le moindre commentaire. S'il soutenait de tout cœur son ami, il ne voulait pas effrayer Gaëlle, qu'il sentait timide et nerveuse avec les hommes. Elle disait elle-même qu'elle n'avait « plus l'habitude ». Et elle persistait à considérer sa relation avec Christophe comme purement amicale.

En quittant le musée, elle s'arrêta chez Lenôtre, avenue Victor-Hugo, pour prendre un poulet rôti et quelques légumes, du saumon fumé en guise d'entrée et une jolie tarte aux fraises pour le dessert. Lorsque Christophe, une heure plus tard, sonna à l'interphone, elle avait eu le temps de se changer et d'enfiler un jean et un pull-over blanc.

En apprenant qu'elle habitait au deuxième étage, il délaissa l'ascenseur et grimpa les marches quatre à quatre, à la française. Il avait fait une folie et acheté un grand millésime de château-margaux. Gaëlle fut impressionnée.

À peine avait-il pénétré dans l'entrée qu'il admira les hauts plafonds puis s'extasia sur le zèbre du salon. Posté à côté du canapé, celui-ci apportait une touche de folie à la décoration, à la fois chic et éclectique. Gaëlle précisa qu'elle avait loué l'appartement tel quel.

— Vais-je rencontrer votre fille ? s'enquit nerveusement Christophe tandis qu'ils s'asseyaient.

— Non, elle est partie pour le week-end.

Gaëlle ne put se retenir de rire, tant son soulagement était visible.

— Excusez-moi, mais les adolescentes me terrifient, expliqua-t-il. Surtout quand elles défendent leurs mères... Elles peuvent se révéler assez féroces.

— C'est davantage son père qu'elle défend... Ils s'adoraient, tous les deux, et j'ai bien peur qu'il ne l'ait trop gâtée. Elle n'a pas envie que je rencontre quelqu'un d'autre. Elle tient à protéger sa mémoire.

— Je comprends.

Christophe était heureux d'échapper à Dominique, laquelle avait tout l'air d'un dragon. Comme la plupart des filles de son âge, d'ailleurs... Il avait déjà eu à gérer des situations semblables avec des femmes divorcées dont les enfants ne voulaient pas d'un nouvel homme dans le tableau. Nul doute que, avec un père décédé et élevé au rang de saint, Dominique serait encore plus difficile à apprivoiser.

Christophe suivit Gaëlle à la cuisine. Elle avait dressé la table pour deux et placé un bouquet de fleurs au milieu. L'appartement était immense, mais Gaëlle avait préféré investir cette pièce, qui était très chaleureuse. Elle y avait disposé des photos et autres objets personnels un peu partout. Christophe repéra un cliché d'elle avec Robert. Un très bel homme, malgré son âge... Ils semblaient heureux ensemble. De songer qu'elle s'était retrouvée veuve si jeune, il eut un pincement au cœur.

Il ouvrit la bouteille de champagne qu'elle lui tendait – du Cristal –, puis celle de bordeaux pour aérer le vin. Il appréciait que Gaëlle le reçoive ainsi, de manière informelle, sans chercher à lui en mettre plein la vue, alors qu'elle ne manquait visiblement pas d'argent.

Cette femme l'attirait de plus en plus... Il était même intrigué de découvrir qu'il éprouvait des sentiments pour elle. Jamais il n'était tombé amoureux aussi vite. Restait à espérer que cela ne se voyait pas trop... Il n'avait pas envie de la faire fuir. Lui qui d'ordinaire n'avait aucune peine à garder ses distances, il se sentait ouvert et vulnérable avec elle, comme une fleur en plein été. Il avait envie de composer pour elle.

— Parlez-moi du temps où vous étiez mannequin pour Dior, demanda-t-il d'un ton léger.

Gaëlle se mit à rire.

— J'étais tellement jeune et inexpérimentée ! À l'époque, ils nous logeaient dans des appartements, et on était chaperonnées. C'était comme de vivre dans un pensionnat de jeunes filles. Qu'est-ce qu'on s'amusait ! Et on n'en revenait pas de la chance qu'on avait. Si Christian Dior ne m'avait pas donné ce boulot, je serais probablement morte de faim… C'est devenu plus sérieux quand je me suis installée à New York, mais je n'ai travaillé qu'un an là-bas. Le milieu de la mode, c'est assez intense… Très vite, j'ai épousé Robert, et je suis tombée enceinte de Dominique. J'ai continué à poser jusqu'à mon sixième mois de grossesse, puis j'ai pris ma retraite de manière définitive. Je voulais me consacrer entièrement à ma famille, alors je suis restée à la maison avec mon mari et mon bébé, j'ai suivi des cours à la fac, et les années ont passé… Trop vite, conclut-elle avec mélancolie.

Instinctivement, Christophe lui toucha la main.

— Je suis désolé. Ça doit être dur, aujourd'hui.

Il devinait qu'elle avait eu un mariage heureux, qu'elle avait profondément aimé son époux.

Gaëlle sourit – une façon de masquer ses émotions.

— Il faut se réadapter, reconnut-elle. Robert était un homme merveilleux, et nous avions une vie bien remplie. Je n'arrive toujours pas à croire qu'il n'est plus là. Pour ma fille non plus, ce n'est pas facile : son père l'adorait, et elle le vénérait. Parfois, je me sentais même de trop, tant ils étaient proches. Mais il était bon aussi avec moi – Robert était quelqu'un de très gentil.

— Ça ne va pas être trop difficile, pour vous, quand elle partira à l'université ? s'enquit Christophe avec sollicitude.

Gaëlle poussa un soupir, puis haussa les épaules, philosophe.

— Je serai bien obligée de m'y faire. Tous les parents en passent par là un jour ou l'autre : les enfants grandissent et l'on devient obsolète. Je ne vais quand même pas la retenir ! Elle est impatiente de se lancer dans la vraie vie. Et elle a beau être à moitié française, elle ne se sent aucune attache dans ce pays. Elle veut s'installer à New York après ses études. Moi, je suis très bien ici...

— La « vraie » vie ? répéta Christophe. Et comment vous qualifieriez celle qu'elle mène ici ? Un ou deux ans à Paris dans un superbe appartement, une existence plus que confortable, une mère aimante qui, j'en suis sûr, la gâte presque autant que son père... Et je ne connais sans doute pas tous les avantages dont elle jouit. Elle a beaucoup de chance, même si elle ne le sait pas.

— Aucun gamin n'a l'impression d'avoir de la chance. Leurs parents sont toujours les pires, ils ont des exigences absurdes, ils sont bêtes ou méchants. Ils ne découvrent leurs éventuelles vertus que plus tard, quand leurs pauvres vieux sont déjà morts ou qu'eux-mêmes sont partis vivre ailleurs.

Oui, c'était cela, être parent, songea Christophe – une tâche particulièrement ingrate à ses yeux.

— Et les vôtres, ils étaient comment ? demanda-t-il à Gaëlle.

Il avait envie d'en apprendre plus sur elle. Elle ne se confiait pas beaucoup.

— Ma mère était une femme très renfermée et angoissée, répondit-elle. Autant dire que la guerre n'a rien arrangé... Mon frère est mort dans un accident stupide. Un mois plus tard, les Allemands qui s'étaient installés chez nous ont abattu mon père parce qu'il faisait partie de la Résistance. Elle ne s'en est jamais remise.

Gaëlle ne précisa pas qu'elle avait quant à elle été accusée de collaboration et que cela avait fini par tuer sa mère. Tout du moins, c'est ce qu'Apolline avait dit...

— Nous avons tous payé un lourd tribut à la guerre, dit-elle d'un ton grave.

— Moi, j'étais avec de Gaulle en Afrique du Nord, révéla Christophe.

Elle n'avait pas osé lui poser la question. Parfois, les gens n'avaient pas envie de parler de ce qu'ils avaient fait pendant ces années noires.

— J'étais très jeune – j'avais dix-huit ans ! – et ça a été une expérience formidable. Mais pour rien au monde je ne voudrais revivre cela. Personne ne le voudrait.

Gaëlle acquiesça. Elle évoqua ensuite l'enregistrement qu'il lui avait prêté : elle avait beaucoup apprécié sa musique.

— Est-ce qu'elle vous a endormie ? voulut-il savoir. Elle fait cet effet à plein de personnes. Je devrais la vendre spécialement pour ça.

— Elle me l'a fait à moi aussi, avoua-t-elle, gênée. Il faut dire qu'il était tard et que j'étais fatiguée... Mais les morceaux que j'ai eu le temps d'écouter m'ont bien plu.

Son commentaire les fit rire tous les deux.

— Vous voyez... C'est mieux qu'un somnifère !

Une fois leur coupe de champagne terminée, ils prirent place à table. Les plats n'avaient rien d'extraordinaire, mais ils étaient simples et bons, et le château-margaux rehaussait considérablement l'ensemble.

Après le repas, Christophe alluma un feu dans le salon ; ils discutèrent un long moment de son travail, des projets de Gaëlle au musée, des idées qu'elle avait pour en faire la promotion. Christophe les trouva toutes bonnes. Gaëlle était une femme brillante, il ne doutait pas qu'elle donnerait entière satisfaction.

Quand il se leva pour prendre congé, il était plus d'une heure du matin.

— Que diriez-vous de déjeuner avec moi, demain ? s'enquit-il tandis qu'elle le raccompagnait à la porte.

— Je regrette, mais je dois assister à une vente aux enchères... Peut-être voudriez-vous m'accompagner ? proposa-t-elle de but en blanc.

— Avec grand plaisir.

Ils convinrent de se retrouver à l'hôtel Drouot le lendemain à quatorze heures. C'était là que se tenaient les meilleures ventes de Paris, et Gaëlle y avait déniché de véritables trésors – tableaux, vêtements, jouets, outils de jardinage, livres rares, vins, uniformes militaires d'antan, tissus, tapis, vieux appareils ménagers... La variété des objets proposés était stupéfiante. Cette fois-ci, elle avait des vues sur plusieurs toiles et songeait même à en offrir une au musée. Elle était cependant bien trop modeste pour en parler à Christophe.

Il la remercia pour le dîner et disparut dans l'escalier. Gaëlle resta quelques minutes devant le feu de cheminée, à penser à lui et à leur soirée... En allant se coucher, elle mit de nouveau son disque et, une fois encore, s'endormit en l'écoutant. Le lendemain, elle se réveilla avec le soleil qui entrait à flots dans sa chambre. La journée s'annonçait magnifique.

Arrivée la première à l'hôtel des ventes, Gaëlle garda une place pour Christophe à côté d'elle, malgré les protestations de quelques antiquaires libidineux. La salle était comble. Les habitués de chez Drouot ne se distinguaient pas par leur élégance, même si, parfois, un ou deux aristocrates se glissaient parmi eux, essentiellement le week-end. Gaëlle portait un jean, un vieux manteau de fourrure et des bottes cavalières Hermès en cuir noir. Christophe la rejoignit cinq minutes plus tard en tenue décontractée et chaussures de daim marron – un look qui s'accordait parfaitement au sien. Gaëlle se concentra sur la vente ; le premier bien qui l'intéressait fut rapidement présenté, et elle le remporta avec une allégresse sincère. Christophe eut un sourire en la voyant si enjouée. À la fin, ils repartirent avec quatre superbes tableaux presque identiques à ceux qui apparaissaient sur les photos du salon des Strauss.

— C'est étrange de recréer leur univers comme ça, confia Gaëlle alors qu'il la raccompagnait chez elle. J'ai l'impression de travailler pour eux.

Elle lui proposa une coupe de champagne, qu'il refusa. Elle était tentée de l'inviter à dîner, mais ne risquait-il pas de se faire des idées ? Deux soirs de suite, c'était peut-être trop... En même temps, elle se sentait de plus en plus à l'aise en sa compagnie, comme avec un ami de longue date...

— Cela vous dirait de manger les restes d'hier soir avec moi ?

— J'aurais bien aimé, mais je vais dîner chez ma sœur avec son mari et leurs deux enfants terribles, répondit Christophe. Elle ne leur dit jamais non...

Robert avait commis la même erreur avec Dominique, et Gaëlle en subissait encore les conséquences.

— Quel âge ont-ils ?

— Cinq et sept ans. Deux petits gars insupportables !

Gaëlle était certaine qu'il exagérait. Les garçons de ces âges-là n'étaient jamais faciles à contrôler.

— Que fait votre sœur, dans la vie ?

— Elle est artiste par passion et infirmière de profession. Son mari est avocat. C'est lui qui rédige tous mes contrats.

— C'est pratique, observa Gaëlle.

Elle était étonnée qu'il ait une famille aussi normale, aussi traditionnelle. Christophe lui paraissait bien plus bohème que cela.

— Vous avez d'autres frères et sœurs ? s'enquit-elle.

— Non, je n'ai qu'elle. On est très proches – on vivait même ensemble avant qu'elle se marie. Nos parents sont morts quand on était tout jeunes. Je vous aurais bien invitée à vous joindre à nous ce soir, mais elle cuisine très mal, et mon beau-frère – que j'aime beaucoup par ailleurs – s'endort à table et se met à ronfler après deux verres de vin. Sans compter que leurs enfants vous feraient tourner en bourrique, à force de courir partout. Ma sœur les laisse faire, elle dit qu'ils dorment mieux après... C'est impossible d'avoir une conversation quand ils sont là. Ils n'arrêtent pas de crier et de se jeter des trucs...

— De vrais petits garçons, quoi, répliqua Gaëlle en riant.

Le tableau qu'il peignait était évocateur.

— J'espère qu'Amandine les enverra vite en pension, qu'on puisse de nouveau se parler. Ça fait des années que ça ne nous est pas arrivé : ils sont toujours dans nos pattes. Pour ce soir, je vous laisse donc profiter de votre dîner au calme.

243

Il la quitta un peu plus tard, non sans l'avoir félicitée pour l'achat des quatre peintures. Il les trouvait jolies, lui aussi ; elle les avait bien choisies.

Le lendemain, Gaëlle n'eut pas de nouvelles de lui. Elle se surprit à constater qu'il lui manquait. C'était ridicule : elle le connaissait à peine ! Mais elle aimait sa compagnie, et cela lui avait plu de vivre avec lui la tension des enchères et de partager le plaisir d'obtenir ce qu'elle convoitait.

Après une promenade dans les rues de Paris, elle rentra chez elle et se plongea dans un livre. Puis elle décida d'écouter le disque de Christophe ; une fois de plus, elle sombra dans le sommeil. Quand elle se réveilla sur le canapé, elle ne put s'empêcher de rire. Sa musique avait bel et bien un effet soporifique...

À son retour de week-end, en fin d'après-midi, Dominique demanda à sa mère comment elle avait occupé ces deux jours. Gaëlle lui montra les tableaux, et énuméra toutes les petites choses qu'elle avait faites dans l'appartement. Elle ne mentionna pas Christophe, ne voulant pas avouer qu'elle avait passé pas mal de temps avec cet homme qu'elle appréciait beaucoup et dont la musique avait le pouvoir de l'endormir. Quelle que soit la manière dont elle présenterait les choses, elle savait que Dominique réagirait mal. De toute façon, elle ne lui devait aucune explication, et garda donc pour elle son merveilleux week-end.

16

Pendant les vacances de printemps, Gaëlle emmena sa fille et l'une de ses amies skier à Val-d'Isère. Elle avait revu Christophe à plusieurs reprises, profitant de moments où Dominique était occupée ailleurs. Gaëlle tenait absolument à éviter qu'ils se croisent – et Christophe l'avait bien compris.

— Tu comptes me cacher à ta fille encore longtemps ? lui demanda-t-il avec un petit sourire, la veille de leur départ à la montagne.

— Bien sûr que non, se défendit Gaëlle, gênée.

Mais il avait raison... Elle n'était pas pressée de faire les présentations. Dominique était trop imprévisible, et elle avait clairement exprimé son opinion : elle ne voulait pas que sa mère ait de petit ami. Et si Gaëlle ignorait comment décrire sa relation avec Christophe, Dominique, elle, n'aurait aucun doute sur la question.

— Je sais me tenir avec les enfants de mes amis, lui assura-t-il.

Elle le croyait sur parole – d'ailleurs, il s'était très bien tenu avec elle aussi. Voilà deux mois qu'ils déjeunaient et dînaient ensemble régulièrement, et il n'avait pas fait mine de vouloir l'embrasser. Elle en était soulagée. Ainsi qu'il l'avait parfaitement deviné, elle ne se sentait pas encore prête à aller plus loin.

En revanche, Christophe était curieux de faire la connaissance de Dominique. Sans que Gaëlle l'ait jamais décrite ainsi ouvertement, la jeune fille lui apparaissait comme une véritable peste. Il avait envie de vérifier par lui-même à quel point c'était vrai.

— On pourra peut-être organiser une rencontre à notre retour de vacances, suggéra Gaëlle sans conviction.

— Ou quand elle sera diplômée de l'université ? la taquina Christophe.

— Oui, bonne idée ! répondit Gaëlle en riant. Plaisanterie mise à part, j'ai peur de sa réaction, Christophe. Elle est restée tellement fidèle à son père... Pour elle, c'était un dieu.

— Et pas seulement un saint ? Bigre... J'attendrai peut-être qu'elle soit mariée et qu'elle ait des enfants, alors.

— Elle dit qu'elle ne se mariera jamais, répliqua Gaëlle. Son seul objectif, c'est de faire carrière à Wall Street, et je pense qu'elle y arrivera – elle réussira même très bien. Elle ressemble beaucoup à son père, avec en plus, hélas, le côté aigri de ma mère. Sauf qu'elle, elle avait de vraies raisons d'être malheureuse.

— Hum... Ça ne doit pas être facile tous les jours pour toi.

— Pas vraiment, non. Ma fille a une volonté de fer, et elle sait exactement ce qu'elle veut. Elle a l'intelligence de Robert, mais pas du tout sa bonté, sa compassion ni son indulgence. Et elle n'a jamais été proche de moi...

— Même maintenant que son père est mort ?

Gaëlle secoua la tête, et Christophe la plaignit. Sa fille et elle auraient pu se soutenir mutuellement dans leur deuil, mais elles étaient visiblement trop inconciliables pour cela.

— Eh bien... De toute façon, c'est à toi de voir quand tu voudras organiser une rencontre entre elle et moi. Je suis prêt, en tout cas. Pas toi ?

— Je n'en suis pas sûre, répondit-elle honnêtement. Laissons-nous un peu de temps.

Le séjour à Val-d'Isère ne se déroula pas au mieux. Dominique se tordit le genou dès le premier jour et passa le reste de la semaine à se morfondre dans sa chambre pendant que son amie skiait toute la journée. Quand elles rentrèrent à Paris, Dominique était d'une humeur massacrante, et elle se montra infecte avec tout le monde pendant un mois, le temps que sa blessure guérisse. Ce n'était clairement pas le moment idéal pour lui présenter Christophe...

Un soir de mai, alors qu'elle était enfin débarrassée de ses béquilles, Dominique avait donné rendez-vous à ses amis à l'appartement pour aller voir un film sur les Champs-Élysées. De son côté, Gaëlle avait prévu de dîner au restaurant avec Christophe – elle était censée l'appeler une fois que la voie serait libre pour qu'il passe la chercher. Mais ils s'étaient mal compris... Ayant retenu que Dominique partait à dix-neuf heures, Christophe n'attendit pas le feu vert de Gaëlle et sonna à l'interphone à dix-neuf heures trente. Dominique appuya sur le bouton sans décrocher : elle pensait qu'il s'agissait d'une de ses copines qui était en retard.

— Qu'est-ce que tu foutais ? lâcha-t-elle en ouvrant la porte de l'appartement.

À la place de son amie, elle trouva sur le seuil un grand type aux yeux bleus, qui parut aussi surpris qu'elle.

— Oh, pardon, marmonna-t-elle. Je peux vous aider ?

— Bonjour, Dominique, dit-il poliment en lui serrant la main. Je suis Christophe Pasquier ; je viens voir ta mère.

Il craignit un moment qu'elle ne lui claque la porte au nez. Dominique était une belle jeune fille aux yeux sombres et aux cheveux bruns, longs et raides. Elle n'avait aucun point commun avec sa mère, si ce n'était sa silhouette fine et élancée. Christophe n'aurait jamais deviné qu'elles avaient un lien de parenté.

Dominique s'écarta à contrecœur pour le laisser entrer.

— Je suis content de te rencontrer, reprit-il avec un sourire chaleureux.

À l'évidence, le sentiment n'était pas réciproque. Dominique le scrutait d'un air froid : ce type semblait bien trop à l'aise pour qu'elle puisse prendre sa présence à la légère, et sa beauté ne constituait à ses yeux qu'une menace supplémentaire. Elle se rendit d'un pas déterminé dans la chambre de sa mère.

— Tu peux m'expliquer ce que fait un certain Christophe Pasquier chez nous ? s'enquit-elle brutalement. Il a l'air de bien te connaître...

— C'est un ami d'André.

— Tu sors avec lui ?

— On s'est vus quelques fois pour discuter du musée.

Gaëlle avait l'impression de trahir Christophe...

Elle se leva et suivit sa fille dans l'entrée, où il attendait patiemment. Dominique les observa de son regard d'aigle tandis qu'il embrassait Gaëlle sur les joues.

— Je viens de faire la connaissance de ta fille, annonça-t-il tout en souriant aimablement à l'intéressée.

Celle-ci le fixa méchamment, comme une gamine de quatre ans en colère. Gaëlle eut honte de son attitude. Dominique se montrait sous son jour le plus mauvais.

— Tu peux aller rejoindre tes amis, lui suggéra-t-elle gentiment.

Dominique partit dans sa chambre en claquant deux portes en chemin.

— Un vrai bonheur…, murmura Gaëlle à Christophe tandis qu'ils s'installaient au salon.

— Ce n'est pas grave, je m'y attendais, répondit-il à voix basse.

En réalité, c'était bien pire que ce qu'il imaginait… À dix-sept ans, Dominique n'avait plus l'âge de se conduire aussi mal avec un invité, quoi qu'elle pensât de lui. Elle ne le connaissait même pas ! Toutefois, Christophe préféra minimiser l'importance de l'incident devant Gaëlle. Il comprenait mieux à présent pourquoi elle avait tant repoussé cette rencontre… Malgré tout, il estimait que c'était une bonne chose que celle-ci ait eu lieu.

Dominique partit au cinéma avec ses amis sans dire au revoir à sa mère ni adresser le moindre mot à Christophe. Et les murs de l'appartement vibrèrent tant elle claqua la porte violemment. Gaëlle était mortifiée, mais il n'y avait rien à faire quand sa fille entrait dans une de ces rages, qui n'étaient qu'une version adolescente de ses caprices d'enfant.

Toute la soirée, Gaëlle fut tendue et distraite. Elle décida finalement de rentrer plus tôt pour être là quand Dominique reviendrait.

— Tu ne peux pas te laisser mener par le bout du nez comme ça, protesta Christophe.

Gaëlle était tellement contrariée qu'elle n'avait pas touché à son repas. Cela faisait quatre mois qu'elle voyait Christophe régulièrement, et elle n'avait aucune envie de mettre un terme à cette relation. Mais elle savait aussi que Dominique pouvait lui rendre la vie impossible. Or, elle était la seule famille qui lui restait... Gaëlle ne voulait pas se disputer avec elle ; elle n'était pas encore prête à se l'aliéner.

— Tu es sa mère, et tu es une adulte, poursuivit Christophe. Tu as le droit de faire ce que tu veux. En plus, ce n'est pas comme si tu couchais avec la terre entière ! On ne s'est même pas embrassés.

À son plus grand regret, aurait-il pu ajouter...

— Son père est mort depuis près de deux ans. Il faut qu'elle soit raisonnable.

— Ça, personne ne le lui a jamais expliqué, et encore moins son père, répondit Gaëlle. Petite, Dominique était un vrai tyran. Surtout avec moi...

Et Robert l'avait laissée faire... Pour un homme de sa trempe, il avait été d'une faiblesse surprenante avec leur fille, sous couvert d'amour.

— Défends-toi, bon sang ! s'exclama Christophe. Fais acte d'autorité !

Il avait raison, en théorie. Néanmoins, ces principes étaient bien difficiles à appliquer avec une jeune fille de dix-sept ans qui avait toujours obtenu ce qu'elle désirait. Gaëlle préférait rester prudente. Elle regrettait juste de n'avoir pas pu afficher davantage de fermeté avec Dominique durant ses premières années. Robert ne le lui avait pas permis, et c'était un peu tard aujourd'hui. N'ayant pas d'enfant, Christophe ne comprenait pas qu'il fallait parfois faire des compromis pour maintenir la paix.

Il la raccompagna chez elle, la serra brièvement dans ses bras, et lui promit de la rappeler le lendemain matin. En regagnant son appartement, il songea à la relation qu'elle entretenait avec sa fille... Y avait-il des chances que la situation s'améliore dans un futur proche ? Dominique était presque une adulte et elle se comportait comme une enfant gâtée, sans nulle honte. Christophe était bien content de ne pas être père. Il n'aurait pas supporté d'avoir une fille comme elle.

Quand Dominique rentra, à minuit passé, Gaëlle alla la voir dans sa chambre.

— Tu as été très impolie avec mon invité, lâcha-t-elle sévèrement.

Il fallait que ce soit dit – elle le devait à Christophe et à elle-même. Dominique leur avait manqué de respect.

— Arrête ton cinéma, maman, répliqua-t-elle en la fusillant du regard.

Elle aussi avait passé une mauvaise soirée. Elle était même partie avant la fin du film.

— Ce type n'est pas ton « invité ». C'est ton amant. Tu me prends pour une idiote ou quoi ?

Non, pour une sale gosse, pensa Gaëlle très fort.

— Ce n'est pas mon amant, se défendit-elle, mais même si c'était le cas, ce n'est pas ton problème, et tu n'as pas à traiter mes amis de cette façon. Je ne fais pas ça avec les tiens.

— Depuis combien de temps tu couches avec lui ? la coupa Dominique.

— Je ne couche pas avec lui ! s'emporta Gaëlle. Je t'interdis de me parler comme ça. Tant que tu vivras sous mon toit, je te demanderai de me respecter et de respecter les gens qui viennent me voir.

— Ne t'inquiète pas pour ça. Dans six semaines, on rentre à la maison, et ensuite je pars à l'université. Tu feras bien ce que tu veux avec lui à ce moment-là. De toute façon, je n'en ai rien à foutre.

— Tu en as forcément quelque chose à faire, sinon tu ne te mettrais pas dans cet état, remarqua Gaëlle.

C'était vrai : tout comme elle avait été possessive avec son père, Dominique l'était à présent avec elle.

— Tu n'as aucune considération pour papa ! explosa cette dernière. C'est ton mari, c'est grâce à lui que tu es celle que tu es aujourd'hui. Comment oses-tu ramener des hommes chez nous et salir sa mémoire comme ça ?

Gaëlle sentit son cœur se briser en entendant ces mots. À présent, elles pleuraient toutes les deux.

— J'ai toujours respecté ton père, et jamais je ne salirai sa mémoire. Je l'aimais, je l'aime encore, mais il n'est plus là, et il faut que je réapprenne à vivre sans lui. Je te rappelle que tu vas bientôt partir. Et qu'est-ce que tu sous-entends quand tu dis que c'est grâce à lui que je suis celle que je suis ?

Pour qui sa fille la prenait-elle ? Soudain, elle avait l'impression d'être une moins-que-rien. Cela lui rappelait l'époque où elle avait été humiliée, traitée de collaboratrice, mais cette fois, c'était sa propre fille qui la jugeait. Ce que celle-ci lui répondit alors la choqua encore plus :

— Je veux dire que tu n'en serais jamais arrivée là sans son argent. Sans lui, tu n'aurais jamais eu tout ça.

Elle fit un geste, montrant l'appartement autour d'elle.

— Je ne l'ai pas épousé parce qu'il était riche, Dominique. C'est un plus appréciable, mais ce n'est pas ça qui compte. S'il m'a rendue heureuse, c'est parce qu'on s'aimait. Ne me redis plus jamais une chose pareille.

Sur ce, Gaëlle sortit et claqua la porte. Elle était furieuse et triste. La fortune de Robert avait empoisonné leur fille, l'avait persuadée que tout tournait autour de l'argent. C'était affligeant...

Dominique ne prit pas la peine de venir s'excuser auprès de sa mère – ce n'était pas dans ses habitudes. Depuis toujours, elle exprimait ses pensées sans retenue, y compris celles qui faisaient mal. Et elle n'éprouvait jamais aucun regret. Au contraire, elle était plutôt satisfaite d'avoir blessé sa mère.

Le lendemain matin, Christophe attrapa son téléphone pour appeler Gaëlle non sans une certaine inquiétude. Il craignait qu'elle ne veuille plus le voir. Or, il n'avait pas envie de la perdre, et encore moins à cause de cette fille tyrannique à qui son père avait fait croire qu'elle pouvait gouverner le monde. Elle était bien capable de convaincre Gaëlle qu'il fallait mettre fin à leur relation.

— Alors, comment ça s'est passé, quand elle est rentrée ? s'enquit-il.

— Aussi mal que je l'imaginais. Pire, même. Elle pense qu'on est ensemble, et elle m'a accusée de tout un tas de choses aussi fausses les unes que les autres. Que j'ai épousé son père pour son argent, que je n'aurais jamais été rien sans lui, que je le trahis aujourd'hui... Elle est toujours en colère à cause de sa mort.

Cependant, Gaëlle ne pouvait pas prétendre que cette colère était nouvelle. Elle était exacerbée, c'est tout.

— Elle n'a pas le droit de te parler comme ça, s'offusqua Christophe.

Il avait beau ne pas connaître Gaëlle depuis longtemps, il était certain qu'elle avait épousé son mari par amour et non par intérêt. Gaëlle était une femme honnête et droite. Si seulement il avait pu remettre Dominique à sa place ! Elle en avait cruellement besoin. Mais il savait que ce n'était pas son rôle et que cela ne ferait que compliquer les choses.

— Est-ce qu'elle t'a demandé d'arrêter de me voir ? la questionna-t-il, soucieux.

— Oui, mais je ne vais pas l'écouter, bien sûr.

Christophe poussa un soupir de soulagement.

— En revanche, reprit-elle, j'aimerais que l'on reste discrets jusqu'à cet été. Ça ne sert à rien de la provoquer.

Il comprenait son point de vue, même s'il estimait de son côté qu'ils auraient dû tenir tête à Dominique. Cette fille était un vrai cauchemar... En outre, être obligé de voir Gaëlle en secret n'avait rien de plaisant. Il avait l'impression de fréquenter une femme mariée – ce qui ne lui était jamais arrivé. Cette situation lui semblait parfaitement injuste, pour lui comme pour Gaëlle.

Les jours suivants, Gaëlle et Christophe se virent en cachette. Dominique, de son côté, n'aborda plus le sujet avec sa mère, convaincue que celle-ci avait eu assez peur de sa réaction pour couper les ponts avec lui. Elle n'avait aucune raison de penser qu'ils se voyaient toujours : Christophe et Gaëlle se montraient prudents et plus malins qu'elle.

Pendant deux semaines, ils multiplièrent ainsi les rendez-vous clandestins. Jusqu'au soir où, en sortant du restaurant, Christophe se décida enfin à attirer Gaëlle sous un porche et à l'embrasser passionnément, comme il avait rêvé de le faire depuis le premier jour.

— S'il faut qu'on soit punis, autant qu'on ait une bonne raison de l'être, murmura-t-il, avant de l'embrasser encore. Tu veux venir chez moi ?

Il ne plaisantait qu'à moitié. Et vu l'intensité de ses baisers, Gaëlle imaginait sans peine à quoi ressemblerait la suite des événements...

— J'en ai très envie, mais non... je ne le ferai pas, répondit-elle à regret. Je ne veux pas qu'on se cache. Je veux qu'on ait une vraie relation.

Christophe lui offrit son plus beau sourire. Cette perspective lui réchauffait le cœur.

— Cependant, j'aimerais d'abord être sûre de moi, poursuivit-elle. Je ne sais pas si je suis vraiment capable d'aimer un autre homme. Et puis, il y a Dominique...

Christophe se rembrunit.

— Ta fille n'a pas le droit de te voler ta vie.

— Elle sera peut-être plus compréhensive dans quelques années... De toute façon, j'ai besoin de réfléchir à tout ça, moi aussi. Si c'est sérieux entre nous, nous trouverons bien une solution. Laissons-nous l'été : à mon retour, ce sera plus simple, je serai seule.

— Je t'attendrai, promit-il.

Il le pensait sincèrement – encore plus après l'avoir embrassée. Il était tombé amoureux de cette femme, et il ne renoncerait pas à elle juste pour faire plaisir à sa fille.

— On en reparle quand je rentre fin août, dit-elle d'un ton grave.

— Tu veux dire qu'on ne va pas se revoir d'ici là ?

— Bien sûr que si, on va se revoir ! Tant qu'on reste prudents, rien ne nous en empêche. Je te disais juste ce que je pensais.

— Tu sais ce que je pense, moi ? Je pense que je t'aime, répliqua-t-il.

Il l'embrassa à nouveau.

— Moi aussi, je crois que je t'aime, Christophe. Mais j'ai besoin de temps pour m'y habituer.

Gaëlle ne voulait pas précipiter les choses. Bien sûr, elle ne permettrait pas à Dominique d'entraver leur histoire d'amour si celle-ci devait exister. Mais elle préférait être sûre d'elle avant de – peut-être – se brouiller avec sa fille à jamais...

Au mois de juin, Gaëlle et Christophe profitèrent du beau temps, se baladèrent dans Paris main dans la main, s'embrassèrent souvent, mais n'allèrent pas plus loin. Gaëlle ne voulait pas s'embrouiller l'esprit davantage. En outre, la révolution sexuelle qui secouait alors l'Occident n'avait pas ébranlé ses convictions traditionnelles – et Christophe ne l'en aimait que plus. Il était terrifié à l'idée qu'elle l'éconduise à son retour des États-Unis. Néanmoins, il devait lui faire confiance. Ne lui avait-elle pas dit qu'elle se donnait juste le temps de la réflexion avant de s'engager dans une relation avec lui ? Quoi qu'il en soit, il appréhendait l'été. Heureusement, il pourrait se plonger dans l'écriture de sa musique. Les journées passeraient plus vite ainsi.

Ils se virent une dernière fois la veille du départ de Gaëlle. Ils restèrent un long moment assis sur un banc de l'avenue Foch, non loin de chez elle, à s'embrasser sous les arbres comme deux tourtereaux.

— Prends soin de toi, murmura-t-il. Ne laisse pas ta fille te saper le moral.

— Ne t'inquiète pas pour moi. Et toi, ne travaille pas trop...

Christophe la regarda s'éloigner en direction de son immeuble, priant pour qu'elle lui revienne en août. Il était sûr d'une chose : il l'aimait. Le reste dépendait de Gaëlle et de sa fille.

17

Ces deux mois de séparation se révélèrent difficiles.
L'absence de l'autre était cruelle pour chacun d'eux.
Alors qu'ils se connaissaient depuis janvier seulement,
Christophe avait l'impression de ne plus pouvoir vivre
sans Gaëlle. Heureusement, ils s'appelaient au téléphone plusieurs fois par semaine.

Gaëlle passa l'été à Southampton avec sa fille. Elle
poursuivit ses recherches pour le musée et dégota de
très beaux objets à New York, ainsi que chez des
antiquaires du Connecticut et de Long Island. Dominique, quant à elle, sortait ou invitait des amis tous les
jours. Ces derniers eux aussi intégraient une université
à la rentrée. Tous allaient bientôt commencer une
nouvelle vie, et il y avait comme une atmosphère de
fête à la maison. Même après avoir résidé deux ans
en France, Dominique savait que sa vraie vie et ses
vrais amis étaient ici, aux États-Unis. Elle affirmait
d'ailleurs qu'elle n'habiterait plus jamais Paris. Gaëlle
la croyait sans difficulté.

Leur programme de l'année était déjà établi. Dominique fêterait Thanksgiving chez des amis, Gaëlle la rejoindrait ensuite à New York pour Noël, et elles marqueraient le nouvel an à Palm Beach. Dominique lui avait promis de venir à Paris pendant les vacances de printemps. Le reste du temps, Gaëlle n'aurait plus qu'à trouver de quoi meubler son existence.

Depuis leur dispute au sujet de Christophe, mère et fille étaient sur leurs gardes. La première n'avait pas pardonné à la seconde ses propos injurieux, et ce d'autant moins qu'elle les savait sincères. Dominique attendait d'elle qu'elle demeure célibataire jusqu'à la fin de ses jours, considérant que l'argent laissé par son père devait suffire à son bonheur. En outre, elle l'avait traitée de croqueuse de diamants. Gaëlle en était profondément blessée. D'autant que sa fille n'avait nullement fait mine de se repentir et qu'elle maintenait encore plus ses distances avec elle.

À la fin du mois d'août, après des semaines de préparatifs, le grand jour arriva : il était temps pour Dominique de découvrir Boston et de s'installer dans sa nouvelle vie d'étudiante. Gaëlle avait loué une camionnette avec chauffeur, lequel les aida à charger les valises et les cartons de la jeune fille, son tourne-disque et sa bicyclette. Elle logerait à Cabot House, une résidence située sur le Radcliffe Quadrangle, qui n'accueillait que des jeunes filles ; en revanche, elle suivrait certains cours avec les garçons à Harvard. Dominique s'était inscrite en économie et espérait pouvoir travailler chaque été dans la banque d'investissement de son père, afin d'augmenter ses chances d'intégrer l'école de commerce de Harvard directement après sa licence. Elle souhaitait en effet entamer son troisième cycle en gestion sans avoir besoin d'attester de plusieurs années d'expérience professionnelle. Ses objectifs étaient clairs, et son avenir tout tracé.

Tandis qu'elle rangeait les affaires de sa fille dans l'armoire de sa nouvelle chambre, Gaëlle avait une boule dans la gorge. Dire qu'elle ne reverrait pas Dominique avant quatre mois... Celle-ci, de son côté, ne semblait pas avoir les mêmes états d'âme. Tout excitée depuis qu'elles étaient arrivées, elle était maintenant en train d'explorer le campus avec une autre étudiante. Elle avait emporté un grand nombre de minijupes et s'était fait faire une coupe à la garçonne qui lui donnait un air adorable et innocent. Gaëlle savait bien qu'elle n'était pas aussi candide qu'elle le paraissait... Toutefois, lorsque vint le moment de la quitter, elle la serra longtemps dans ses bras, et c'est le cœur lourd qu'elle remonta dans la camionnette. Pendant tout le trajet du retour, elle pleura à chaudes larmes. Les adieux avaient été douloureux.

Gaëlle s'envola pour Paris deux jours plus tard. Christophe l'attendait à l'aéroport. Il la prit dans ses bras et la serra contre lui sans un mot. Gaëlle lui avait manqué plus qu'il ne l'aurait cru possible. Il lui avait écrit plusieurs morceaux de musique dont il était certain qu'ils l'endormiraient en quelques secondes... Il s'écarta légèrement, plongea son regard dans le sien, et l'embrassa.

— J'ai eu si peur de t'avoir perdue, murmura-t-il d'une voix rauque.

Mais peut-être était-ce le cas... Peut-être s'apprêtait-elle à lui dire au revoir ? Il avait beau essayer de s'y préparer, il redoutait de fondre en larmes devant elle. Il faut dire qu'elle n'avait pas évoqué leur avenir au téléphone au cours des deux derniers mois, préférant en parler de vive voix.

Christophe chargea les bagages de Gaëlle sur un chariot, puis ils rejoignirent sa voiture. Lorsqu'elle se fut installée à côté de lui, elle le dévisagea longuement, un sourire mystérieux aux lèvres.

— Alors, comment ça s'est passé, à Radcliffe ? s'enquit-il.

— C'était dur, mais c'est fait. Dominique n'attendait qu'une chose : que je parte !

— Et nous deux ?

Christophe n'avait pas pu se retenir de poser la question. Il fallait qu'il sache, peu importe la réponse. D'une certaine manière, Gaëlle lui semblait changée. Plus calme, plus apaisée. Ces deux mois dans les Hamptons lui avaient permis de réfléchir.

— Je suis là, répondit-elle simplement.

Il la regarda, perplexe.

— Et qu'est-ce que ça veut dire ?

— Je suis revenue vers toi. Dominique a sa vie, maintenant, et j'ai la mienne. La nôtre, si c'est toujours ce que tu veux. Je t'aime, Christophe.

Il la contempla, incrédule.

— Je t'aime aussi, souffla-t-il, avant de l'embrasser.

Ils filèrent vers Paris, et il l'emmena chez lui. Christophe possédait un petit appartement charmant sur la rive gauche, dans un vieil immeuble. Gaëlle n'y était entrée qu'une fois, un jour où il devait récupérer quelque chose. À l'époque, elle s'était sentie mal à l'aise, mais là, toute gêne s'était mystérieusement envolée : leurs vêtements jonchaient déjà le sol de l'entrée tandis qu'il l'entraînait vers sa chambre, tout en se félicitant intérieurement que sa femme de ménage soit passée le matin même et qu'elle ait changé les draps. Un instant plus tard, ils tombèrent sur le lit, bras et jambes emmêlés. Christophe était sur un petit nuage. Gaëlle était revenue... Une nouvelle vie s'offrait à eux, un nouveau départ à deux. Avides l'un de l'autre, ils firent l'amour avec passion. Christophe sentait les longs cheveux blonds et soyeux de Gaëlle lui caresser le visage pendant qu'ils s'embrassaient. Elle était sienne... Il avait rêvé de ce moment depuis le mois de janvier et, sans en être pleinement consciente, Gaëlle en avait rêvé aussi. À présent, le monde leur appartenait.

Deux semaines plus tard, ils organisèrent un grand dîner chez Gaëlle. Ils invitèrent André et Geneviève, quelques amis de Christophe issus du milieu de la musique, mais aussi Louise et deux ou trois relations de travail de Gaëlle. En tout, il y avait une bonne dizaine de convives autour de la table. André les observait : on eût dit qu'ils célébraient leur nouvelle vie. L'architecte était particulièrement heureux pour eux. Il savait à quel point Christophe était amoureux de Gaëlle, et celle-ci paraissait tout aussi rayonnante. Il avait remarqué qu'elle ne portait plus son alliance depuis qu'elle était rentrée de New York. Elle était libre...

Au cours du repas, ils discutèrent beaucoup du musée. L'établissement devait ouvrir en décembre, et ils étaient tous très impatients ! Quant à Christophe, il avait profité de l'absence de Gaëlle pour terminer l'écriture de sa dernière musique de film – heureusement, d'ailleurs, que ce travail créatif lui avait occupé l'esprit, sans quoi il serait devenu fou... En outre, il venait de signer des contrats pour un album et deux autres bandes originales. Il connaissait un succès grandissant.

La majeure partie du temps, les deux tourtereaux dormaient chez Gaëlle. L'appartement était plus spacieux et plus confortable. Christophe plaisantait en disant qu'il se faisait entretenir, mais c'était loin d'être vrai : il se montrait généreux, ne la laissait jamais rien payer à sa place, et partageait tous les frais avec elle. En octobre, ce n'était plus un secret pour personne qu'ils vivaient ensemble. La cohabitation entre eux deux se passait à merveille, peut-être parce qu'ils avaient chacun leur univers en dehors. Au fil des jours, ils se sentaient de plus en plus à l'aise l'un avec l'autre.

En novembre, Gaëlle fêta ses quarante ans. Comme elle se plaignait d'être vieille, Christophe, qui avait trois ans de plus, lui assura qu'elle avait toujours l'air d'une gamine. Grands et blonds tous les deux, ils formaient un couple magnifique. Le film de Christophe sortit en salle juste avant l'anniversaire de Gaëlle, et sa musique reçut un accueil enthousiaste. Le monde leur souriait… Il ne restait plus qu'un mois avant l'ouverture du musée Strauss. La famille était enchantée du travail accompli. Gaëlle avait distribué un peu partout des guides et des dépliants pour faire connaître le nouvel établissement. Un long article devait paraître dans le *Figaro*, et une chaîne de télévision prévoyait déjà de réaliser un reportage. Le conservateur du musée Nissim de Camondo n'avait pas manqué de féliciter Gaëlle.

Pour Thanksgiving, elle organisa un grand festin chez elle. André était là, bien sûr.

— Tu as l'air heureux, glissa-t-il à Christophe alors qu'ils décantaient le vin.

— Oui… Je le suis plus que jamais.

Depuis quelques jours, un projet avait commencé à germer dans son esprit. Il faillit mettre son ami dans la confidence, mais se ravisa. Il préférait que Gaëlle soit la première informée.

Le samedi matin, alors qu'ils se prélassaient au lit sous le baldaquin de Marie-Antoinette, Christophe se tourna vers Gaëlle.

— J'ai une idée qui risque de te paraître folle, chuchota-t-il.

Il sourit. Qu'allait-elle en penser ? Mais peu importait, après tout : la vie était trop courte. Ils avaient tous deux survécu à une guerre dans leur jeunesse. L'enfant unique de Gaëlle venait de quitter le nid, et la mort de son mari lui avait appris à quel point le temps pouvait filer vite. Comme il ne disait rien, elle l'interrogea du regard.

— Et c'est quoi, cette idée ? s'enquit-elle en laissant courir ses longs doigts sur son torse.

— Est-ce que tu veux m'épouser ?

Gaëlle resta bouche bée. Elle ne s'attendait pas à cela.

— Tu es sérieux ?

Puis elle se rembrunit :

— Et Dominique ?

— C'est à toi de voir.

La jeune fille ne serait pas enchantée par cette nouvelle, mais elle finirait peut-être par l'accepter si elle n'avait pas le choix. De toute façon, elle trouvait toujours quelque chose à reprocher à sa mère. Christophe estimait que Gaëlle ne devait en aucun cas la laisser contrôler son existence.

— On fera ce que tu voudras, la rassura-t-il néanmoins.

Ce qu'elle voulait, surtout, c'était qu'il l'aime jusqu'à la fin de ses jours et qu'il lui promette de ne jamais mourir... Évidemment, cette promesse-là était impossible à tenir.

— Hum... Tu ne trouves pas que je suis trop vieille pour me marier ? lui demanda-t-elle en se redressant sur un coude. Même si, avec toi, j'ai l'impression de rajeunir.

— Mais tu *es* jeune, ma chérie ! Et de toute façon, qu'est-ce qui nous empêcherait de nous marier, si on en a envie tous les deux ?

— Tu en as envie, toi ? s'enquit-elle timidement.

— Oui.

Christophe était sûr de lui. Jamais il n'avait désiré une chose avec autant d'ardeur. Passer le reste de sa vie avec Gaëlle, et officialiser leur union. Il comprenait seulement maintenant que, pendant toutes ces années, il avait attendu de rencontrer la bonne personne.

— Est-ce que tu aurais envie de faire d'autres enfants ? lâcha-t-il soudain.

Là, Gaëlle tomba carrément des nues. Lui qui lui répétait depuis des mois qu'il n'avait jamais voulu être père et qu'il ne le serait jamais !

— J'avoue que je ne me suis pas posé la question, répondit-elle.

— Tu crois que tu pourrais ?

— Je ne sais pas...

— Je ne veux pas qu'on se lance dans des procédures extrêmes ou héroïques, comme les traitements hormonaux ou les nouvelles techniques d'insémination artificielle. Il n'est pas question de t'infliger ça. Mais on pourrait peut-être voir ce qui se passe, après notre mariage ?

La tendresse qui se lisait dans ses yeux la toucha. Elle avait le sentiment d'avoir devant elle un homme différent. Ou, plus exactement, un homme encore meilleur que celui qu'elle avait rencontré dix mois plus tôt chez André, à Montmartre.

— Je n'ai pas encore dit oui, lui rappela-t-elle avec un petit air espiègle.

— Ah non ? Mais qu'attends-tu, chérie ?! Je veux t'épouser !

Maintenant qu'il était décidé, il avait envie de signer tout de suite. Gaëlle réfléchit un petit moment.

— Il faut quand même que j'en parle à Dominique. Je ne peux pas la mettre devant le fait accompli, elle se sentirait exclue. Tu as envie d'un grand mariage ?

— Non, j'aimerais juste qu'on invite quelques amis. Et ma sœur et sa petite famille, bien sûr.

— Ça me va. Dominique doit venir pendant les vacances de printemps. On pourrait faire ça à ce moment-là, en mars ?

C'était dans quatre mois, ce qui laissait un délai raisonnable à tout le monde pour s'habituer à l'idée. Du moins à Dominique, car personne d'autre qu'elle n'y trouverait à redire...

— Je lui annoncerai la nouvelle à Noël. Elle pourrait être ma demoiselle d'honneur...

Gaëlle sourit, songeuse. Jamais elle n'aurait pensé se remarier, mais elle aimait Christophe, et subitement elle se sentait tout excitée à la perspective de devenir sa femme.

— Si je résume, on a quasiment fixé la date, on a une demoiselle d'honneur, on a les invités... Il ne manque plus que le marié, souligna Christophe.

Gaëlle se mit à rire.

— J'ai failli oublier ce détail... Voudriez-vous endosser ce rôle, monsieur Pasquier ?

— Ah ! J'ai bien cru que tu ne me poserais jamais la question.

Gaëlle le dévisagea rêveusement tandis qu'il l'attirait contre lui.

— On va se marier en mars..., murmura-t-elle.

— Si ça ne tenait qu'à moi, on ferait ça demain.

Il l'embrassa, et bientôt la passion les submergea tous les deux. Gaëlle oublia le mariage, Dominique et tout le reste. Christophe ne reparla plus de bébés. Seul leur amour comptait, et leur bonheur présent et à venir.

Dans les jours qui suivirent, ils informèrent leurs proches. André et Amandine – la sœur de Christophe – acceptèrent de leur servir de témoins. Quant à Louise, elle les félicita chaleureusement et promit d'assister à la cérémonie.

Une semaine avant que Gaëlle ne parte pour New York, le musée Strauss ouvrit ses portes, et les premières critiques furent dithyrambiques. Gaëlle avait décidé d'annoncer son mariage à sa fille le lendemain de Noël afin d'éviter une crise le jour même. Elle s'attendait à une réaction de sa part, mais certainement pas celle à laquelle elle eut droit...

— C'est une blague ? lâcha la jeune fille. Je ne le connais même pas. Tu ne vas pas épouser un type que j'ai croisé une seule fois dans l'entrée de l'appartement !

— C'est toi qui ne voulais plus le voir, lui rappela-t-elle.

— Tu as prétendu que ce n'était pas ton petit copain. Tu m'as menti !

— Non, on n'était pas encore ensemble à l'époque.

Gaëlle s'efforçait de garder son calme. Cela ne servirait à rien de s'énerver.

— Et tu as fait quoi ? Tu t'es précipitée dans son lit dès que je suis partie à la fac ? C'est répugnant, maman. Pourquoi il veut t'épouser, d'abord ? Pour l'argent que mon père t'a laissé ? Forcément, c'est un musicien sans le sou... J'imagine que ça l'arrange que tu finances sa carrière. Mais ce n'est pas pour ça que papa t'a donné tout ce fric !

Gaëlle était atterrée. Décidément, tout tournait autour de l'argent pour Dominique. Elle se montrait de plus en plus grossière et cruelle.

— Il veut m'épouser parce qu'on s'aime, répliqua-t-elle. Et c'est un compositeur, par un musicien sans le sou. Il n'a pas besoin de l'argent de ton père ni du mien : il se débrouille très bien tout seul. Cela m'attriste que tu voies les choses de cette manière. Ce que tu dis me dégoûte.

— Moi, ce qui me dégoûte, c'est de constater que tu n'aimais pas assez papa pour lui rester fidèle aujourd'hui. Je note d'ailleurs que tu as enlevé ton alliance. Tu en as fait quoi ? Tu l'as jetée ?

— Elle est dans ma boîte à bijoux, et j'ai attendu deux ans avant de la retirer, répondit Gaëlle d'une voix étranglée.

Dominique n'avait plus qu'une idée en tête : lui faire du mal pour la punir d'éprouver des sentiments envers un autre homme que son père. Pourtant, Gaëlle n'oublierait jamais sa fille ni même Robert, qu'elle continuerait d'aimer toute sa vie. En épousant Christophe, elle ne faisait qu'ajouter une personne formidable à leur cercle familial.

— Marie-toi si tu veux, de toute façon je ne viendrai pas, décréta Dominique. J'irai à Palm Beach avec une copine. Je trouve ça lamentable, ce que tu fais.

— J'ai quarante ans, pas quatre-vingt-dix ! se défendit Gaëlle. J'ai le droit de continuer à vivre même si ton père est mort. Tu sais, je ne suis pas obligée de rester seule pour prouver que je l'aimais. Et il y aura toujours une place pour toi chez nous : tu es ma fille, je n'ai pas l'intention de t'abandonner, Dominique.

— Eh bien moi, je pense au contraire que si tu aimais vraiment papa tu resterais seule, rétorqua-t-elle d'un ton glacial. Ce n'est pas en allant épouser un autre type que tu fais preuve de loyauté et de gratitude envers lui.

Gaëlle pressentait que sa fille ne lui pardonnerait jamais cette union, quelle que soit la manière dont elle lui présenterait les choses. Dominique avait décidé de les condamner, elle et Christophe, pour avoir désiré une vie commune, alors même qu'ils comptaient l'inclure dans cette vie. Qui sait ce qu'aurait fait Robert à sa place ? Il se serait probablement remarié. C'était un homme normal et sain, qui aimait avoir quelqu'un avec qui partager son quotidien. Eh bien, Gaëlle n'était pas différente. Elle se garda toutefois d'opposer cet argument à sa fille, et se concentra sur le futur immédiat :

— J'aimerais vraiment que tu assistes à la cérémonie, lui dit-elle, tentant une fois de plus de lui tendre la main.

Mais Dominique resta inflexible :

— Plutôt mourir. Je n'irai pas, ne serait-ce que par respect pour papa. Je ne sais pas comment tu arrives à te regarder dans une glace... Il te lègue un paquet de fric, et toi tu ne penses qu'à coucher avec un autre homme.

En clair, elle traitait sa mère de catin...

269

— Je suis navrée que tu prennes les choses comme ça, dit Gaëlle d'une voix tendue, usant de tout son self-control pour ne pas exploser. On a très envie que tu sois là, mais si tu ne veux pas, je ne peux pas te forcer.

Elle n'allait quand même pas la supplier de venir… Elle avait fait tout ce qui était en son pouvoir, et Dominique continuait de la rejeter, comme d'habitude.

Deux jours plus tard, celle-ci lui annonça qu'elle ne passerait pas le nouvel an à Palm Beach avec elle. Elle irait skier dans le New Hampshire avec des amis de Radcliffe et rentrerait directement à Cambridge. En gros, Gaëlle était congédiée. La punition était sévère…

— N'espère pas que je te pardonne d'avoir trahi papa avec ce bon à rien, précisa Dominique d'un ton venimeux. Papa m'a laissé presque toute sa fortune parce que je suis la chair de sa chair. C'est moi qui suis chef de famille, à présent. Quand j'aurai récupéré la totalité de l'héritage, j'aurai tous les pouvoirs, et tu ne pourras plus me dicter ce que je dois faire. Je suis une Bartlett, moi. Tout est à moi. Dès lors que tu auras épousé Christophe, tu ne seras plus rien.

Ses mots étaient comme autant de coups de poignard.

— Je resterai toujours ta mère, répliqua Gaëlle. L'argent ne changera rien à cela. S'il t'écoutait, ton père aurait honte.

— Non, il serait horrifié de ce que tu t'apprêtes à faire. Et je le suis aussi.

Gaëlle tourna les talons, incapable d'en supporter davantage.

Quand Dominique partit pour le New Hampshire, Gaëlle était encore profondément blessée par les propos que sa fille lui avait tenus, et terriblement déçue de sa décision.

— Que ce soit bien clair, répéta Dominique en la quittant. Je n'irai pas à ton mariage.

— Dans ce cas, je viendrai pour ton anniversaire en avril, répondit Gaëlle avec détermination, ne voulant pas lui montrer à quel point ses piques avaient atteint leur but.

— Ne te donne pas cette peine. Je préfère le passer avec mes amis. Et je suis sûre que papa m'a laissé de quoi le fêter dignement.

Dominique savait qu'elle recevrait le premier versement de sa fiducie le jour de ses dix-huit ans...

— On en reparlera plus tard, suggéra Gaëlle, les larmes aux yeux.

— En tout cas, si tu viens ici l'été prochain, ne viens pas avec lui.

Gaëlle haussa les sourcils. C'était impensable !

— Christophe sera mon mari, Dominique ! Et je te rappelle que je suis chez moi.

— Pour l'instant, peut-être – et encore, l'appartement ne t'appartient pas, tu as seulement le droit d'y habiter. Un jour, il sera à moi, et je ne veux pas de lui ici. De toute façon, s'il vient, je ne viendrai pas.

— Je ne comprends pas pourquoi tu es aussi insolente et cruelle, Dominique, lâcha tristement Gaëlle. Je t'aime. Je n'épouse pas Christophe pour te faire du mal. J'ai le droit de vivre, moi aussi.

— Je ne veux pas le savoir.

Sur ce, la jeune fille quitta la pièce sans un mot d'adieu.

Peu après, Gaëlle entendit la porte d'entrée claquer. Une heure plus tard, alors qu'elle errait dans l'appartement, encore sous le choc des paroles brutales de sa fille, elle découvrit dans sa chambre tous les cadeaux qu'elle lui avait offerts, accompagnés d'une note précisant qu'elle n'en voulait pas. Dominique allait jusqu'au bout de sa logique... Gaëlle reporta les paquets sur le lit de sa fille. Elle attendit quelques jours, au cas où celle-ci reviendrait, mais elle n'eut plus de nouvelles d'elle. Ne sachant où la joindre, elle lui laissa un message de bonne année à l'accueil de sa résidence universitaire. Dominique le trouverait à son retour du ski.

Gaëlle avait l'impression d'avoir perdu sa fille. Mais elle ne devait pas pour autant céder à son chantage, sans quoi elle pourrait faire une croix sur sa nouvelle vie. Elle aimait Christophe ; son avenir était auprès de lui.

Elle l'appela pour le prévenir qu'elle rentrait le lendemain – la veille du réveillon du nouvel an. Elle ne lui avait pas téléphoné depuis deux jours, dans l'espoir que la situation s'arrangerait avec sa fille. Elle n'avait pas envie d'expliquer à Christophe à quel point Dominique s'était montrée infecte avec elle.

— Alors, comment ça s'est passé ? s'enquit-il.

— Pas bien, répondit-elle sombrement.

Christophe n'était pas surpris. D'abord, parce qu'il avait perçu la tristesse dans sa voix, ensuite parce qu'il avait beaucoup moins foi en Dominique que Gaëlle. Pour lui, c'était une jeune fille mauvaise, pleine d'amertume, qui imputait à sa mère la responsabilité de tous ses malheurs et n'hésitait pas à faire souffrir les autres. Quelque chose lui manquait : un cœur. Son père était le seul être qu'elle eût jamais aimé – il n'y avait eu de place pour personne d'autre – et sa mort lui avait laissé une profonde colère. Cette réaction n'était pas normale. Et Christophe doutait qu'elle s'en remette un jour.

— Rentre à la maison, chérie, murmura-t-il. Tu me manques.

Il avait envie de la serrer dans ses bras pour la consoler.

— Tu me manques, toi aussi. Je t'aime.

Après avoir raccroché, Gaëlle annula son vol du lendemain et prit l'avion le soir même pour Paris. Quand elle arriva chez elle au petit matin, elle se glissa dans le lit. Ravi de la retrouver plus tôt que prévu, Christophe l'attira contre lui en lui promettant que tout irait bien. Gaëlle ne le croyait pas, mais c'était si agréable à entendre ! Et elle aurait tant aimé que ce soit vrai... Tâchant d'oublier Dominique et ses terribles invectives, elle se concentra sur Christophe, sur l'amour qu'ils ressentaient l'un pour l'autre, sur la chance qu'elle avait de l'avoir rencontré. La vie lui avait offert deux belles histoires avec deux hommes merveilleux. Peut-être était-ce trop demander d'avoir une fille qui l'aimait aussi... Gaëlle espérait que cette dernière finirait par accepter Christophe. Et si cela n'arrivait jamais, comme elle commençait à le craindre, alors elle se contenterait de sa relation avec lui. Elle ne permettrait pas à Dominique de saboter leur bonheur.

Elle avait survécu à une guerre et perdu plusieurs êtres chers. Ce n'était pas maintenant qu'elle se laisserait détruire par sa fille.

18

Puisque Dominique refusait d'assister à leur mariage, Gaëlle et Christophe décidèrent de le célébrer plus tôt, au mois de février. En effet, pourquoi attendre ? Louise remplacerait Dominique aux côtés de Gaëlle comme demoiselle d'honneur. Gaëlle envoya toutefois une lettre à sa fille pour l'informer du changement de date. Qui sait, elle se raviserait peut-être... Mais elle ne reçut aucune réponse.

Christophe et elle passèrent un réveillon paisible. Leurs noces avaient lieu dans six semaines. Geneviève, l'épouse d'André, avait accepté de préparer un déjeuner pour vingt personnes, que les convives partageraient chez Gaëlle après une brève cérémonie à la mairie du seizième arrondissement. Gaëlle était encore considérée comme française par les autorités, bien que Robert lui eût fait faire un passeport américain après la naissance de leur fille. Il avait tenu à ce que toute la famille soit de même nationalité, au cas où une autre guerre éclaterait. Gaëlle avait trouvé l'idée judicieuse, mais n'avait pas pour autant renoncé à la citoyenneté française : elle pouvait donc se marier librement en France.

Tous les jours, elle partait travailler au musée, où elle avait un emploi du temps chargé. Ils avaient embauché une stagiaire pour gérer les tâches administratives et guider les visiteurs à travers les différentes pièces de la maison. D'après la jeune fille, les retours étaient très positifs. La plupart des gens avaient du mal à retenir leurs larmes, surtout lorsqu'ils découvraient les chambres des enfants. Ils prenaient alors pleinement conscience de l'horreur qui s'était passée pendant la guerre. À la fin du parcours de visite, une photo des membres de la famille Strauss était exposée. Leurs descendants tenaient à ce qu'on ne les oublie jamais, ni eux ni tous les autres qui avaient subi le même sort.

Gaëlle continuait de recevoir des journalistes ainsi que des éditeurs de magazines et de guides touristiques. Le Centre international de recherche sur la Shoah vint tourner quelques images pour ses archives et la remercia d'avoir contribué à faire vivre l'histoire. Le musée eut même droit à un reportage de la RTF diffusé pendant le journal télévisé.

Une semaine avant le mariage, Gaëlle se rendit au faubourg Saint-Honoré pour acheter un tailleur de soie blanc de style Jackie Kennedy et un chapeau assorti. Elle compléterait cette tenue par des chaussures blanches en soie et un petit bouquet d'orchidées phalaenopsis, blanches également. La veille de la cérémonie, elle tenta de joindre Dominique, en vain. Elle lui envoya un télégramme plein d'émotion dans lequel elle lui disait regretter son absence. Au fond d'elle, elle caressait l'espoir que sa fille viendrait à la dernière minute, tout en sachant qu'elle n'en ferait rien. Dominique était bien trop rongée par la colère et le ressentiment.

Le matin du grand jour, André et Geneviève la conduisirent en voiture à la mairie avec Louise, tandis que Christophe s'y rendait en compagnie d'Amandine et de sa petite famille. Par superstition, Gaëlle n'avait pas voulu qu'il la voie avant le mariage. Il la trouva magnifique, avec sa petite voilette blanche accrochée à son chapeau tambourin. Lui-même était très élégant – et aussi très nerveux.

Ils prononcèrent leurs vœux, puis le maire les déclara mari et femme. Une heure plus tard, ils célébraient leur union entourés de leurs proches. Ils avaient opté pour la simplicité, mais l'appartement de Gaëlle n'en était pas moins splendide, empli de fleurs et de soleil. Les coupes de champagne circulèrent. Geneviève avait laissé le plat principal au four pour n'avoir qu'à le réchauffer au dernier moment. Un disque de Christophe passait en fond sonore, avec les trois morceaux qu'il avait composés pour Gaëlle. Ce fut une journée idyllique.

— Alors, madame Pasquier, murmura Christophe tandis qu'ils se couchaient ce soir-là (il trouvait que ce nom lui allait à merveille, et elle aussi). C'était un beau mariage, n'est-ce pas ?

Il avait l'air tellement heureux ! Gaëlle l'était aussi, à ceci près qu'elle n'avait eu aucune nouvelle de Dominique. Pas un mot, pas un geste. Pas même une petite fleur.

— C'était magnifique, mon chéri, répondit-elle en l'embrassant.

Elle avait du mal à croire qu'ils étaient mariés. Tout était allé si vite ! Ils ne se connaissaient que depuis treize mois, et pourtant ils étaient persuadés d'être faits l'un pour l'autre. Ce qu'ils vivaient ensemble était bien différent de ce qu'elle avait connu avec Robert. Ils étaient davantage sur un pied d'égalité. Ils avaient à peu près le même âge, partageaient les mêmes objectifs et des modes de vie similaires. L'univers de Robert était grandiose, en comparaison ; les maisons, l'appartement, l'argent – Gaëlle s'était sentie enveloppée comme dans un cocon. En l'épousant, elle avait pénétré dans un monde parfait et immuable, un monde qu'il avait bâti seul avant elle.

Avec Christophe, Gaëlle ne vivrait certes pas dans le luxe extravagant qu'elle avait connu auparavant, mais elle n'en avait aucune envie. Ils construiraient leur nouvelle vie ensemble, une vie plus simple, avec un bébé s'ils avaient de la chance...

Elle avait consulté son médecin à ce sujet. Il n'avait pas voulu lui donner trop d'espoir : à son âge, elle n'était pas assurée de tomber enceinte. Christophe et elle avaient décidé de prendre les choses avec philosophie, de « laisser venir » sans s'angoisser. Le soir du mariage, ils firent l'amour pour la première fois sans contraception.

Ils projetaient de passer cinq jours dans le sud de la France au mois de mai, après le festival de Cannes, en guise de lune de miel tardive. Un des films de Christophe devait faire l'ouverture du festival. Il travaillait actuellement en préproduction sur la bande originale d'un nouveau long-métrage auquel participaient des acteurs réputés. Le projet l'enthousiasmait et l'accaparait complètement. Il avait invité Gaëlle plusieurs fois au studio d'enregistrement pour qu'elle lui donne son avis – il attachait beaucoup d'importance à ce qu'elle pensait, dans leur vie de tous les jours comme dans son travail. Gaëlle adorait l'écouter et le regarder bricoler avec ses synthétiseurs dernier cri. Elle était fascinée par sa créativité, par l'intensité avec laquelle il se plongeait dans ses compositions. Christophe possédait un réel talent.

Une semaine après leur mariage, Gaëlle réussit enfin à joindre sa fille. Dominique se garda bien de la féliciter. Elle se contenta de lui demander si c'était fait, et quand sa mère répondit par l'affirmative elle changea aussitôt de sujet. Gaëlle eut l'impression qu'elle lui claquait une porte au nez. L'indifférence de Dominique était presque aussi efficace que ses injures.

En mars, Gaëlle lui proposa à nouveau de venir à Paris pour les vacances de printemps. Dominique déclina froidement l'invitation : elle irait à Palm Beach avec une amie.

Un mois plus tard, le musée tournait à plein régime et accueillait chaque jour de nombreux visiteurs. Gaëlle répéta à sa fille qu'elle aimerait lui rendre visite aux États-Unis pour son anniversaire, mais Dominique l'en dissuada : elle serait en pleine période d'examens et n'aurait pas de temps à lui consacrer. Quand elle l'appela, le jour de ses dix-huit ans, Gaëlle eut le sentiment que sa voix avait changé.

— Quelque chose ne va pas ? s'enquit-elle, inquiète.

— Je ne crois pas qu'on puisse dire ça, répondit sa fille de manière énigmatique.

Il y eut une longue pause, puis elle ajouta :

— C'est juste qu'on vient de m'annoncer le montant du premier versement de mon héritage.

En effet, elle avait des raisons d'être sous le choc : ce règlement s'élevait à cinq millions de dollars, alors qu'elle attendait un million tout au plus... Du jour au lendemain, elle était devenue une femme riche et pouvait faire ce que bon lui semblait. Il ne s'agissait plus d'une lointaine perspective, c'était la réalité. Les fiduciaires lui avaient expliqué qu'elle recevrait dix millions de dollars à vingt et un et vingt-cinq ans, vingt-cinq millions à trente ans, cent millions à trente-cinq et quarante ans, et les deux cent cinquante millions restants à cinquante ans. Elle détiendrait alors un capital d'un demi-milliard de dollars, sans compter ce que lui rapporteraient les placements qu'elle réaliserait entre-temps. Si Robert s'était montré généreux avec Gaëlle, il avait laissé une fortune hors norme à sa fille – bien plus que ce que celle-ci imaginait.

Gaëlle ne répondit rien. Elle n'était pas rassurée que Dominique se retrouve avec autant d'argent, même avec de bons conseillers pour l'aider à le gérer. Mais elle ne pouvait rien y faire, et elle n'avait aucune raison de s'opposer à la volonté de Robert. Elle craignait simplement que cela ne fasse beaucoup à absorber pour une jeune fille de dix-huit ans, si avisée fût-elle en matière de finances, et quand bien même elle s'était préparée à recevoir un gros héritage. C'était une lourde responsabilité, et elle en porterait le poids pour le restant de ses jours.

— Je n'aurais jamais cru qu'il s'agirait d'une telle somme, reprit-elle.

Dominique semblait sidérée. Sa mère tenta de la rassurer :

— Les conseillers de ton père t'expliqueront comment gérer ton argent et comment le dépenser avec discernement, mais aussi avec... bienveillance.

Son plus grand espoir était que sa fille apprenne la compassion. Le risque, malheureusement, était que cette fortune colossale finisse par pervertir totalement Dominique, et qu'elle se sente autorisée à traiter les autres encore plus mal qu'elle ne le faisait déjà. Si elle continuait sur ce chemin, elle finirait seule... Pour l'heure, elle semblait un peu perdue. Elle raccrocha, arguant qu'elle devait rejoindre ses amis.

C'était la première fois que Gaëlle ne fêtait pas son anniversaire avec elle. Cela lui brisait le cœur, mais elle ne pouvait pas lui imposer sa présence... Elles se verraient en juillet à Southampton – si toutefois Dominique voulait bien les y retrouver. Christophe en doutait : la jeune fille s'était donné pour mission de faire souffrir sa mère, et elle savait exactement comment s'y prendre, puisque cette dernière l'aimait. Christophe était peiné de voir Gaëlle si vulnérable et sa fille si mauvaise.

En mai, Gaëlle fut clouée au lit pendant une semaine par une grippe. Elle en profita pour rattraper son retard de lecture, mais elle se sentait encore un peu patraque lorsqu'elle reprit le travail. Comme Christophe s'inquiétait pour elle, elle se décida à aller voir le médecin. Après une longue conversation, ce dernier lui prescrivit des vitamines et lui conseilla de bien manger. Gaëlle souriait en sortant du cabinet.

Quand Christophe rentra ce soir-là, il était tard et elle dormait déjà. Comme à son habitude, il se glissa nu dans le lit, se blottit derrière elle et déposa un baiser sur sa nuque.

— Je t'ai manqué, aujourd'hui ? chuchota-t-il, devinant qu'elle s'était réveillée.

Gaëlle se retourna pour l'embrasser.

— Terriblement, répondit-elle. Au fait, il y a un changement de programme pour Noël.

— Hum... Je suppose que Dominique ne sera pas là ?

Ils avaient prévu de passer les fêtes à New York.

— Non, ce n'est pas ça : il faudra qu'elle vienne ici, que cela lui plaise ou non.

— Elle ne va pas apprécier, prévint Christophe.

— Je sais, mais nous, on ne pourra pas faire le voyage.

— Comment ça ?

— On a un rendez-vous qu'on ne peut pas déplacer, expliqua-t-elle.

— Quel rendez-vous ?

— Un bébé s'est invité chez nous. Pour le 1er décembre.

Gaëlle observa l'expression incrédule de Christophe tandis qu'il se redressait brusquement dans le lit.

— Quoi ? Tu veux bien répéter, s'il te plaît ?

— Je suis enceinte de deux mois et demi.

— Oh, ma chérie...

Il la serra dans ses bras, puis la regarda comme si un miracle venait de se produire. Et c'était peut-être bien le cas... Cette grossesse arrivait exactement comme ils l'avaient souhaité, sans efforts et sans intervention médicale.

— Comment tu te sens ? demanda-t-il.

— Très bien.

Gaëlle ne s'était même pas doutée qu'elle attendait un bébé : comme beaucoup de femmes minces, ses cycles n'étaient pas réguliers.

— Sauf que je serai une vieille maman, ajouta-t-elle. J'aurai quarante et un ans.

— Quand vas-tu l'annoncer à Dominique ?

Christophe imaginait déjà la réaction de la jeune fille... Or il n'avait pas envie qu'elle contrarie sa mère. Elle l'avait déjà bien assez bouleversée à Noël. Gaëlle avait refusé de lui raconter la scène en détail et lui avait assuré qu'elle s'en remettrait, mais il devinait qu'elle avait été profondément blessée.

— On le lui dira en juillet, répondit-elle. De toute façon, on n'aura pas le choix : je serai enceinte de quatre mois et ça commencera à se voir. Pour Noël, elle sera obligée de se déplacer. On ne pourra pas prendre l'avion avec un nouveau-né de quelques semaines.

Lovés l'un contre l'autre, Christophe et Gaëlle parlèrent longtemps de leur futur bébé. Elle espérait donner naissance à un petit garçon, pour lui faire plaisir ; lui affirmait que cela n'avait aucune importance du moment que l'enfant et sa maman étaient tous les deux en bonne santé. Il lui posa alors une question embarrassante, mais qui le tourmentait :

— Est-ce que le médecin pense qu'il y a des risques du fait de ton âge ?

— Comment ça, mon âge ? Je ne suis pas encore un dinosaure… Non, tout devrait bien se passer.

Gaëlle s'endormit dans les bras de Christophe avec un grand sourire aux lèvres. Elle avait hâte qu'ils deviennent une famille. Décidément, la vie était pleine de surprises, parfois mauvaises, et parfois très bonnes.

Dès le lendemain, ils prévinrent leurs proches, qui les félicitèrent chaleureusement.

— Tu vas pouvoir arrêter de te plaindre de mes garçons, observa Amandine. Toi aussi, tu auras ton petit monstre.

Christophe s'esclaffa. Comme Gaëlle, il était aux anges et impatient de voir arriver le mois de décembre. Gaëlle espérait juste que sa fille ne prendrait pas trop mal la nouvelle. Et elle priait secrètement pour que son deuxième enfant soit plus aimant que le premier.

Lorsqu'ils posèrent leurs valises dans l'appartement de New York au début du mois de juillet, tout était d'une propreté impeccable. Gaëlle avait embauché une nouvelle gouvernante qu'elle n'avait jamais rencontrée mais qui semblait très efficace. Elle était contente d'être là – cela faisait six mois qu'elle n'était pas venue. Bien qu'elle eût fini les cours depuis deux semaines, Dominique était restée à Boston et comptait les rejoindre directement à Southampton pour le week-end du 4 Juillet. Cela laissait quelques jours à Gaëlle et à Christophe pour profiter de New York.

Gaëlle avait commencé à s'arrondir plus tôt que pour sa première grossesse, peut-être parce qu'elle était plus âgée... Mais elle était en pleine forme. Déjà, elle sentait le bébé bouger. Christophe posait avec délice sa main sur son ventre et percevait les mouvements du petit habitant. Jamais il n'avait connu de sensation aussi miraculeuse.

À Southampton, ils s'installèrent dans la chambre habituelle de Gaëlle, qui était aussi la plus grande. Puis Christophe fit le tour de la maison, impressionné par le raffinement des lieux. Il mit un de ses disques, et ils contemplèrent la mer sur la terrasse, main dans la main. Ils s'y trouvaient encore quand Dominique fit son apparition. Gaëlle, en tee-shirt ample, pantalon de coton rose et sandales dorées, se retourna et s'avança en souriant vers sa fille. Elles ne s'étaient pas vues depuis Noël et leur confrontation explosive au sujet du mariage.

Dominique eut alors une moue dégoûtée et recula d'un pas.

— Oh mon Dieu, tu es enceinte... Pourquoi tu ne m'as rien dit ?

— Je préférais t'annoncer la nouvelle en personne, répondit Gaëlle doucement.

Elle la serra dans ses bras, mais Dominique resta figée. Elle portait à ses oreilles des diamants très jolis, et sans doute très chers. La jeune fille les avait achetés chez Van Cleef & Arpels. Elle n'avait pas perdu de temps pour dépenser son argent...

— C'était prévu, ou c'est un accident ? s'enquit-elle brusquement.

— Un peu les deux, reconnut Gaëlle. On avait envie d'essayer.

Elle se caressa le ventre, sentant le bébé bouger. Dominique ne fit plus aucun commentaire. Et pendant les quatre semaines qu'ils passèrent ensemble, elle ne reparla pas une seule fois de l'enfant que portait sa mère. À vrai dire, à chaque fois que quelqu'un évoquait la grossesse de Gaëlle, elle se crispait. C'était un sujet sensible. De l'avis de Christophe, Dominique était atrocement jalouse. Elle avait beau ne pas s'entendre avec sa mère, elle ne voulait pas que celle-ci ait un autre enfant. Pendant dix-huit ans, elle avait été sa fille unique, et bientôt elle serait obligée de partager son amour avec un intrus...

Le séjour se déroula sans accroc majeur. Gaëlle et Christophe eurent juste à endurer la tension latente et les piques que Dominique lançait de temps en temps, et qu'ils ignoraient pour maintenir la paix. Au moins était-elle venue... À de rares occasions, elle oublia sa colère et se laissa aller à rire avec Gaëlle. Et quand elle ne put faire autrement, elle échangea quelques mots avec Christophe.

Gaëlle, toutefois, la trouvait plus hautaine qu'avant, et imbue d'elle-même. Était-ce depuis qu'elle étudiait à Radcliffe ? Ou était-ce à cause de l'argent ?

Gaëlle et Christophe reprirent l'avion pour Paris à la fin du mois de juillet, bronzés et heureux. Dominique, elle, projetait de rester à Southampton jusqu'à la rentrée : elle travaillerait la semaine dans la société de son père à New York et ferait les trajets le week-end. Sa mère lui faisait suffisamment confiance pour la laisser seule dans la maison avec le personnel, même si, à dix-huit ans, elle pouvait paraître jeune pour assumer de telles responsabilités. De leur côté, ils iraient dans le sud de la France au mois d'août. Christophe avait bien mérité de se détendre, après avoir supporté Dominique pendant quatre semaines. La jeune fille leur avait promis de venir à Noël : elle s'était rebellée pour le mariage, mais n'envisageait tout de même pas de passer les fêtes sans sa mère.

« Le bébé est prévu pour début décembre, lui avait dit Gaëlle avec émotion. J'aimerais tant que tu le voies dès sa naissance... »

Christophe et Gaëlle restèrent quelques jours à Paris pour s'occuper de leur courrier et de leur travail en attente. Ils partirent ensuite trois semaines à Saint-Tropez chez des amis, vacances qui se révélèrent bien plus relaxantes que leur séjour à Southampton avec Dominique. À la fin de l'été, le ventre de Gaëlle avait doublé de volume : elle était enceinte de six mois et se sentait plus grosse que le jour où elle avait accouché de Dominique... Dire qu'il lui restait encore trois mois à tenir ! Ils pensaient tous les deux que cela annonçait un garçon, mais le médecin leur avait assuré que les filles pouvaient aussi être costaudes. Pour preuve, Dominique pesait quatre kilos à la naissance.

Pendant les derniers mois de grossesse, Christophe dorlota Gaëlle encore plus qu'à l'ordinaire. Ayant longtemps attendu avant de faire un enfant, il était à présent terrifié à l'idée que les choses tournent mal. Gaëlle était plus sereine. Le soir, ils passaient des heures dans leur lit à parler au bébé et à guetter ses coups de pied. Christophe s'extasiait chaque fois qu'il le sentait bouger. Il avait tellement hâte de faire sa connaissance ! Gaëlle était tout aussi excitée, et plus amoureuse que jamais de son mari.

Après la rentrée, elle eut très peu de nouvelles de Dominique. Quand elle lui laissait des messages à la résidence universitaire, sa fille mettait souvent plusieurs jours à la rappeler et se montrait glaciale au téléphone. Jamais elle ne posait de questions au sujet du bébé, qu'elle considérait comme une énième trahison de sa mère.

Ils transformèrent une des chambres d'amis en chambre d'enfant. Gaëlle avait décidé de se passer de nounou : en décembre et janvier, elle resterait à la maison pour pouponner, et Christophe l'aiderait. Avant même que leur petit soit né, ils étaient déjà des parents attentifs et aimants.

En novembre, quand eut lieu la première du film dont Christophe avait composé la musique, Gaëlle ne pouvait presque plus se déplacer. Néanmoins, elle était heureuse pour lui : sa bande originale avait reçu d'excellentes critiques, et la chanson phare passait constamment à la radio.

Le week-end suivant, elle fêta ses quarante et un ans.

— Je suis moche, grosse et vieille, se lamenta-t-elle le matin de son anniversaire.

Elle était contrariée d'avoir pris tant de poids. Quelqu'un au musée lui avait même demandé si elle attendait des jumeaux... Elle avait l'impression d'être sur le point d'exploser. Elle refusa même de sortir dîner. Christophe fut déçu : il avait prévu de l'emmener dans un bon restaurant pour célébrer son anniversaire... Mais la dernière chose dont Gaëlle avait envie, c'était bien de manger. En outre, elle avait depuis peu de fausses contractions, plus douloureuses que lors de sa première grossesse. Son corps ne réagissait pas de la même façon qu'à vingt-deux ans... Elle était plus fatiguée, moins à l'aise. Selon le médecin, il n'y avait rien de plus normal.

Son accouchement allait être très différent, lui aussi. En France, en 1965, la mode était aux naissances naturelles. Gaëlle et Christophe avaient suivi des cours de préparation basés sur la méthode Lamaze : on apprenait aux futures mamans à respirer pour gérer la douleur. On leur avait montré la vidéo d'un accouchement ; Christophe avait été horrifié. Mais Gaëlle avait envie qu'il la soutienne, et il lui avait promis de l'accompagner jusqu'au bout.

— Pour Dominique, ils ne voulaient pas de Robert dans la pièce, raconta-t-elle avec un sourire. Il est resté le plus longtemps possible, et comme cette imbécile d'infirmière ne s'est pas rendu compte que mon col s'était dilaté rapidement, il a assisté à tout ! À l'époque, le personnel jugeait choquant que le papa soit là pendant la naissance. Maintenant, c'est considéré comme normal.

Christophe était nerveux et ne s'en cachait pas. Cependant, il tenait à faire son possible pour l'aider. De son côté, Gaëlle n'était pas sûre de vouloir se passer de médicaments contre la douleur, mais les professionnels affirmaient, en France plus qu'aux

États-Unis, qu'il valait mieux pour le bébé que la mère ne soit pas sous sédation.

Gaëlle devait accoucher dans une clinique privée, où elle séjournerait une semaine. Si les chambres n'étaient pas aussi luxueuses que l'immense suite qu'elle avait occupée au Doctors Hospital de New York, elles restaient tout de même confortables, et l'établissement jouissait d'une bonne réputation sur le plan médical. Christophe pourrait dormir avec elle et apprendre à s'occuper du bébé. Gaëlle comptait allaiter ce dernier le plus longtemps possible. À l'époque où elle avait eu Dominique, l'allaitement n'était pas très bien vu, mais il revenait peu à peu au goût du jour. Christophe la soutenait totalement dans ce projet, d'autant plus que sa sœur lui avait vanté les bienfaits du lait maternel.

Leur dernier cours de préparation à l'accouchement eut lieu trois jours avant la date prévue de l'événement. Gaëlle avait des contractions de plus en plus fortes, mais elle savait que ce n'était rien en comparaison des « vraies », dont elle se souvenait encore très bien.

Sa valise était prête pour le départ à la maternité. Tous les soirs, ils se demandaient si le travail allait enfin commencer... Une semaine plus tard, ils attendaient toujours. Le gynécologue parla de provoquer l'accouchement si le bébé ne se décidait pas à venir. Selon la sage-femme, c'était souvent plus douloureux... Christophe était de plus en plus inquiet. Il voulait rester à la maison avec elle, mais elle l'envoyait travailler chaque matin en lui répétant de ne pas s'en faire.

Gaëlle perdit les eaux alors qu'elle était en train de regarder la télévision. Elle se précipita aux toilettes et s'aperçut qu'elle saignait. Au même moment, les contractions débutèrent. Cette fois-ci, il n'y eut pas de montée en puissance progressive : elles furent tout de suite violentes et douloureuses au point de lui couper le souffle. Gaëlle téléphona à Christophe, lequel travaillait dans son studio ; il ne répondit pas. Elle contacta alors la clinique, où on lui conseilla de venir au plus vite. Elle essaya à nouveau de joindre Christophe : toujours aucune réponse. Pensant qu'il était en chemin, elle enfila son manteau et s'assit dans l'entrée sur une chaise afin d'être prête à partir dès qu'il arriverait.

Vingt minutes plus tard, il n'était toujours pas revenu, et le téléphone du studio continuait de sonner dans le vide. Peut-être avait-il mis son casque ? Auquel cas il ne risquait pas d'entendre ses appels... Gaëlle avait tellement mal qu'elle parvenait à peine à se lever ; son ventre se serrait et se serrait encore à chaque contraction. Elle se décida à appeler un taxi et descendit les escaliers pliée en deux, traînant sa valise derrière elle. Elle s'installa tant bien que mal dans la voiture et indiqua au chauffeur l'adresse du studio d'enregistrement. Il était hors de question qu'elle se rende à la maternité sans Christophe. Malheureusement, le studio se trouvait dans la direction opposée...

— Il y a un hôpital, dans ce coin-là ? s'enquit l'homme nerveusement.

— Non, mais c'est là que mon mari travaille, répondit-elle, les dents serrées.

Il démarra sur les chapeaux de roues.

— Vous n'allez pas accoucher dans mon taxi, quand même ?

— Pas si vous foncez.

Elle lui promit un gros pourboire s'il la conduisait à bon port rapidement. Cependant, lorsqu'ils arrivèrent devant le studio, Gaëlle se trouva incapable de bouger. Elle donna les clés au chauffeur et lui demanda d'aller chercher Christophe. Cinq minutes plus tard, celui-ci se précipitait hors de l'immeuble et la rejoignait dans le taxi, complètement paniqué. L'homme lui avait dit qu'elle était en train d'accoucher dans la voiture. Et c'était bien l'impression qu'elle donnait : elle haletait et soufflait comme la sage-femme lui avait appris à le faire quand les contractions devenaient trop fortes. Christophe lui prit la main.

— Pourquoi tu ne m'as pas appelé ?

— Je t'ai appelé ! répliqua-t-elle entre deux respirations. Tu n'as pas décroché !

— J'avais mon casque, confessa-t-il, la mine coupable.

Pendant ce temps, le taxi fonçait dans les rues de Paris.

— J'avais deviné...

Gaëlle soufflait de plus en plus fort.

— Christophe, je crois que je vais accoucher... Peut-être même tout de suite ! lâcha-t-elle alors que le chauffeur freinait brusquement devant la clinique.

Elle se souvenait d'avoir ressenti la même pression intense juste avant de donner naissance à Dominique, laquelle était sortie de son corps à la vitesse d'un train express. Christophe se précipita dans l'hôpital pour trouver une infirmière, un médecin ou n'importe qui d'autre qui puisse aider Gaëlle.

— Attends que je sois revenu ! lui cria-t-il comme si elle avait la moindre emprise sur les événements.

Un instant plus tard, deux aides-soignants et une sage-femme surgirent du bâtiment, poussant un brancard devant eux. Gaëlle agrippa la main de Christophe tandis qu'ils la soulevaient et l'embarquaient à toute allure à l'intérieur. En moins de deux minutes, elle se retrouva dans une salle de naissance, déshabillée puis couverte d'un drap. Quand le médecin entra dans la pièce, la sage-femme avait examiné Gaëlle : son col était entièrement dilaté et la tête du bébé pointait. Gaëlle se mit à crier et supplia qu'on lui donne quelque chose contre la douleur. Elle n'en pouvait plus.

— Ce ne serait pas bon pour votre bébé, lui répondit la sage-femme d'un ton apaisant.

— Je m'en fiche ! Votre technique du petit chien, ça ne marche pas !

Ils placèrent un moniteur sur son énorme ventre, maintenu par une large bande élastique. Gaëlle l'arracha aussitôt.

— Je n'arrive pas à respirer, avec ce truc !

Elle poussa avant même que l'obstétricien le lui demande. Christophe, affolé, commençait à regretter d'avoir eu l'idée de faire un bébé. La douleur avait l'air insoutenable. Gaëlle hurlait à chaque contraction.

Dix minutes plus tard, un petit visage apparut entre ses cuisses et laissa échapper un vagissement. Christophe n'imaginait pas que ce moment puisse être aussi terrifiant et beau à la fois. La sage-femme dégagea les épaules du bébé, puis le reste de son corps suivit rapidement à la faveur d'une dernière poussée.

— C'est une fille !

Elle était grande et toute potelée. Le médecin coupa le cordon, et la sage-femme déposa le bébé sur la poitrine de Gaëlle. Les deux parents contemplèrent leur fille, les larmes aux yeux, tandis qu'elle observait le monde autour d'elle, se demandant peut-être comment elle était arrivée là. Christophe prit soudain conscience qu'il y avait une personne de plus dans la pièce. Le don de la vie était magique.

— Elle te ressemble, murmura-t-il à Gaëlle.

— Elle *nous* ressemble, répliqua-t-elle.

Comme eux, la petite avait les cheveux blonds et les yeux bleus. Gaëlle l'approcha doucement de son sein, et Christophe la regarda, émerveillé, prendre sa première tétée. Cela paraissait si simple, si naturel ! Un peu plus tard, pendant qu'il accompagnait leur bébé à la nursery pour la pesée et les premiers soins, la sage-femme aida Gaëlle à expulser le placenta et lui fit quelques points. Au retour de Christophe, Gaëlle avait enfin eu droit à des antidouleurs. Il lui annonça que leur fille pesait cinq kilos.

— Elle est encore plus grosse que Dominique ! s'exclama-t-elle d'une voix ensommeillée. Il faut qu'on la prévienne.

Ce qu'elle fit dès qu'on l'eut transférée dans une chambre. Christophe la suivit en poussant le berceau du bébé. En l'espace de quelques minutes, ils étaient devenus une famille... C'était un vrai miracle.

— Tu as une petite sœur, annonça Gaëlle à sa fille aînée.

Elle avait réussi à la joindre à la résidence universitaire, où Dominique révisait pour ses prochains examens.

— Elle est magnifique, comme toi à ta naissance, ajouta Gaëlle. J'ai hâte que tu la voies.

Elle faisait tout pour que sa fille se sente associée à l'événement...

— Et toi, tu vas bien, maman ? s'enquit cette dernière, qui s'inquiétait malgré elle.

Sa mère lui paraissait heureuse, mais aussi très fatiguée.

— Oui, je vais bien, sois tranquille, répondit-elle. On se voit bientôt. Je t'aime.

Derrière la froideur affichée de sa fille, Gaëlle avait cru déceler une émotion dans sa voix, qu'elle accueillit avec tendresse et espoir. Christophe raccrocha le téléphone pour elle. Après s'être assoupie quelques minutes, Gaëlle rouvrit les yeux.

— Merci pour ce beau bébé, murmura-t-elle en souriant.

Il se pencha pour l'embrasser.

— Merci à toi.

Cette naissance resterait gravée dans sa mémoire. Ils décidèrent d'appeler leur fille Daphné. Et elle porterait comme deuxième prénom celui de Rebecca.

Le personnel de la clinique prépara un lit pour Christophe à côté de celui de Gaëlle. Daphné fut de nouveau emmenée à la nursery pour y être examinée et recevoir des gouttes dans les yeux. Pendant ce temps, Christophe regarda avec émotion sa femme qui s'endormait, le visage épanoui. Elle ressemblait à une madone. Jamais il n'avait éprouvé un amour aussi fort.

19

Le soir où Dominique devait arriver de New York, Gaëlle habilla Daphné d'une robe blanche en flanelle et d'un petit pull rose. Elle avait l'air d'un ange dans son berceau... Daphné avait quinze jours, et cela faisait une semaine qu'ils étaient rentrés de la clinique. Gaëlle n'était pas tout à fait remise de son accouchement – elle avait encore du mal à marcher –, mais elle et son bébé se portaient bien. Christophe l'aidait beaucoup. Il ne voulait même plus travailler : il préférait rester à la maison avec sa femme et sa fille, les deux êtres qu'il aimait le plus au monde.

Gaëlle était impatiente que Dominique découvre sa petite sœur. Il lui tardait de pouvoir serrer sa fille aînée dans ses bras et fêter Noël avec elle. Leur quotidien avait beau être perturbé par la présence du nouveau-né, Christophe avait pris le temps d'installer un sapin, qu'ils avaient décoré ensemble.

À son arrivée, Dominique observa longuement Daphné et lui effleura la joue du bout de l'index. Elle avait un visage exquis – de grands yeux bleus, une peau de velours, une petite bouche en cerise...

— Elle est très mignonne, commenta Dominique avec détachement.

Gaëlle comprit qu'elle ne se sentait aucun lien avec elle – du moins pour l'instant. En regardant sa fille aînée, si chic, si jolie et déjà si mûre à dix-huit ans, elle réalisa soudain à quel point c'était excitant de repartir de zéro avec un nouvel enfant. Dominique était devenue une jeune femme, elle avait sa propre vie, son propre avenir ; Daphné, elle, resterait à la maison encore longtemps. Mais les années passaient vite, Gaëlle en était bien consciente...

— Tu veux la porter ? proposa-t-elle à Dominique.

Celle-ci secoua la tête.

— Je suis crevée, je crois que je vais aller me coucher.

Et elle se réfugia dans sa chambre.

Un moment plus tard, Christophe rejoignit Gaëlle dans le salon. Il s'était éclipsé pour la laisser seule avec Dominique, sachant combien elle désespérait de renouer une relation avec sa fille aînée.

— Comment ça s'est passé ? s'enquit-il.

— Je crois qu'elle est un peu intimidée pour l'instant, répondit Gaëlle avec optimisme.

De son point de vue, il était impossible de résister à un nouveau-né, et encore moins à leur adorable petite fille. Christophe et elle en étaient tous les deux gagas – ils pouvaient passer des heures à la regarder dormir.

— Elle l'a tenue dans ses bras ? demanda Christophe en observant Daphné qui tétait tranquillement.

— Pas encore. Mais elle lui a caressé la joue.

Gaëlle sourit. Pour elle, c'était prometteur. Christophe était moins convaincu...

Le lendemain matin, Dominique partit retrouver d'anciens amis. À son retour dans l'après-midi, Gaëlle était en train de donner le sein à Daphné, un châle en cachemire rose délicatement enroulé autour des épaules. Quand Dominique s'aperçut de ce qu'elle faisait, elle quitta aussitôt la pièce et ne reparut qu'une heure plus tard. Alors, sans accorder la moindre attention à sa petite sœur endormie, elle raconta à sa mère sa vie à la fac. Elle adorait Cambridge, où elle entamait sa deuxième année d'études. C'était encore mieux que ce qu'elle avait espéré. Elle mentionna en passant qu'elle irait voir une amie en Argentine pendant les vacances de printemps. Paris ne semblait plus faire partie de ses destinations, et elle avait sans cesse mille projets – comme tous les étudiants, songea Gaëlle. À la différence de ses camarades, cependant, Dominique avait davantage l'occasion de voyager, et surtout, elle en avait les moyens. Bref, Gaëlle comprit qu'elle ne reverrait pas sa fille aînée avant le mois de juillet à Southampton. Et ce serait sans doute comme cela tous les ans. Désormais, Dominique volait de ses propres ailes.

La jeune fille se montra polie mais distante avec Christophe. La plupart du temps, elle l'ignorait. Chaque fois qu'elle les voyait réunis tous les trois, elle quittait la pièce. À croire que cette vision lui était trop douloureuse. Pourtant, sa mère multipliait les efforts pour qu'elle se sente aimée et intégrée à leur famille.

— Tu sais que je t'aime autant qu'avant ? lui dit-elle un jour. Il y a de la place pour toi et Daphné dans mon cœur, et aussi pour Christophe.

Dominique acquiesça et s'éloigna sans un mot.

Les jours suivants n'apportèrent aucune amélioration. Elle était encore plus distante et ne s'approchait plus de sa sœur. Daphné n'était clairement pas la bienvenue... Cette fois-ci, cependant, il n'y eut pas d'explosion de colère, seulement du mépris. Quoi que dise Gaëlle, quoi qu'elle fasse, Dominique mettait un point d'honneur à rester en retrait. Elle s'excluait elle-même.

Au bout d'une semaine, elle partit skier à Val-d'Isère avec des amis sans se préoccuper de savoir si cela ennuyait sa mère. Elle rentrerait ensuite directement à New York depuis Genève. Ainsi, elle décidait seule de son emploi du temps à présent. Gaëlle était triste... Leurs retrouvailles n'avaient pas été aussi chaleureuses qu'elle l'escomptait. La semaine était passée trop vite. Avant de partir, Dominique l'embrassa, mais n'adressa pas un mot à Christophe ni ne jeta un regard au bébé.

Christophe voyait bien que Gaëlle était meurtrie. Pour Noël, elle avait offert à Dominique un magnifique bracelet, alors que celle-ci s'était contentée de lui acheter un foulard en soie Hermès. Par ailleurs, Dominique ne lui avait posé aucune question sur son travail. Il lui paraissait totalement anachronique et aberrant d'honorer la mémoire de personnes anonymes, mortes depuis plus de vingt ans. La mission que s'était fixée le musée ne l'intéressait pas, pas plus que la famille Strauss ou les Juifs déportés dans les camps nazis.

Et de la même manière que la guerre l'indifférait, elle avait donné l'impression pendant son séjour à Paris qu'il en allait de même pour la nouvelle famille de sa mère... Dominique était devenue une personne déconnectée des autres, sans attaches, et visiblement hostile au contact humain. Elle ne se souciait que d'elle-même. Gaëlle s'en rendait bien compte et avait de plus en plus de mal à lui trouver des excuses.

Lorsqu'elle reprit le travail, en février, Gaëlle s'était déjà bien amincie ; de l'avis de Christophe, les quelques rondeurs qu'elle avait conservées lui allaient particulièrement bien. Tous les matins, elle emmenait Daphné au musée et l'allaitait chaque fois que nécessaire. Si elle devait passer un coup de téléphone important ou recevoir un interlocuteur, la stagiaire s'occupait de sa fille. Celle-ci était très facile : la plupart du temps, elle dormait dans son couffin posé dans un coin du bureau. Un jour, alors qu'elle contemplait sa fille, Gaëlle songea aux enfants qu'elle avait transportés pendant la guerre. Elle ne comprenait pas comment leurs mères avaient pu les confier à de parfaits étrangers. C'était l'acte d'amour ultime.

En mars, ils partirent en week-end avec des amis de Christophe. Le mari était un producteur réputé qu'il avait connu par le travail ; ils envisageaient de monter un nouveau projet avec une société américaine. Christophe avait acquis une solide réputation en France, où il s'était vu attribuer l'année précédente un prix prestigieux pour une de ses musiques de film. Gaëlle était fière de lui. Il croulait sous les propositions, toutes plus intéressantes les unes que les autres.

Ils habitaient toujours le même appartement. Celui-ci était largement assez spacieux pour eux, et les propriétaires continuaient de renouveler le bail tous les ans. Christophe et Gaëlle en avaient fait leur cocon ; il y avait des jouets partout et un berceau dans chaque pièce. Ils avaient fini par engager une nourrice pour que Gaëlle puisse travailler avec sérénité. Daphné restant éveillée plus longtemps, il devenait difficile de la garder au bureau.

En avril arriva une surprise que Gaëlle avait secrètement espérée, sans trop y croire : elle attendait un autre bébé pour le mois de novembre ! L'accouchement était prévu juste après son quarante-deuxième anniversaire.

298

— Je serai la plus vieille maman de l'école, soupira-
t-elle.

Christophe était ravi. Cette fois-ci, Gaëlle croisait
les doigts pour qu'un petit garçon vienne compléter
leur famille.

Peu après eut lieu le baptême de Daphné. Ils avaient
choisi Amandine comme marraine. Ses deux polissons
de fils, fascinés par leur cousine, demandaient à la porter chaque fois qu'ils la voyaient. À présent, Gaëlle se
sentait parfaitement intégrée à la famille de Christophe.
Elle était devenue très proche de sa belle-sœur, qu'elle
aimait beaucoup. Parfois, elle lui parlait de Dominique
et de ses difficultés à établir le contact avec elle.

— C'est quelqu'un de très introverti, lui expliqua-
t-elle un jour. Et elle l'est de plus en plus en vieil-
lissant.

Amandine voyait les choses beaucoup plus simplement :

— Je suis sûre qu'elle est jalouse du bébé et de ta
vie de famille. Elle se sent rejetée.

— Elle s'exclut toute seule... Elle considère que j'ai
trahi son père en me remariant, mais je suis certaine
qu'il aurait été plus compréhensif qu'elle.

— Tu lui as dit que tu étais enceinte à nouveau ?
s'enquit Amandine.

— Non. J'ai pensé qu'il valait mieux attendre cet
été, répondit-elle avec une pointe de culpabilité.

Elle pressentait que ce deuxième bébé ne ferait que
compliquer ses relations avec sa fille aînée.

— Et il faudra qu'elle revienne à Paris pour Noël
prochain, parce que je ne pourrai pas voyager avec
un nouveau-né.

Dominique allait être ravie... En réalité, les bébés la
mettaient mal à l'aise – elle répétait sans cesse qu'elle

n'en aurait jamais. Ce qui l'intéressait, c'était de faire carrière. À tout juste dix-neuf ans, elle terminait brillamment sa deuxième année à Radcliffe. Elle passait son temps à étudier et ne sortait que très rarement avec des garçons. Le commerce était sa seule passion.

Quand ils arrivèrent à Southampton en juillet, Gaëlle avait déjà un joli ventre – plus encore que pour sa dernière grossesse. Dominique le remarqua tout de suite. Avec sa silhouette arrondie et sa petite de sept mois dans les bras, sa mère était l'incarnation de la maternité et de la fertilité.

— Tu ne crois pas que c'est un peu exagéré à ton âge d'avoir un bébé par an ? lança-t-elle brusquement avant même de dire bonjour. Qu'est-ce que tu veux prouver ? Que tu es encore jeune ? Tu as quarante et un ans, maman. Tu comptes en faire combien, encore ?

Sa mère s'approcha d'elle pour l'embrasser.

— À mon âge, comme tu dis, on ne peut pas se payer le luxe d'attendre. Mais il n'y en aura pas d'autres, je peux te l'assurer.

Dominique haussa les épaules.

— Tu es devenue une usine à bébés, lâcha-t-elle d'un air dégoûté.

Lorsque son père était encore en vie, sa mère était une femme très élégante et glamour. Dominique se rappelait très bien qu'ils sortaient alors beaucoup et que Gaëlle était toujours chic. Aujourd'hui, elle portait des jeans et des sweat-shirts, des bottes ou des baskets, et elle avait en permanence un bébé dans les bras ou dans le ventre. Christophe, lui, affichait un style décontracté, voire bohème. Quand il travaillait, ses cheveux longs étaient souvent ébouriffés. Bref, ils avaient l'air de plocs, tous les deux. Sans compter que Christophe ne se rasait que rarement, contrairement à son père, qui avait toujours apporté un soin méticuleux à son apparence. Aux yeux de Dominique, cela montrait à quel point sa mère était tombée bas.

Si la jeune fille les trouvait ploucs, Gaëlle et Christophe renvoyaient en réalité l'image de brillants intellectuels quadragénaires, parents d'un enfant et d'un bébé à naître. De son côté, Dominique se révélait plus froide, plus méprisante, et plus arrogante chaque année. Elle s'était offert une vieille Jaguar hors de prix pour aller en cours, bien trop tape-à-l'œil au goût de Gaëlle.

Dominique jugeait que tout avait changé quand sa mère était allée s'installer en France et avait délaissé son statut de New-Yorkaise chic pour devenir membre de la bourgeoisie parisienne. Elle avait le sentiment qu'il n'y avait pas de place pour elle dans cette nouvelle vie – et elle en rejetait la faute sur Christophe. En outre, le métier de Gaëlle lui semblait bien moins captivant que ce qu'elle-même étudiait à Radcliffe ou ce qu'elle apprenait l'été dans la société de son père. Le centre du monde, pour elle, c'était Wall Street. Certainement pas la France.

Christophe ne se plaignit pas des quatre semaines qu'ils devaient passer avec elle : il savait que ces moments étaient importants pour Gaëlle. Mais ce n'était pas agréable pour lui d'être snobé par une gamine pourrie gâtée, ni de voir sa femme s'acharner en pure perte à sauver un semblant de relation avec sa fille. Heureusement, il lui arrivait d'aller à New York pour rencontrer des collègues musiciens. Il revenait de ces entrevues regonflé à bloc et plein d'idées nouvelles dont il discutait ensuite avec Gaëlle.

Début août, ils s'envolèrent pour le sud de la France, à Saint-Jean-Cap-Ferrat, où ils avaient loué une maison pour le mois. Ils profitèrent de leurs vacances à trois, reçurent Louise et d'autres amis, et s'amusèrent beaucoup plus qu'en juillet. Gaëlle avait proposé à Dominique de venir, mais celle-ci avait décliné l'invitation. Elle préférait rester à Southampton avec ses propres amis.

Pendant les derniers mois de sa grossesse, Gaëlle ne toucha pas terre. En octobre, une nouvelle pièce fut terminée dans la maison Strauss, et elle reçut beaucoup d'éloges. Elle contribuait sans conteste à honorer la mémoire des victimes de l'Holocauste ; son œuvre était reconnue par les plus grands musées spécialisés d'Europe.

Gaëlle fêta ses quarante-deux ans une semaine avant la date prévue pour la naissance de leur deuxième enfant. Son ventre était énorme. Lorsqu'elle se couchait le soir après une journée de travail et quelques heures passées à s'occuper de Daphné, elle était épuisée.

Cette fois-ci, ils dînaient au restaurant avec André et Geneviève quand elle perdit les eaux. Christophe voulut la conduire sur-le-champ à la clinique, mais Gaëlle ne voyait pas l'intérêt de se précipiter : elle n'avait même pas encore de contractions ! Elle insista pour rentrer chez eux récupérer sa valise.

— La dernière fois, tu as failli accoucher dans le taxi, lui rappela Christophe.

— C'est parce que tu avais ton casque sur les oreilles et que je n'ai pas pu te joindre, répliqua-t-elle en riant.

Une heure plus tard, alors qu'ils étaient encore dans l'appartement, elle ne riait plus. Les contractions avaient débuté brusquement et se révélaient extrêmement violentes – à tel point que Christophe dut presque la porter jusqu'à la voiture. Une fois de plus, elle avait sous-estimé l'urgence de la situation... Christophe roula aussi vite que possible tandis qu'elle lui serrait le bras d'un air terrorisé. Il ignorait si c'était à cause de la douleur ou de sa conduite, mais il ne lui posa pas la question : il se contenta de foncer.

— C'est horrible... Encore pire que la dernière fois, gémit-elle tout en se demandant ce qui avait bien pu lui passer par la tête, à vouloir remettre le couvert.

À la maternité, des infirmières la transportèrent au pas de course dans une salle.

— Je ne peux pas supporter ça ! cria Gaëlle alors qu'elles la déshabillaient et l'installaient sur la table, les pieds dans les étriers. Faites quelque chose pour que ça s'arrête, donnez-moi des antidouleurs !

S'agrippant à Christophe, elle tenta de s'asseoir. La position allongée était pire que tout. Elle commença à pousser en dépit de l'invitation de l'infirmière à attendre que le médecin arrive.

— Christophe, c'est horrible ! hurla-t-elle.

Tandis qu'il la soutenait, elle poussa deux fois, très fort. Et c'est ainsi que naquit leur fils, à peine dix minutes après leur arrivée à la clinique... Gaëlle souriait à travers ses larmes. Leur petit garçon faisait presque la taille d'un bébé de deux mois. Avec son auréole de cheveux blond pâle, il ressemblait à s'y méprendre à sa sœur – et à ses parents. Il avait l'air d'un ange, plus encore que Daphné. Dès que l'infirmière le déposa sur le ventre de sa mère, il chercha le sein. Et lorsqu'il eut fini de téter, son papa le prit dans ses bras, où il s'assoupit aussitôt.

— C'est décidé, on ne fait plus de bébé, décréta Christophe en embrassant tendrement le nouveau-né. Car la prochaine fois, tu n'aurais même pas le temps de sortir du restaurant. Je serais obligé de t'accoucher moi-même.

La remarque fit rire tout le monde dans la salle. Gaëlle affirma que cette naissance avait été facile, malgré quelques minutes particulièrement intenses. Elle admettait néanmoins que deux bébés en bonne santé, cela suffisait. Ils avaient beaucoup de chance. Ils prénommèrent leur fils Pierre, en souvenir du père de Christophe, et lui donnèrent comme deuxième prénom celui du père de Gaëlle, Raphaël.

Lorsqu'elle voulut annoncer la nouvelle à Dominique, Gaëlle ne parvint pas à la joindre. Elle se résolut à lui envoyer un télégramme. Quelques heures plus tard, sa fille répondit : « Félicitations. Bises, D. » Et ce fut tout.

Très vite, ils découvrirent que Pierre avait un appétit d'ogre ; Gaëlle passait son temps à l'allaiter. Quant à Daphné, elle venait d'apprendre à marcher, si bien que lorsque Dominique les rejoignit, pour Noël, Gaëlle était sans cesse en train de donner le sein à son fils ou de courir après sa fille. Elle était débordée. Pour ne rien arranger, la nourrice avait démissionné... Et Christophe, très pris par son travail, n'avait pas le temps de l'aider. Dominique était horrifiée par le chaos qui régnait dans l'appartement.

— Tu fais autre chose, des fois, à part changer des couches et allaiter ? demanda-t-elle d'un ton exaspéré.

Jamais la jeune fille ne s'était sentie aussi déconnectée de sa mère. Même Christophe, quand il était là, avait constamment un bébé dans les bras ou un lange à la main. Le comble de l'ennui...

— Ils finiront par grandir, tenta de la rassurer Gaëlle.

Il faut dire qu'elle avait accouché depuis un mois seulement. Dominique ne montrait aucune patience.

— Je me demande comment ton mari peut supporter ça, lâcha-t-elle. Pas étonnant qu'il reste au studio jusqu'à deux heures du matin.

— Il est en train de terminer la partition d'un film, expliqua Gaëlle.

Surtout, il cherche à t'éviter, tu es si aimable…, aurait-elle pu ajouter.

Dominique écourta son séjour et partit à Londres avant la fin de la semaine. Gaëlle s'excusa pour l'ambiance survoltée dans laquelle elle l'avait reçue : les bébés, si petits fussent-ils, avaient le chic pour tout chambouler dans une maison. Dominique avait l'impression d'avoir atterri dans une crèche.

— J'espère que c'est ton dernier, assena-t-elle.

Et elle quitta l'appartement comme une tornade. Christophe se tourna vers Gaëlle : elle avait les larmes aux yeux.

— J'ai perdu ma fille aînée, murmura-t-elle en lui prenant la main.

— Elle n'a peut-être jamais vraiment été ta fille, tu sais. Vous êtes si différentes, toutes les deux, remarqua doucement Christophe.

Gaëlle restait sourde à cette vérité. Elle s'obstinait à penser qu'un jour Dominique et elle parviendraient à s'entendre. Christophe la serra dans ses bras tandis qu'elle pleurait. Il priait pour que leurs enfants lui témoignent plus tard tout l'amour et le respect qu'elle méritait.

20

Avec deux bambins nés à un an d'intervalle, le quotidien se révéla plus mouvementé que Gaëlle et Christophe ne l'avaient anticipé. D'autant que la carrière de ce dernier décolla en flèche après la naissance de Pierre. De son côté, Gaëlle avait beaucoup de travail au musée, mais elle essayait de se libérer un maximum de temps pour ses enfants. Elle avait l'impression de disputer une course de relais et d'être constamment en retard... Néanmoins, ce furent des jours heureux – les plus beaux de sa vie, disait-elle toujours.

Les étapes se succédèrent rapidement. Bientôt, Pierre et Daphné marchaient et couraient tous les deux. En juillet, la petite famille retrouva Dominique à Southampton. La jeune femme préféra cependant passer les fêtes de fin d'année à Saint-Barth avec des amis, sur un yacht. Gaëlle et Christophe célébrèrent Noël dans l'intimité de leur appartement, en compagnie de Louise et de ses enfants.

Le temps fila, et ce fut un choc quand approcha la date de la cérémonie de remise des diplômes à Radcliffe. Gaëlle et Christophe décidèrent d'y emmener les petits dans leur poussette double. Pierre et Daphné avaient alors deux ans et demi et trois ans et demi.

Louise trouvait Gaëlle bien courageuse d'entreprendre un tel voyage avec ses petits, mais celle-ci tenait à réunir ses trois enfants. Dominique n'avait presque jamais vu son frère et sa sœur...

Afin que Daphné et Pierre restent sages pendant la cérémonie, Gaëlle emporta suffisamment de gâteaux et de jus de fruits, ainsi qu'un sac rempli de couches et de tenues de rechange. Elle prit des photos de Dominique dans son costume universitaire pendant que Christophe occupait les enfants. Il photographia ensuite la jeune diplômée avec sa mère. Pierre en profita pour perdre une de ses baskets, et ils passèrent une demi-heure à la chercher dans la foule avant d'aller déjeuner chez Elsie's, non loin de Harvard Square. L'après-midi, Dominique rejoignit ses amis.

En rendant la toge et le chapeau qu'elle avait empruntés pour la cérémonie, Dominique croisa un camarade de classe.

— Je ne savais pas que tu étais française, lui dit-il.

Il l'avait entendue parler avec Gaëlle, Christophe et les deux bambins.

— Ma mère l'est. Moi, je suis américaine, le corrigea-t-elle avec une certaine brusquerie.

Elle n'alla pas jusqu'à lui dire qu'elle ne s'était jamais senti de liens avec la France et qu'elle n'en avait presque plus avec sa mère. D'ailleurs, elle était profondément agacée que Gaëlle soit venue avec les enfants.

— Tu as été adoptée ? s'enquit le jeune homme, confus.

— Non. C'est juste que ma mère est retournée vivre en France et a été kidnappée par des aliens.

Cette repartie le fit rire.

— Intéressant... Félicitations pour ton diplôme, en tout cas.

— Merci, félicitations à toi aussi, répondit Dominique avant de se mêler à la foule.

Le soir, Christophe et Gaëlle l'emmenèrent dîner au restaurant Henri IV. Ayant eu la bonne idée de laisser Daphné et Pierre à l'hôtel avec une baby-sitter, ils purent parler un peu de leurs projets futurs. Christophe et Gaëlle n'iraient pas à Southampton en juillet, puisque Dominique n'y serait pas. À la place, ils passeraient deux mois à Saint-Jean-Cap-Ferrat.

La jeune fille, quant à elle, partait le lendemain à San Francisco pour un stage d'été dans une société de capital-risque. À la rentrée, elle commencerait son MBA à Harvard. Elle avait travaillé avec une telle assiduité dans l'entreprise de son père que l'université lui avait exceptionnellement permis d'intégrer le cursus, quand bien même elle n'avait pas les années d'expérience professionnelle requises.

Le lendemain matin, elle fut soulagée de partir pour San Francisco. Pierre et Daphné lui avaient tapé sur les nerfs. Heureusement, sa mère avait l'air sincère quand elle disait que les bébés, c'était fini... Déjà qu'elle s'en sortait à peine avec ces deux-là ! Dominique ne comprenait pas comment Gaëlle supportait de les entendre pleurer en permanence, de devoir sans arrêt leur courir après, les nourrir, les changer et les consoler quand ils se faisaient mal. La vie de parents ressemblait à un véritable cauchemar. Dominique n'en était que plus déterminée à ne jamais fonder de famille.

Sur le trajet de l'aéroport, Gaëlle confia justement à Christophe qu'elle doutait que sa fille aînée devienne un jour maman. Elle n'en avait pas la patience, et, les rares fois où elle s'était retrouvée en compagnie de son frère et de sa sœur, elle les avait complètement ignorés.

— Elle sera mariée à sa carrière, conclut-elle tristement tout en se penchant pour embrasser Daphné.

Gaëlle était enchantée d'avoir deux petits en bas âge : le fait qu'ils gloussent et bougent sans discontinuer faisait partie de leur charme. Surtout, elle comprenait enfin qu'elle ne serait jamais proche de Dominique, et ce en dépit de tous les efforts qu'elle faisait. Parfois même, sa fille l'agaçait fortement : elle était vraiment trop dure.

Gaëlle était triste. C'était difficile pour elle d'accepter que sa propre fille lui soit à ce point étrangère, qu'elles aient si peu de choses en commun. Restait à espérer qu'un jour, dans quelques années peut-être, elles seraient au moins bonnes camarades.

Dieu merci, il y avait Christophe et leurs enfants… À quarante-quatre ans, Gaëlle n'aurait échangé pour rien au monde l'existence qu'ils menaient tous les quatre. Sa vie à New York lui semblait si lointaine à présent, si irréelle… Robert était comme un fantôme aimant du passé. Et Dominique était sa fille fantôme qu'elle poursuivrait toujours, sans jamais l'attraper.

Gaëlle et Christophe passèrent un été de rêve avec leurs enfants à Saint-Jean-Cap-Ferrat. Durant deux mois, ils profitèrent de la plage, dînèrent au restaurant en terrasse pendant que Daphné et Pierre dormaient dans leur poussette, et bavardèrent jusque tard dans la nuit avec les amis qui leur rendaient visite – des vacances typiquement françaises, en somme. Grâce à l'argent de Robert, ils pouvaient se permettre certains luxes qu'ils n'auraient peut-être pas pu s'offrir autrement. Ainsi, ils logeaient dans une somptueuse maison avec piscine et avaient loué un hors-bord pour la durée du séjour. L'année précédente, ils avaient fini par acheter l'appartement de l'avenue Foch et l'avaient entièrement rénové.

Gaëlle appela Dominique plusieurs fois à San Francisco au cours de ces deux mois d'été. Sa fille s'y plaisait et adorait son job. Elle s'était fait des amis qui, comme elle, venaient d'obtenir leur diplôme et s'apprêtaient à entamer un MBA à Stanford.

Gaëlle et Christophe regagnèrent Paris à la fin du mois d'août. Peu après, Daphné fit sa rentrée à l'école maternelle – elle allait avoir quatre ans en décembre. Pierre, lui, était gardé à la maison par une nouvelle nourrice qui l'emmenait au parc tous les jours. Le week-end, Gaëlle et Christophe fréquentaient des amis qui avaient des enfants du même âge. Ils envisageaient par ailleurs d'acquérir une maison de campagne en Normandie.

Fin septembre, Pierre fit une poussée de fièvre. Réveillée en pleine nuit par ses pleurs, Gaëlle pensa dans un premier temps qu'il souffrait d'une otite. Elle prit sa température : 40,5. À cinq heures du matin, elle appela la pédiatre, qui lui conseilla de l'amener aux urgences dans la matinée. Gaëlle donna à son fils de l'aspirine pour bébé et le berça jusqu'à ce qu'il s'endorme. À son réveil quelques heures plus tard, sa température avait encore augmenté. Elle l'enroula dans une couverture et fila à l'hôpital pendant que Christophe gardait Daphné à la maison – la nourrice et la gouvernante n'étaient pas encore arrivées.

Lorsque Gaëlle sortit Pierre de la voiture, ses yeux bleus, d'habitude si vifs, avaient pris un aspect vitreux. Une demi-heure après, il plongeait dans le coma. Les infirmières lui firent une ponction lombaire tandis que Gaëlle, folle d'inquiétude, téléphonait à Christophe. Le résultat tomba au bout de quelques heures : leur petit garçon avait contracté une méningite. À midi, alors que Gaëlle faisait les cent pas dans les couloirs de l'hôpital Necker, le médecin vint lui annoncer que tout était fini. Pierre n'avait pas repris conscience. Cette maladie était relativement courante, expliqua-t-il, et les enfants y succombaient très rapidement. Gaëlle, hébétée, attendit Christophe sur le parking. Il avait laissé Daphné avec la nourrice. Quand il arriva, elle se jeta dans ses bras et ils pleurèrent longuement ensemble, agrippés l'un à l'autre, en proie au plus profond désespoir.

Les obsèques eurent lieu deux jours plus tard. Ils enterrèrent leur fils dans un petit cercueil blanc décoré de fleurs bleues. Ce qui venait de se passer était inconcevable. Daphné ne cessait de réclamer son frère ; elle était trop jeune pour comprendre ce qu'était la mort. Ses camarades de classe leur offrirent des dessins représentant Pierre en train de monter au paradis. Gaëlle n'eut pas la force de les regarder. Elle resta assise dans l'appartement, figée de chagrin, incapable de s'occuper de sa fille. Christophe n'allait pas beaucoup mieux.

Gaëlle avait appelé Dominique, en larmes, pour lui annoncer la nouvelle. Quand elle lui avait demandé de venir à l'enterrement, il y avait eu un court silence à l'autre bout du fil.

« Je ne peux pas, maman, avait répondu sa fille d'une voix teintée de compassion, mais non moins déterminée. Je viens de commencer mon MBA. On ne nous donne pas de congés, ici. Je ne peux pas partir à Paris comme ça pour plusieurs jours.

— Même pour les obsèques de ton frère ? » avait rétorqué Gaëlle avec colère.

Dominique s'était retenue de souligner qu'elle ne le considérait pas comme tel. Pour elle, Pierre était une erreur, tout comme Daphné. Si elle plaignait sincèrement sa mère – et même Christophe –, elle avait décidé depuis longtemps que leurs enfants ne faisaient pas partie de sa famille. Elle n'assista donc pas à l'enterrement. Gaëlle avait beau l'aimer, jamais elle ne le lui pardonnerait.

Pendant des mois, elle eut l'impression de nager en plein brouillard, dans un monde glacé et silencieux. Christophe et elle pleuraient à tour de rôle – et parfois, ils pleuraient tous les deux. Ils avaient perdu leur fils. Sans lui, la vie ne serait plus jamais comme avant. Le printemps venu, Gaëlle put enfin prononcer son prénom sans fondre en larmes, mais elle savait qu'elle souffrirait de son absence jusqu'à sa mort. Ses contacts avec Dominique se firent encore plus rares et plus froids. Quelque chose s'était cassé. Elle n'avait plus envie d'essayer.

Un jour, elle se promenait au parc avec Christophe, et ils venaient de s'asseoir sur un banc, au bord du lac où nageaient des cygnes et des oies, quand elle eut envie de lui parler de ce qui s'était passé pendant la guerre. Christophe connaissait déjà l'histoire de Rebecca, dont la disparition tragique était à l'origine de l'engagement de Gaëlle au sein du musée Strauss. Pour la première fois, cependant, elle évoqua le petit Jacob, qui s'était échappé de chez lui par la fenêtre et tapi derrière des tuyaux. Elle raconta comment elle l'avait caché dans la cabane, avant de le conduire en lieu sûr. Christophe l'écouta en silence, abasourdi. Après la mort de Pierre, ce récit l'émouvait profondément.

— Tu sais ce qu'il est devenu ? demanda-t-il.

S'il avait survécu, Jacob était aujourd'hui un homme.

— Non, je n'en sais rien, répondit-elle, songeuse. Mais il y en a eu d'autres après lui.

Elle lui parla d'Isabelle, la fillette de neuf ans qu'elle avait transportée sur un tracteur, puis de tous les enfants qui lui avaient succédé.

— Il y en a eu beaucoup – je ne les ai pas comptés. Je n'ai jamais compris comment les gens avaient pu trouver le courage de confier comme ça leurs enfants à des étrangers. Mais c'était la seule façon pour eux de leur offrir une chance de survie.

Elle évoqua les habitants courageux du Chambon-sur-Lignon, les pasteurs huguenots, et les bénévoles de l'OSE.

— J'ai travaillé pour l'association jusqu'à la fin de l'Occupation, précisa-t-elle. En tout, j'ai dû convoyer plus d'une centaine d'enfants... Si j'ai fait tout ça, c'était pour Rebecca. Parce que je n'avais pas pu la sauver, ni elle ni ses frères et sœur.

Christophe découvrait tout un pan de la vie de Gaëlle qu'il n'avait pas soupçonné. Certaines expériences de la guerre étaient si douloureuses que de nombreuses années s'écoulaient avant qu'on puisse en parler.

— On œuvrait en secret, et puis, à la Libération, chacun est rentré chez soi, expliqua-t-elle. Je n'ai plus revu personne après la guerre. De toute façon, nous étions pour la plupart de simples anonymes, avec nos propres raisons de vouloir aider ces enfants. Moi, c'était à cause de Rebecca.

— Pourquoi tu ne m'en as jamais parlé ? demanda Christophe.

Ce qu'elle venait de lui apprendre le sidérait. Elle lui avait déjà raconté l'histoire des tableaux volés, mais pas tout ça.

— Je ne sais pas... J'ai du mal à parler de la guerre. C'est trop difficile.

Pendant un moment, les mots lui manquèrent. Christophe l'attira contre lui tandis qu'elle se mettait à pleurer.

— J'ai sauvé tous ces enfants, et je n'ai même pas réussi à sauver mon propre fils...

— Tu ne pouvais rien y faire. Tu sais très bien ce que le médecin a dit : les petits de cet âge ne réchappent presque jamais à cette maladie.

— Les enfants que j'ai sauvés n'étaient pas censés réchapper à la guerre, et pourtant ils ont survécu, répliqua Gaëlle.

Christophe acquiesça, tout en songeant qu'il avait épousé une femme remarquable. Elle lui confia alors qu'on l'avait accusée de trahison à la Libération, tondue et humiliée... Mais ce n'était pas grave : ce qui comptait, c'étaient les enfants qu'elle avait arrachés à une mort certaine, et non ce que les gens avaient pensé d'elle.

Sur le chemin du retour, Christophe resta silencieux. Il n'en revenait toujours pas. Sa femme avait eu une attitude héroïque pendant la guerre. Il ne l'en aimait que davantage.

Parce qu'elle était sa mère, et aussi parce qu'elle en avait envie, Gaëlle assista à la remise du diplôme de Dominique à la Harvard Business School. Cette fois-ci, elle n'emmena pas Daphné, et Christophe refusa de l'accompagner. Il en voulait à la jeune fille de n'avoir pas fait l'effort de se déplacer pour les obsèques de Pierre. À ses yeux, elle avait franchi une ligne rouge. Ils ne séjournaient même plus à Southampton pendant les grandes vacances. Gaëlle prenait l'avion jusqu'à Boston deux ou trois fois par an, quand Dominique voulait bien trouver quelques instants à lui consacrer. Désormais, cette dernière célébrait Thanksgiving avec ses amis et trouvait des excuses pour ne pas venir fêter Noël à Paris. Elle détestait l'agitation qui régnait chez sa mère à cause de Daphné, alors que, pour Gaëlle et Christophe, c'était justement cela, l'esprit de Noël. Dominique préférait aller skier à Aspen avec ses camarades de l'école de commerce.

Gaëlle était fière qu'elle ait obtenu son MBA. Elle versa même une larme en repérant Dominique dans la file des étudiants qui attendaient de se voir remettre leur diplôme. Elle repensa à Pierre lors de la cérémonie de Radcliffe, et son cœur se serra douloureusement.

Dominique était heureuse que sa mère soit venue – et surtout, qu'elle soit venue seule. Le soir, pendant qu'elles dînaient, elle lui parla en long et en large de ses projets. Elle prenait son poste dans la banque de son père le lundi suivant, et comptait bien tenir toutes les promesses qu'elle lui avait faites. Robert était son modèle. Pourtant, elle lui ressemblait si peu... Elle n'avait ni sa bonté ni sa compassion. Elle était certes brillante, mais elle se montrait aussi tranchante que le fil d'un rasoir. Cependant, une mère restait mère, quels que fussent les défauts de son enfant...

Avec sa fortune et son diplôme en poche, Dominique était convaincue de son importance. À l'inverse, la force de Gaëlle avait toujours résidé dans sa modestie. Elle avait fait partie d'un réseau de simples citoyens qui avaient agi ensemble pour sauver des vies durant les heures les plus sombres de l'Histoire, et qui, tout seuls, ne seraient jamais arrivés à rien. Dominique n'avait pas encore compris qu'on avait besoin des autres. Elle pensait pouvoir avancer dans la vie sans le soutien de quiconque.

La jeune femme quittait Harvard persuadée qu'une glorieuse destinée l'attendait à Wall Street. Gaëlle lui souhaitait de réaliser ses rêves et de rencontrer les personnes qui l'aideraient en ce sens. Une chose était certaine : en sacrifiant ses proches, Dominique prenait un mauvais départ. Gaëlle en était peinée pour elle, car elle avait encore un long chemin à parcourir et beaucoup à apprendre si elle voulait trouver le bonheur. Il lui faudrait pour cela donner un peu d'elle-même, et non se contenter d'honorer le monde de sa présence. Mais nul ne pouvait l'obliger à devenir ce qu'elle refusait d'être, ou à éprouver des sentiments que son cœur ignorait.

En repartant, Gaëlle lui glissa que son père aurait été fier d'elle. Elle promit de lui rendre visite à New York pendant l'automne, et se garda bien de lui demander de venir à Paris : elle connaissait déjà la réponse. Ces dernières années, Gaëlle avait fait le deuil de leur relation. En tant que mère, elle avait rempli sa mission ; c'était à Dominique désormais de choisir qui elle voulait être.

À trente ans, six ans après l'obtention de son MBA, Dominique se faisait un nom à Wall Street.

Ses ambitions semblaient en bonne voie de se concrétiser – professionnellement parlant, du moins. Gaëlle était heureuse pour elle, même si elle doutait que sa fille ait compris ce qui faisait l'essentiel de la vie.

Huit ans plus tard, Dominique avait atteint presque tous ses objectifs. En revanche, elle était toujours célibataire et sans enfants. Un jour, alors qu'elle dînait avec sa mère, elle lui confia après deux verres de vin qu'elle fréquentait un homme marié depuis douze ans. Il lui promettait régulièrement de quitter sa femme. Dominique pensait qu'il franchirait peut-être le pas quand son plus jeune fils partirait faire ses études supérieures, dans six ans.

— Tu as vraiment envie d'attendre tout ce temps ? demanda Gaëlle.

Elle était touchée que sa fille se soit livrée à elle, mais inquiète, aussi.

— Tu as déjà trente-huit ans. Tu lui as offert tes plus belles années. Et surtout, qu'est-ce qui te fait croire qu'il la quittera ?

Dominique avait patienté plus d'une décennie dans l'antichambre de la vie, à espérer que son amant divorcerait alors qu'il ne le ferait sans doute jamais. Sur le plan personnel, elle semblait faire les mauvais choix, elle se condamnait à l'échec.

Au sein de l'entreprise de son père, tout allait bien : son sens instinctif des affaires lui avait permis d'accroître les profits. Mais, sur le plan affectif, elle souffrait de solitude – Gaëlle le lisait dans ses yeux chaque fois qu'elles se voyaient. L'existence de Dominique tournait exclusivement autour du commerce et des transactions financières. C'était ce qu'elle avait toujours voulu, mais cela suffisait-il ? À près de quarante ans, alors que son amant continuait de la faire attendre, l'amertume que l'on sentait déjà chez elle depuis la mort de son père émanait de tous ses pores. Au plus grand regret de Gaëlle, sa fille était une femme malheureuse. Et elle continuait de ne penser qu'à elle.

Daphné, de son côté, faisait le bonheur de ses parents. Elle devint une jeune femme épanouie, futur médecin. À vingt-trois ans, sans pour autant cesser ses études, elle épousa un camarade de sa promotion, et ils donnèrent naissance à leur premier enfant, Delphine, un an plus tard. Gaëlle avait alors soixante-cinq ans. Dès l'instant où elle posa les yeux sur sa petite-fille, elle sut qu'elle était spéciale. Christophe l'adorait, lui aussi. Il ne ratait pas une occasion de passer du temps avec elle ou de l'emmener au zoo. À l'entendre, c'était une fillette remarquable.

Lorsque les frères jumeaux de Delphine naquirent, deux ans après, Christophe les aima tout autant. Ses petits-enfants le comblaient de joie, comme Daphné et Pierre avant eux.

Delphine avait quatre ans lorsque son grand-père tomba malade. Il succomba au bout d'un an, entouré de sa femme et de sa fille : après avoir murmuré à Gaëlle qu'il l'aimait, il ferma les yeux et s'endormit pour toujours. Jusqu'à la dernière minute, ils avaient partagé une vie merveilleuse.

Daphné appela sa demi-sœur Dominique pour lui annoncer la nouvelle, et fut stupéfaite quand celle-ci lui annonça qu'elle viendrait à l'enterrement. Elle avait quarante-sept ans, Daphné vingt-neuf, et les deux femmes ne s'étaient pas vues depuis vingt-cinq ans... Par respect pour sa mère, Dominique resta deux jours à Paris, où elle avait loué une chambre au Ritz.

Elle paraissait guindée et mal à l'aise au milieu de cette famille qu'elle avait toujours fuie. Il se dégageait d'elle une impression de réussite et de pouvoir, mais aussi de grande solitude. Jamais elle n'avait connu l'amour d'un homme comme Robert ou Christophe, ou d'un enfant comme Delphine.

Pendant les obsèques, cette dernière glissa sa main dans celle de sa grand-mère, puis elle lui tendit une rose au cimetière. Le regard de la fillette recelait une sagesse ancestrale. Gaëlle avait déjà vu des yeux comme les siens pendant la guerre. Ceux des enfants qui étaient nés pour laisser leur empreinte sur le monde, et qui avaient survécu. Des enfants qu'elle n'oublierait jamais.

Après l'enterrement, Delphine rentra en voiture avec sa mère, sa grand-mère et sa tante Dominique, qu'elle rencontrait pour la première fois.

— Elle a l'air triste, confia-t-elle à voix basse à Gaëlle.

Attendue pour une réunion importante, Dominique repartit à New York le lendemain matin en promettant de revenir les voir bientôt. Elle avait été surprise de découvrir à quel point sa sœur était devenue une femme accomplie. Daphné terminait tout juste son internat. De son côté, Gaëlle avait apprécié que sa fille aînée fasse le déplacement.

Par la suite, plus rien ne fut pareil pour Gaëlle. Il lui fallut se réhabituer à vivre seule, accepter l'absence de l'être aimé. Heureusement, elle avait toujours son travail, son amie Louise, et trente années de souvenirs heureux avec Christophe.

Le temps continua de filer, trop vite à son goût. Daphné ouvrit son cabinet, les enfants grandirent, et Gaëlle poursuivit ses activités au musée tout en voyant sa fille et ses trois petits-enfants régulièrement. Elle était encore plus proche de Daphné depuis que celle-ci avait perdu son père. En revanche, malgré ses promesses, Dominique n'avait pas remis les pieds à Paris. Elle était trop occupée à conclure des affaires... Gaëlle allait la voir à New York, quoique moins fréquemment. Elle aussi avait une vie bien remplie.

Trois ans après la mort de Christophe, l'amant de Dominique divorça de sa femme pour en épouser une autre. Elle avait attendu vingt-quatre ans pour rien. Comme Gaëlle le fit remarquer à Daphné, on ne récolte que ce que l'on sème... Pendant toutes ces années, le seul geste de compassion que Dominique avait consenti à faire pour sa mère avait été d'assister aux obsèques de Christophe.

Un des plus grands plaisirs de Gaëlle à présent était de passer des vacances avec sa petite-fille. Elles s'entendaient si bien ! L'été des dix-sept ans de Delphine, elles partirent à Deauville. C'est là que Gaëlle lui raconta pour la première fois l'histoire de Rebecca.

— C'est pour ça que tu travailles au musée Strauss ? s'enquit la jeune fille.

Elle avait toujours été fascinée par sa grand-mère, dont elle admirait l'esprit, la sagesse et l'énergie.

— Oui, et pour tous les Juifs déportés pendant la guerre, répondit Gaëlle.

Elle évoqua alors le petit bout de ruban bleu qu'elle avait conservé dans un tiroir. Puis elle lui parla des autres enfants, des lieux où elle les avait emmenés, et de tous ces gens qui avaient risqué leur vie pour rendre le monde meilleur.

— Voilà l'objectif que tu devrais toujours garder en tête, Delphine : rendre le monde meilleur. Pas pour toi, mais pour ceux qui ont besoin de ton aide.

— Un jour, j'écrirai un livre sur toi, décréta la jeune fille. Ce que tu as fait est héroïque.

— Je n'étais qu'une personne parmi d'autres, tu sais. Seul, on ne change pas grand-chose ; c'est ce qu'on fait tous ensemble qui compte.

C'était là le sens même de l'action collective.

— Est-ce que tu as été décorée ? s'enquit Delphine. Tu es une Juste de l'armée des ombres, mamie...

— Non, je n'ai pas été décorée.

Gaëlle lui expliqua qu'elle avait même été accusée d'avoir trahi sa patrie, et ce parce qu'elle avait eu des liens avec un officier allemand qui avait entrepris de sauver des tableaux volés par ses compatriotes. En l'écoutant, Delphine fut plus déterminée que jamais à raconter l'histoire de sa grand-mère et à se battre pour que ses actes de bravoure soient reconnus. À quatre-vingt-deux ans, Gaëlle faisait partie de la mémoire vivante de la France.

De retour chez elle, Delphine appela sa mère pour lui raconter ce que lui avait dit sa grand-mère. Daphné se souvenait vaguement de certaines anecdotes, sans les connaître toutes.

— Elle n'aime pas parler de la guerre, répondit-elle. Ce que je sais de cette période de sa vie, c'est mon père qui me l'a appris quand j'étais jeune.

À l'époque, elle n'y avait pas vraiment prêté attention. Elle le regrettait aujourd'hui.

Delphine adressa un courrier à la grande chancellerie de l'ordre de la Légion d'honneur, dans lequel elle détaillait les actions de sa grand-mère. On lui répondit de manière abrupte que Gaëlle de Barbet avait été dénoncée comme collaboratrice et qu'elle n'avait jamais été innocentée après la guerre.

La jeune fille renouvela sa requête cinq ans plus tard, quand Gaëlle prit sa retraite. Elle reçut exactement la même réponse. Delphine avait alors vingt-deux ans et finissait ses études de littérature et d'histoire à la Sorbonne. Comme elle n'était pas du genre à baisser les bras, elle demanda à sa grand-mère le nom du commandant allemand qui lui avait remis les tableaux. Gaëlle le lui indiqua – sa mémoire était toujours aussi vive –, tout en lui assurant que cela ne servirait à rien et qu'elle s'en fichait. Elle n'avait pas besoin d'une médaille. Les vies qu'elle avait sauvées lui suffisaient.

Après quelques recherches sur Internet, Delphine localisa la famille du commandant. Celui-ci était mort depuis longtemps, mais ses descendants connaissaient l'histoire des toiles volées. Avaient-ils entendu parler d'une liaison que leur aïeul aurait eue avec Gaëlle de Barbet, ou de sentiments qu'il aurait pu éprouver à son égard ? Il n'en avait jamais été question, répondirent-ils. Le commandant s'était remarié après la guerre et avait fondé une nouvelle famille. Ils promirent à Delphine d'écrire à la chancellerie pour clarifier ce point.

Gaëlle fut stupéfaite, et quelque peu gênée, quand sa petite-fille publia le récit de ses « exploits » sur Internet. Décidément, Delphine était obsédée par l'idée de blanchir son nom...

— Tant mieux ! s'exclama Louise lorsque Gaëlle lui confia son embarras. Elle arrivera peut-être à obtenir ce que tu n'as jamais cherché à avoir toi-même !

Les e-mails commencèrent alors à affluer, émanant des anciens enfants que Gaëlle avait conduits en lieu sûr. Certains étaient encore en vie et se souvenaient d'elle, même s'ils n'avaient jamais su son nom ou l'avaient seulement connue sous le pseudonyme de

Marie-Ange. Ils furent vingt-quatre en tout à écrire à Delphine, laquelle ne manqua pas de soumettre leurs messages à la chancellerie.

Pendant treize ans, ses démarches restèrent vaines. Delphine savait néanmoins qu'un jour, quoi qu'il advienne, elle écrirait un livre sur sa grand-mère. Elle s'en sentait le devoir. Ce que Gaëlle avait accompli était trop important pour rester secret. Elle méritait de surcroît d'être innocentée, quand bien même elle répétait que cela lui était égal. Gaëlle se contentait amplement des témoignages de gratitude qu'elle avait reçus grâce au récit de Delphine, et qui l'avaient profondément touchée.

Puis, un premier de l'an, son nom apparut enfin sur la liste...

La nuit était déjà tombée lorsque Delphine réussit à joindre sa grand-mère.

— Alors, tu l'as vu ? lança-t-elle, tout excitée.

— Quoi donc ? demanda Gaëlle, feignant de ne pas comprendre.

— Ton nom, dans le journal !

Gaëlle eut un petit rire.

— Tu es une sacrée tête de mule, ma chérie...

Pendant toutes ces années, Delphine n'avait jamais renoncé, même une fois devenue adulte.

— J'ai toujours dit à ta mère que tu étais spéciale, ajouta-t-elle.

— Pas autant que toi, mamie. Je n'ai pas sauvé des dizaines d'enfants.

— Je n'ai fait que mon devoir.

— Moi aussi, répliqua joyeusement Delphine. Quand aura lieu la cérémonie ?

— J'imagine qu'ils me préviendront le moment venu. J'ai attendu jusqu'à mes quatre-vingt-quinze ans, je peux patienter encore un peu...

Ses concitoyens n'avaient pas perdu de temps pour la traiter de collabo, mais personne n'avait été pressé de la qualifier d'héroïne – excepté sa petite-fille.

— On sera avec toi le jour J, lui promit cette dernière.

Un mois s'écoula avant que Gaëlle se voie préciser la date à laquelle le président de la République lui remettrait sa médaille. Cette fois-ci, Daphné fut la première à découvrir l'information dans la presse, et elle appela immédiatement sa demi-sœur à New York, sur sa ligne privée. Elles ne s'étaient pas parlé depuis les obsèques de Christophe, vingt-cinq ans plus tôt. L'espace d'un instant, Dominique crut que sa mère était morte.

— Maman va recevoir la Légion d'honneur, lui annonça Daphné.

— C'est formidable, répondit-elle, admirative, tout en se demandant pourquoi Daphné prenait la peine de la prévenir.

— Il faut que tu viennes, Dominique. Tu ne peux pas la laisser tomber.

Daphné avait lu dans le journal qu'à soixante-treize ans sa sœur continuait d'exercer une grande influence à Wall Street. Dominique ne vivait que pour et par son travail.

— Je viens de me faire opérer du genou, objecta-t-elle. Je ne suis pas sûre de pouvoir voyager.

Elle préférait garder ses distances. C'était plus confortable ainsi.

— Je m'en fiche, répliqua Daphné. Elle a quatre-vingt-quinze ans. Combien d'événements tu comptes rater, encore ? Il n'y en aura pas d'autres comme celui-ci.

Le rejet avait été l'arme de prédilection de Dominique tout au long de son existence. Elle n'avait jamais été là pour sa mère, hormis à l'occasion de l'enterrement de Christophe. Si Gaëlle ne s'en plaignait pas, Daphné devinait combien cela la décevait, et combien elle en souffrait.

— Ma fille s'est battue pour lui obtenir cette décoration, renchérit-elle. La moindre des choses serait que tu viennes. Ce n'est quand même pas la mer à boire.

Pendant un moment, Dominique resta silencieuse.

— C'est quand ? s'enquit-elle finalement d'une voix sourde.

Daphné lui indiqua la date, et sa sœur lui promit d'essayer – ce qui ne voulait rien dire, venant d'elle. Dominique ne faisait jamais d'efforts. Elle attendait que sa mère s'en charge. Depuis quelques années, cependant, Gaëlle n'allait plus la voir à New York et se contentait de l'appeler de temps en temps.

— Viens, s'il te plaît, insista Daphné. Tu n'es pas obligée de nous parler, mais fais-le pour elle.

Le ton insistant qu'elle employait ne lui ressemblait pas. Cependant, il fallait bien que quelqu'un se charge de bousculer un peu Dominique, pour une fois...

— C'est elle qui t'a dit de m'appeler ? questionna cette dernière.

— Non, elle ne m'a rien demandé. Mais je peux t'assurer qu'elle souffre de ton indifférence !

Dominique comprit alors qu'elle n'avait pas le choix : elle devait faire le déplacement, si douloureux que cela fût pour elle. Gaëlle était sa mère. Sans qu'elle sache pourquoi, elle n'avait jamais réussi à l'apprécier. Mais elle avait réalisé sur le tard qu'elle avait trop aimé son père et que cela n'avait laissé aucune place pour Gaëlle. Daphné avait raison, c'était sa dernière chance. Un petit geste ne serait pas de trop pour compenser toute une vie passée à refuser de tendre la main. Un petit geste pour soulager la peine qu'elle avait causée.

Le jour se leva sous un soleil éclatant. Daphné avait acheté la plus grosse médaille qu'elle avait pu trouver pour sa mère. C'était une grande étoile émaillée de blanc, entourée d'une couronne de feuilles vertes, avec en son centre un médaillon d'or sur fond d'émail bleu nuit. Elle était accrochée à un ruban rouge vif qui serait fixé pendant la cérémonie au tailleur de Gaëlle. Par la suite, celle-ci porterait un nœud discret au revers de sa veste, ou une médaille miniature pour les occasions spéciales.

Delphine passa chercher sa grand-mère dans sa petite voiture, à bord de laquelle l'énergique vieille dame n'avait aucune peine à monter. Georges, son compagnon, devait les rejoindre directement du bureau. Daphné et son mari viendraient par leurs propres moyens, et les deux frères de Delphine sur leurs motos respectives, accompagnés de leurs petites amies. Les garçons étaient fiers de leur grand-mère, eux aussi, même s'ils étaient moins proches d'elle que leur sœur. Louise se ferait conduire à l'Élysée par son chauffeur. Le nouveau directeur du musée Strauss avait promis d'assister à la cérémonie, ainsi que son prédécesseur et un membre de la famille Strauss. André, le meilleur ami de Christophe, devait également être présent. Il viendrait seul, puisque son épouse Geneviève était décédée dix ans auparavant.

Enfin, Delphine avait contacté un conservateur du Louvre, lequel, après avoir vérifié son histoire, s'était engagé à envoyer un représentant.

Dans le hall de l'Élysée, les invités étaient en train de se rassembler au son d'un orchestre. Delphine repéra immédiatement le groupe qui l'avait contactée par mail. C'était l'association Les Survivants, fondée cinquante ans auparavant par les enfants que Gaëlle et les autres membres de l'OSE avaient sauvés. Depuis, ils avaient bien vécu... Certains paraissaient même aussi âgés que Gaëlle ! Ils étaient venus lui présenter leurs respects et la remercier pour ses actes de courage, que certains, de simples bébés à l'époque, avaient été trop jeunes pour comprendre sur le moment.

Quand Delphine expliqua à sa grand-mère qui ils étaient, celle-ci s'avança vers eux pour leur serrer la main. L'émotion était palpable. Parmi cette petite vingtaine de personnes se trouvait Isabelle, aujourd'hui âgée de quatre-vingt-six ans.

— Je me souviens très bien de vous, confia-t-elle avec enthousiasme à Gaëlle. Vous m'avez emmenée sur un tracteur emprunté à un fermier. Nous sommes passées juste sous le nez des soldats allemands ! Vous me répétiez de ne pas m'inquiéter, et vous étiez d'un calme olympien... Je ne l'oublierai jamais !

Isabelle était accompagnée de ses petits-enfants et arrière-petits-enfants, qui remercièrent Gaëlle à leur tour. Elle avait été six fois maman.

À cet instant, une dame grande et mince s'approcha. Daphné et Delphine la reconnurent aussitôt. Elle avait très peu changé depuis les obsèques de Christophe, bien qu'elle eût vieilli. Vêtue d'un tailleur Chanel noir, ses cheveux gris coupés court, elle marchait en s'aidant d'une canne, qu'elle accrocha à son bras lorsqu'elle les eut rejoints. Si elle ne ressemblait pas du tout à sa mère, elle possédait la même élégance empreinte de dignité.

— Dominique ! Qu'est-ce que tu fais là ? s'exclama Gaëlle, stupéfaite.

Elle ne l'avait pas prévenue, convaincue que sa fille ne viendrait pas.

— On m'a dit que tu recevais les honneurs aujourd'hui, maman.

Alors qu'elle plongeait son regard dans celui de Gaëlle, elle y vit pour la première fois toute la compassion, toute l'indulgence qui lui avaient permis de survivre à la guerre et de mener une existence heureuse par la suite. Face à cette femme qui n'avait gardé aucune rancune, Dominique se sentait à présent coupable. Elle lui avait reproché mille choses – la mort de son père, son mariage avec Christophe, la naissance de Daphné et de Pierre, et même l'argent qu'elle avait hérité de Robert. Toute sa vie, elle l'avait accablée, et cette colère n'avait laissé de place à rien d'autre dans son cœur. Aujourd'hui, Dominique portait son amertume et sa lassitude sur son visage : elle paraissait plus vieille que Gaëlle, qui avait conservé toute sa joie de vivre.

— Ça me fait plaisir de te voir, Dominique, ma chérie. Merci d'être venue.

Sur ce, Gaëlle la serra dans ses bras. Dominique sentit les larmes lui monter aux yeux en comprenant que sa mère lui pardonnait, malgré tout le chagrin qu'elle lui avait infligé.

— Je n'aurais pas voulu rater ça, dit-elle d'une voix emplie d'émotion.

Elle adressa un sourire de gratitude à Daphné, avant de se présenter à Delphine. Celle-ci avait tout juste cinq ans quand elle l'avait vue à l'enterrement de Christophe. Elle la félicita pour sa persévérance.

Quand l'assemblée fut invitée à passer dans la pièce où devait se dérouler la cérémonie, Delphine glissa une main sous le bras de sa grand-mère.

— C'est pour m'aider, ou parce que tu as besoin d'une béquille ? la taquina Gaëlle en échangeant un clin d'œil avec Louise. Je suis sûre que je suis la plus vieille de l'assistance...

— Et la plus courageuse, répliqua Delphine en riant. C'est pour ça qu'on est tous là, aujourd'hui. Pour célébrer des actes de bravoure accomplis sur le champ de bataille.

À présent, la Légion d'honneur était aussi décernée pour d'autres raisons, mais elle avait été créée du temps de Napoléon pour récompenser les soldats courageux. Et, courageuse, Gaëlle l'avait été sans conteste.

Il ne fallut que quelques secondes au président de la République pour épingler la médaille sur sa veste. Gaëlle avait choisi de porter du noir pour que l'étoile ressorte bien. Les autres récipiendaires furent décorés à leur tour, sous les applaudissements de la foule. Le président loua leurs exploits, après quoi ils prirent chacun brièvement la parole. Comme à l'accoutumée, Gaëlle fut humble et concise et remercia ses proches pour leur présence – tout particulièrement Delphine, qui s'était tant battue pour elle.

Le discours éloquent du président l'avait replongée dans cette période terrible où tout le monde avait eu peur de mourir à chaque instant, et où ils avaient été si nombreux à tomber. Avec une poignée d'autres, et en dépit du danger, Gaëlle avait arraché des dizaines d'enfants aux griffes de l'ennemi. S'ils avaient pu mener une existence heureuse après cela, comme elle l'espérait de tout son cœur, alors le risque en avait valu la peine. La joie qu'elle avait connue dans sa vie par la suite compensait tous les malheurs endurés pendant ces années-là. Elle avait eu la chance d'être aimée par deux hommes merveilleux, et de chérir ses trois enfants.

Quant aux personnes qui lui avaient fait du mal, Gaëlle leur avait pardonné depuis longtemps. Les villageois et leurs accusations, les Allemands qui avaient tué son père... Ce qui importait, c'était qu'elle avait sauvé des vies. Et ceux pour qui elle n'avait rien pu faire, Rebecca et sa famille, et tous les autres, elle ne les oublierait jamais.

Gaëlle quitta la salle au bras de sa petite-fille, arborant fièrement sa médaille.

— Alors, quand est-ce qu'on écrit ce livre, mamie ?

La vieille dame lui tapota la main en riant.

— Demain, si tu veux.

Delphine l'avait bien mérité, et Gaëlle avait hâte de commencer. Il y avait tant à dire ! Cette histoire, elle était enfin prête à la raconter.

DU MÊME AUTEUR
CHEZ LE MÊME ÉDITEUR *(suite)*

Vous avez aimé ce livre ?
Vous souhaitez en savoir plus sur Danielle STEEL ?
Devenez, gratuitement et sans engagement, membre du
CLUB DES AMIS DE DANIELLE STEEL
et recevez une photo en couleur dédicacée.
Pour cela il suffit de vous inscrire sur le site
www.danielle-steel.fr
ou de nous renvoyer ce bon accompagné
d'une enveloppe timbrée à vos nom, prénom et adresse
au Club des Amis de Danielle Steel
— 12, avenue d'Italie – 75627 PARIS CEDEX 13

Monsieur – Madame – Mademoiselle

NOM :
Prénom :
Adresse :

Code postal :
Ville :
Pays :
E-mail :
Téléphone :
Date de naissance :
Profession :

La liste de tous les romans de Danielle Steel publiés aux Presses de la Cité se trouve au début de cet ouvrage. Si un ou plusieurs titres vous manquent, commandez-les à votre libraire. Au cas où celui-ci ne pourrait obtenir le ou les livres que vous désirez, si vous résidez en France métropolitaine, écrivez-nous pour le ou les acquérir par l'intermédiaire du Club.